De vorm van slangen

Van dezelfde auteur:
De beeldhouwster
De branding
De donkere kamer
De echo
Het heksenmasker
Het ijshuis

Minette Walters

De vorm van slangen

dB

2001 – De Boekerij – Amsterdam

Oorspronkelijke titel: The Shape of Snakes (Macmillan)
Vertaling: Nienke van der Meulen
Omslagontwerp: Studio Eric Wondergem BNO

ISBN 90-225-2863-4

Voor
John, Henry en Frank

'Alleen zuiver blanke christenen van niet-joodse, niet-negroïde, niet-Aziatische afkomst kunnen zich aansluiten bij de Ridders van de Ku Klux Klan...'

'De naam Ku Klux Klan is afgeleid van het Griekse woord kuklos, dat cirkel betekent... In deze context betekent kuklos gewoon Blanke Raciale Broederschap...'

Het Klan-symbool van de Bloeddruppel verwijst naar: 'Het bloed van Jezus Christus dat vergoten is voor het Blanke Arische Ras...'

Het Brandend Kruis 'wordt gebruikt om de krachten van het christendom te bundelen tegen de immer aanwassende hordes van de Antichrist en de vijanden van... het Blanke Ras...'

'De Ridders van de Ku Klux Klan beschouwen zichzelf niet als vijanden van de niet-Blanken... (maar) zullen zich verzetten tegen integratie in welke vorm dan ook...'

Vrij opvraagbare KKK-propaganda op het Internet

Met dank aan:
Adrian, Alec, Andrew, Annika, Beverley, Caroline, James, Jane,
Michael, Philippa, Richard, Sharon en Susanna.

En heel veel dank aan Nick Godwin, Allen Anscombe,
Rachel Harris en Ruth Wild voor hun goede hulp en advies.

'Tics kunnen gecategoriseerd worden als motorisch of verbaal, eenvoudig of complex... Complexe symptomen zijn onder andere: schudden met het lichaam, springen, slaan, op de tenen lopen, in zichzelf praten, schreeuwen, coprolalie – het uitspreken van obscene of anderszins sociaal-onaanvaardbare woorden of zinnen... Tics verergeren bij spanning of stress.'

AFDELING KANSAS CITY VAN DE VERENIGING SYNDROOM VAN TOURETTE

'Ongeluk heeft de hebbelijkheid besmettelijk te zijn...'

MARGARET ATWOOD IN HET BBC 4 RADIOPROGRAMMA DE BOEKENCLUB, 9 MEI, 1999

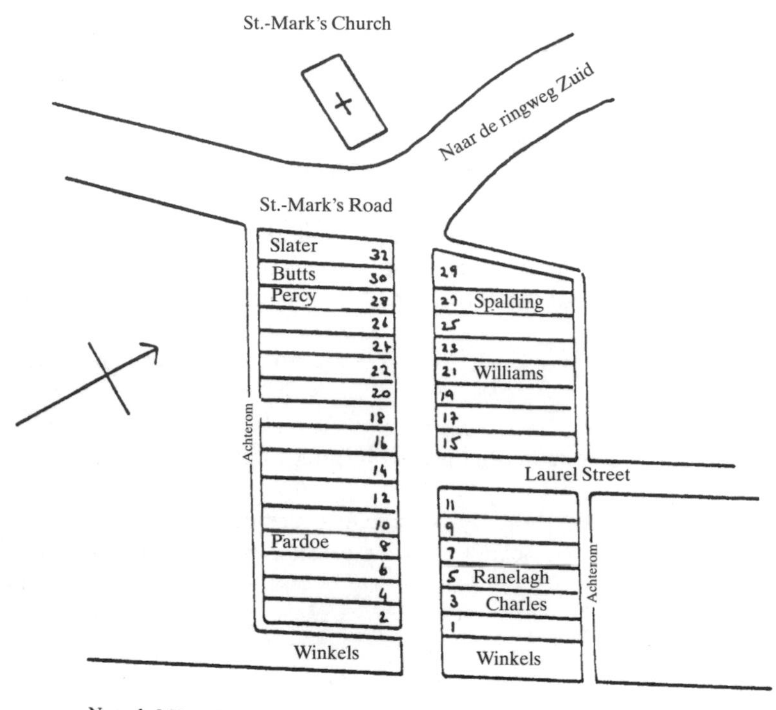

KAART VAN DE

LONDENSE BUURT RICHMOND UPON THAMES

1

IK HEB NOOIT KUNNEN UITMAKEN OF 'GEKKE ANNIE' NU VERMOORD is omdat ze gek was, of omdat ze zwart was. We woonden toen in het zuidwesten van Londen en ik weet nog hoe ontzet ik was toen ik op die natte novemberavond uit mijn werk thuiskwam en haar vlak voor ons huis in elkaar gezakt in de goot vond. Het was in 1978, de winter van de ontevredenheid, waarin de regering haar greep op de vakbonden kwijt was, stakingen aan de orde van de dag waren, ziekenhuizen hun patiënten niet meer van maaltijden voorzagen en het vuilnis in bergen langs de stoepen lag. Als ik haar oude geruite jas niet herkend had, had ik haar misschien laten liggen in de veronderstelling dat dat hoopje in de goot een bundel afgedankte kleren was.

Haar echte naam was Ann Butts en ze was de enige zwarte persoon in onze straat. Ze was een goedgebouwde vrouw met een afwerende gezichtsuitdrukking en een sterke afkeer van sociaal contact. Ze stond erom bekend dat ze wel een borrel lustte, vooral Caribische rum, en 's zomers kon je haar regelmatig op de stoep aantreffen terwijl ze gospels zat te zingen. Ze had het etiket 'gek' opgeplakt gekregen omdat ze rare gezichten trok en in zichzelf praatte als ze langsliep met die rare hinkelpas van haar die je deed denken aan een kind dat paardjereed.

Er was weinig over haar omstandigheden bekend, behalve dat ze haar huis en een bescheiden lijfrente van haar moeder geërfd had, en afgezien van de verzameling zwerfkatten die bij haar ingetrokken was, woonde ze alleen. Er werd gezegd dat haar moeder nog gekker dan zij was geweest en dat haar vader hen daarom verlaten had. Een van de oudgedienden van Graham Road kon er een eed op doen dat mevrouw Butts senior de gewoonte had obsceniteiten naar voorbijgangers te schreeuwen en dat ze als ze het te pakken had als een derwisj kon dansen, maar mevrouw Butts was al een hele tijd dood en het verhaal was ongetwijfeld sterker geworden naarmate het vaker verteld werd.

Ik geloofde het niet en ook geloofde ik de geruchten niet dat

Annie kippen hield die ze doodde door ze met veren en al te koken, als avondeten voor zichzelf en haar katten. Het was onzin – ze kocht haar vlees, dood, bij de plaatselijke supermarkt, net als iedereen – maar haar naaste buren hadden over ratten in haar tuin geklaagd en over de verschrikkelijke stank die uit haar keuken kwam, en zo was het verhaal van de kippen de wereld in gekomen. Ik heb altijd gezegd dat ze niet én katten én ratten kon hebben, maar in logica was niemand geïnteresseerd.

Diezelfde buren maakten haar het leven zuur door regelmatig over haar te klagen bij de gemeente, de dierenbescherming en de politie, maar dat leverde niets op omdat de gemeente haar niet uit haar eigen huis kon zetten, de katten niet slecht behandeld werden en ze niet gek genoeg was om opgenomen te worden. Als ze steun had gehad van familie of vrienden had ze haar lastige buren voor de rechter kunnen slepen, maar ze was erg op zichzelf en haar privacy was haar bijzonder lief. Af en toe kwamen er mensen van Volksgezondheid of sociaal werksters langs die tevergeefs poogden haar over te halen om in een woonproject te gaan wonen, en één keer per week klopte de dominee van de kerk in de buurt bij haar aan om te kijken of ze nog leefde. Zijn moeite werd altijd beloond door een scheldpartij uit een bovenraam, maar dat nam hij goed op ondanks dat Annie weigerde een voet in zijn kerk te zetten.

Ik kende haar alleen van gezicht omdat wij aan de andere kant van de straat woonden, maar ik heb nooit begrepen waarom de straat zo'n hekel aan haar had. Mijn echtgenoot zei dat het alles te maken had met de waarde van de huizen, maar dat kon ik niet met hem eens zijn. Toen wij in 1976 naar Graham Road verhuisden, maakte we ons geen enkele illusie waaróm we ons dat konden permitteren. De postcode gaf weliswaar 'Richmond' aan, maar het was overduidelijk het verkeerde stuk van Richmond. De huizen waren rond 1880 voor arbeiders gebouwd, een dubbele rij eengezinswoningen met twee kamers boven en twee beneden, een zijstraat van de A316 tussen Richmond en Mortlake, en niemand die daar een huis had gekocht verwachtte miljonair te worden, vooral niet omdat tussen de particuliere huizen gemeentewoningen stonden. Je kon ze makkelijk herkennen aan hun gele deuren en er werd op neergekeken door de mensen die hun huizen gekocht hadden, omdat in ten minste twee woningen probleemgezinnen zaten.

Ik had het gevoel dat de manier waarop de kinderen Annie behandelden een uitstekende barometer was van de gevoelens van de volwassenen. Ze plaagden haar meedogenloos, scholden haar uit en demonstreerden hun recht zich superieur te voelen door haar hobbelpas na te doen. Als hun getreiter haar zo had geërgerd dat ze opkeek om hun een boze blik toe te werpen, renden ze gillend weg. Het deed denken aan een geketende beer op een kermis. Ze hitsten haar op omdat ze op haar neerkeken, maar ze waren ook bang voor haar.

Achteraf gezien wilde ik natuurlijk dat ik voor haar in de bres gesprongen was, maar net als al die anderen die niets deden, nam ik aan dat ze op zichzelf kon passen. De kinderen waren in ieder geval niet de enigen die bang voor haar waren. De enige keer dat ik een poging deed een praatje met haar te beginnen, barstte ze woedend tegen me uit, noemde me bleekscheet, en ik had de moed niet meer het nog eens te proberen. Daarna stond ze af en toe voor mijn deur naar ons huis te staren, maar zodra ze me zag, hobbelde ze weg en mijn man zei dat ik haar niet nog meer tegen me in het harnas moest jagen. Ik zei dat ik dacht dat ze probeerde te zeggen dat het haar speet, maar hij lachte en zei dat ik naïef was.

De avond dat ze stierf viel er een ijskoude regen. De kromme bomen die langs de stoep stonden waren zwart en doorweekt waardoor de straat er bijzonder triest uitzag toen ik vanaf de grote weg de hoek omsloeg. Aan de overkant bleef een paartje even onder een lantaarnpaal staan, toen liep de man door en stak de vrouw schuin voor me over. Ik zette mijn kraag op om mijn gezicht tegen de striemende regen te beschermen voor ik de stoep af stapte om door het watergordijn naar mijn huis te rennen.

Ik vond Annie aan de rand van de gele lichtcirkel tussen twee geparkeerde auto's en ik weet nog dat ik me afvroeg waarom het paartje haar niet opgemerkt had. Of wellicht hadden ze haar expres genegeerd omdat ze net als ik dachten dat ze dronken was. Ik bukte me en schudde haar aan haar schouder, maar daardoor schreeuwde ze het opeens uit en ik deed direct een stap achteruit. Ze had haar armen om haar hoofd geslagen en haar knieën tot onder haar kin opgetrokken om zich tegen de regen te beschermen, nam ik aan. Ze stonk naar urine en ik dacht dat ze een ongeluk had gehad, maar ik deinsde terug voor de verantwoordelijkheid haar zelf te helpen en in plaats daarvan zei ik tegen haar dat ik naar huis ging om een ambulance te bellen.

Heeft ze gedacht dat ik niet terug zou komen? Heeft ze daarom haar armen voor haar arme hoofd weggetrokken en haar van pijn vervulde ogen naar mij opgeslagen? Ik weet niet of dat het ogenblik was waarop ze stierf – achteraf zeiden ze dat dat wel waarschijnlijk was omdat haar schedel gebroken was waardoor iedere beweging een risico inhield – maar ik weet wel dat ik nooit meer zo'n diepe intimiteit met een ander menselijk wezen zal beleven. Ik voelde alles wat zij voelde: verdriet, pijn, wanhoop, lijden – maar bovenal volkomen onbegrip waarom iemand haar zou willen doden. Was ik onbeminnelijk? leek ze te vragen. Was ik niet aardig? Was ik minderwaardig omdat ik anders ben?

Vele uren later trok de politie mijn verwarde woorden in twijfel. Had juffrouw Butts dat werkelijk gezegd? Nee. Had ze iemand rechtstreeks beschuldigd? Nee. Had ze überhaupt iets gezegd? Nee. Hebt u iemand zien wegrennen? Nee. Dus er is geen enkel ander bewijs voor uw bewering dat het om moord gaat dan een verbaasde blik in haar ogen? Nee.

Ik kon het hun niet kwalijk nemen dat ze hun bedenkingen hadden. Zoals ze al zeiden was het weinig waarschijnlijk dat ik de blik van Annie op de juiste manier geïnterpreteerd had. Een onverwacht sterfgeval is altijd moeilijk te aanvaarden omdat de gevoelens die ermee gepaard gaan complex zijn. Ze probeerden me ervan te overtuigen dat het verbeelding was geweest, geactiveerd door de schok die het was haar te vinden. Ze boden me een posttraumatische-stress-therapie aan om me eroverheen te helpen, die ik weigerde. Gerechtigheid, dat was het enige wat me interesseerde. Wat mij betrof zouden de eventuele gevolgen van shock direct verdwijnen als de moordenaar of moordenaars gepakt en veroordeeld zouden worden.

Maar dat gebeurde niet.

De uitspraak van de coroner*, gebaseerd op de resultaten van het post mortem en getuigenverklaringen die het twee weken durende politieonderzoek had opgeleverd, was dood door ongeval. Hij schilderde het beeld van een vrouw die zelfs als ze nuchter was weinig realiteitszin had en die op de betreffende avond zwaar had gedronken. Haar bloed bevatte een hoog alcoholpercentage en passerende automobilisten en verscheidene buren hadden haar door de straat zien wankelen. Eén getuige zei dat hij geprobeerd had haar te overreden weer naar huis te gaan, maar dat hij die poging gestaakt had toen ze hem begon uit te schelden. Haar verwondingen – met name de gebarsten schedel en gebroken linkerarm – strookten met een schampbotsing met een zwaar voertuig, waarschijnlijk een vrachtwagen, waardoor ze tussen de geparkeerde auto's tegen de lantaarn-

* coroner: gerechtelijk ambtenaar in Groot-Brittannië, belast met justitieel onderzoek in zaken waarbij de doodsoorzaak van het slachtoffer onbekend is.

paal aan was gegooid. Vanwege de zware regenval die avond wekte het geen bevreemding dat er geen weefselresten, bloed of haar op de lantaarnpaal waren aangetroffen.

Dat zich geen bestuurder gemeld had om zijn aansprakelijkheid te erkennen, werd ook niet vreemd gevonden. Het was donker geweest, het goot van de regen, de geparkeerde auto's belemmerden het zicht en de straatverlichting was ontoereikend. Met een kritische noot aan het adres van de gemeente die oogluikend toeliet dat slechtverlichte straten in de armere buurten sluipwegen voor het zware verkeer werden, onderschreef de coroner de zienswijze van de politie dat juffrouw Butts gestruikeld was en van de stoep tegen een passerende vrachtwagen aan was gelopen, naar alle waarschijnlijkheid zonder dat de bestuurder dat gemerkt had. Het was onmogelijk vast te stellen op welk tijdstip het ongeluk had plaatsgevonden, hoewel het – gezien de ernst van de verwondingen van juffrouw Butts – onwaarschijnlijk was dat ze het ongeluk langer dan een halfuur overleefd had.

Het was een droevig geval, zei de coroner, dat maar weer eens onderstreepte hoe noodzakelijk een element van dwang was in de aanpak van kwetsbare individuen in de moderne samenleving. Het was overduidelijk – gezien de toestand waarin de politie haar huis de dag na haar dood had aangetroffen en haar drankverslaving – dat ze niet in staat was geweest voor zichzelf te zorgen en hij was persoonlijk van mening dat als de sociaal werkers en de medewerkers van Volksgezondheid de mogelijkheid hadden gehad juffrouw Butts te dwingen hulp te aanvaarden, ze nu nog geleefd zou hebben. De getuige die juffrouw Butts gevonden had, had weliswaar beweerd dat er onder de buren een racistische campagne jegens juffrouw Butts gaande was, maar er was geen enkel bewijs dat deze bewering staafde en de coroner geloofde dat de acties van haar buren slechts waren ingegeven door bezorgdheid voor juffrouw Butts' welzijn. Alles in aanmerking genomen en ondanks het feit dat diezelfde getuige zo emotioneel volhield dat juffrouw Butts opzettelijk voor een aanstormend voertuig was geduwd, was het vonnis van de coroner ondubbelzinnig. Dood door ongeval. Zaak gesloten...

Kort daarna werd ik ziek en ik bleef een aantal dagen in bed. Ik zei tegen de huisarts die langskwam dat ik griep had, maar hij constateerde een depressie en schreef tranquillizers voor die ik niet innam. Ik werd bang voor de telefoon en elk geluid dat van de straat kwam, deed me opspringen. Mijn man, Sam, had er eerst begrip voor, maar toen ik in de logeerkamer ging slapen en het over ratten had die op de wc beneden zouden zitten, kreeg hij er genoeg van. Vervolgens ontwikkelde ik een milde vorm van pleinvrees en ik vond het steeds moeilijker om nog naar mijn werk te gaan. Ik was lerares op een scholengemeenschap in de buurt en mijn overbelaste collega's hadden nog minder begrip voor me dan Sam als ik zei dat ik me opgesloten voelde als de kinderen in de gang om me heen drongen. Na een paar weken ging ik helemaal niet meer.

Die hele episode – vanaf de dood van Annie tot ik mijn baan kwijtraakte – veroorzaakte een verwijdering tussen mij en Sam, die wekenlang met een grote boog om me heen liep en toen de gewoonte kreeg urenlang met mijn moeder te bellen. Hij lette er wel op dat hij de deur dichtdeed, maar ik kon nog steeds het grootste deel van zijn woorden opvangen door de dunne wanden heen, die enkele keer dat ik de moeite nam te luisteren. De meest herhaalde zinswendingen waren: 'onmogelijk om mee te leven...' 'heeft een zenuwinzinking...' 'iets met ratten...' 'stom gedoe over die stomme zwarte vrouw...' 'scheiding...'

Ergens in februari kwamen mijn ouders met de auto langs uit Hampshire waar ze toen woonden. Sam was een paar weken eerder vertrokken om bij een vriend op de bank te slapen en ons huwelijk was in feite voorbij. Mijn vader was verstandig genoeg zich er niet bij te laten betrekken, maar mijn moeder kon de verleiding niet weerstaan de kant van Sam te kiezen. Ze behoort tot de generatie vrouwen die denken dat het huwelijk de sleutel tot het geluk van de vrouw is en ze liet me in niet mis te verstane bewoordingen weten dat als ik vastbesloten was Sam af te wijzen, ik niet op steun van haar of mijn vader hoefde te rekenen. Ze wees me erop dat ik door mijn vriendinnen al in de steek was gelaten omdat mijn gedrag zo eigenaardig was... Ik was hard op weg een anorexiegeval te worden... Ik had geen baan... nog erger, geen enkele kans op een baan als ik me zo in mijn huis opsloot. Wat was ik eigenlijk van plan? Waar wilde ik heen?

Ik gaf slechts van een lichte ergernis blijk over het feit dat ze voetstoots aannam wat Sam haar vertelde en raadde haar aan eens één keer aan de woorden van een man te twijfelen. Dat werkte als een rode lap op een stier. We konden het niet over seks hebben – of het gebrek daaraan, het punt waar het voor Sam echt om draaide – omdat dat onderwerp taboe was, dus in plaats daarvan las ze me de les over dat ik mezelf verslonsde, over mijn onvermogen mijn hardwerkende echtgenoot een behoorlijke maaltijd voor te zetten, over mijn onverschillige houding jegens mijn huishouden, en uiteindelijk over mijn absurde obsessie met de dood van een zwarte vrouw.

'Als ze nu van ons eigen soort was geweest,' eindigde ze zuur, 'maar ze was niet eens Engels... weer zo'n buitenlander die van de steun leeft en ons gezondheidsstelsel verstopt met enge ziektes. Waarom we ze ooit het land hebben binnengelaten, weet ik niet, en dat jij je huwelijk nu op het spel zet...' Ze zweeg abrupt. 'Snap je niet hoe belachelijk je doet?'

Dat snapte ik niet, maar ik had geen zin dat met haar te bespreken. Natuurlijk gaf mijn zwijgen haar het gevoel dat ze de ruzie gewonnen had, maar het enige wat ze bereikt had was dat ik inzag hoe weinig andermans mening mij interesseerde. Wonderlijk genoeg werkte haar volkomen gebrek aan medeleven eerder bevrijdend dan belastend, omdat ik erdoor besefte dat degene die zich er het minst druk om maakt dat hij erop betrapt wordt dat hij de macht uitoefent, de macht ook daadwerkelijk heeft. En met koele berekening zegde ik toe dat ik het goed zou maken met mijn echtgenoot, al was het maar om een dak boven mijn hoofd te houden.

Drie maanden later verhuisden Sam en ik naar het buitenland.

HOF VAN DE CORONER

Medisch rapport inzake juffrouw Ann Butts, voorgelegd aan Brian A. Hooper, coroner, op 12 december 1978 door dokter Sheila Arnold, huisarts, verbonden aan de Howard-kliniek in Chicago, Illinois, Verenigde Staten. (Voorheen: verbonden aan het gezondheidscentrum aan Cromwell Street, Richmond, Surrey.)

(Mevrouw Arnold is op 10 september 1978 voor een sabbatsjaar naar Amerika vertrokken en was ten tijde van de dood van juffrouw Butts dus afwezig. Hoewel juffrouw Butts voor de periode van het sabbatsjaar overgedragen was aan een van mevrouw Arnolds collega's, is zij overleden voordat deze collega de kans heeft gekregen kennis met haar te maken. Daarom is overeengekomen dat dokter Arnold onderhavig rapport vanuit Amerika zou toezenden. Het gezondheidscentrum Cromwell Street heeft het complete medische dossier van juffrouw Butts ter beschikking van de coroner gesteld.)

Ann Butts was mijn patiënte vanaf juni 1969 tot mijn vertrek naar Amerika, 10 september 1978. Ze leed aan het syndroom van Tourette, een neuropsychiatrische aandoening die gekenmerkt wordt door spiertrekkingen en onwillekeurige verbale uitingen. Ze heeft deze ziekte van haar moeder geërfd, die aan een complexe vorm leed die zich manifesteerde als *coprolalie*, het dwangmatig uiten van obsceniteiten. Ann, die lange tijd voor haar moeder heeft gezorgd, namelijk tot haar dood in 1968, wist heel goed wat het syndroom van Tourette inhield en had met haar ziekte leren omgaan. De meest opvallende symptomen van haar ziekte waren: 1) motorische tics in het gezicht en van de schouders; 2) dwangmatig in zichzelf praten; 3) obsessief gedrag, vooral met betrekking tot haar huis en persoonlijke veiligheid.

Ik heb haar in december 1969 doorverwezen naar dr. Randreth Patel (Middlesex-ziekenhuis) die zich bijzonder voor haar geval interesseerde. Hij had begrip voor Anns weerzin tegen psychoactieve medicijnen, die volgens haar haar moeders toestand eerder verergerd dan verbeterd hadden. Er is nog geen geneesmiddel voor het syndroom van Tourette, maar de verschijnselen worden vaak minder naarmate de patiënten ouder worden en Ann vormde hierop geen uitzondering. Ik heb begrepen dat haar tics een stuk opvallender waren toen ze nog een tiener was (geboortedatum 12-3-'36). Ten gevolge daarvan was ze het mikpunt van plagerijen van haar leeftijdgenootjes. Ze is voortijdig van school gegaan en het ontbreekt haar aan sociale vaardigheden. De afgelopen jaren waren haar symptomen betrekkelijk onschuldig, hoewel ze onder invloed van alcohol weer verergerden. Ze had een gemiddeld IQ en kon zonder enig probleem zelfstandig wonen, hoewel haar obsessie met haar huis en persoonlijke veiligheid ertoe leidde dat ze het gezelschap van anderen uit de weg ging. Ik streefde ernaar haar om de zes à acht weken te bezoeken, en op mijn laatste bezoek – 8 september 1978 – was ze goed gezond, zowel fysiek als psychisch.

Sheila Arnold

Sheila Arnold, arts

Twintig jaar later

Familiecorrespondentie, voorafgaande aan de terugkeer van de Ranelaghs naar Engeland – gedateerd 1999

CURRAN HOUSE
Whitehay Road
Torquay
Devon

Donderdag, 27 mei '99

Lieverd,

Ik begrijp niet waarom je altijd zo kwaad wordt als iemand vraagtekens bij je plannen zet. Het is weinig beschaafd om over de telefoon als een viswijf tekeer te gaan, vooral als je vijfduizend kilometer verderop zit. Natuurlijk vinden pappa en ik het fijn je weer thuis te hebben, maar je kunt toch niet verwachten dat we staan te juichen bij dat dwaze idee van je om een boerderij in Dorchester te huren. Het is meer dan twee uur rijden, en je vader is niet in staat de tocht op en neer op één dag te maken. Bovendien kwets je me ermee. We hebben onze kleinkinderen nog maar twee keer in twintig jaar gezien – en die reisjes hebben ons ontzettend veel geld gekost – en we hebben altijd gedacht dat je vlak bij ons in de buurt zou komen wonen, als je terugkwam.

Ik heb toch het idee dat het nog niet te laat is dat ik iets in Devon voor jullie zoek. We hebben hier een heel goede makelaar, die een lijst heeft met acceptabele huurhuizen. Je hebt die boerderij toch wel laten natrekken? Je beschrijving was heel vaag en ik vind 650 pond voor een huis in de rimboe eerlijk gezegd erg veel. Ik neem aan dat je weet dat er heel wat oplichters zijn en dat het heel makkelijk is een advertentie in de Sunday Times te zetten in de hoop buitenlanders te lokken voor de zomerverhuur.

Je weet dat ik het vreselijk vind kritiek te moeten hebben, maar ik vraag me af of je Sam en de jongens hierin betrokken hebt. Ik ben bang dat je zoals gewoonlijk weer eens een eenzijdige beslissing hebt genomen waarbij je totaal geen rekening hebt gehouden met de wensen van andere mensen. Je zegt dat je dat huis maar voor drie of vier maanden huurt, maar leg me dan alsjeblieft eens uit waarom je liever in Dorset dan in Devon zit. Het is absurd om te zeggen dat je de plek waar je je huwelijksreis hebt doorgebracht opnieuw wilt bezoeken. Ik had toch gedacht dat je te verstandig was om vakantieherinneringen uit 1976 na te jagen.

We zijn blij te horen dat het beter gaat met Sam, hoewel we de luchthartige manier waarop Luke en Tom het over zijn 'onbetrouwbare rikketik' hadden, nogal ongepast vonden, vooral omdat Sam duidelijk meeluisterde. En dat zijn jongens van twintig en achttien! Ik had eerlijk gezegd toch wat meer rijpheid verwacht bij jongens van die leeftijd; ik ben bang dat jij ze hebt verwend.

Ik wacht tot ik wat van je hoor over die makelaar.

Veel liefs,

Mam

PS. Lieve M. Ik persoonlijk vond die 'onbetrouwbare rikketik' wel leuk en het was heerlijk Sam aan de andere kant van de lijn te horen lachen. Wat hebben jullie een prachtige relatie met jullie jongens, en wat zijn ze de afgelopen maanden een zegen gebleken. Ik verheug me erop wat van de humor van de Ranelagh juniors mee te mogen maken, zelfs als ik er twee uur voor moet rijden. Zeg tegen Luke dat ik vast van plan ben het in ieder geval één keer op een surfplank te proberen, ook al ga ik kopje onder. Ik ben dan wel een oude kerel, maar dood ben ik nog niet.

Je vader.

XXX

Kaapstad
5 juni

Lieve mam,

Even een snel briefje. Sorry dat ik zo schreeuwde, maar de verbinding was slecht. Ingesloten een kopietje met alle bijzonderheden over de boerderij. Ik heb de boel laten natrekken en heb van mensen die het weten kunnen, begrepen dat 650 pond heel schappelijk is. Het zou aanzienlijk meer kosten, hoorde ik, als het niet een 'karakteristiek pand' was, wat makelaarstaal is voor 'enigszins bouwvallig'. Sam en de jongens verheugen zich er net zoveel als ik op om daar te gaan pionieren. Deo volente arriveren we de eerste week van juli en we verwachten jou en pappa tegen het einde van de maand. Ik bel jullie om een weekend af te spreken zodra we op orde zijn. Met ons allemaal gaat het goed. Veel liefs van ons allen voor jullie beiden,

M

Dorchester: 18de-eeuws stenen boerenhuis, te huur voor onbepaalde periode. Karakteristiek pand op idyllisch plekje. 3½ km van stadje. 5 slaapkamers, 3 woonvertrekken, 2 badkamers, grote keuken met plavuizen vloer. Tuin: ½ hectare, met aangrenzend weilanden. Compleet gemeubileerd, cv op olie, Aga, garage. £ 650 p.m. Tel.: 01305 231494

2

Ik herkende dokter Arnold direct toen ik de deur opendeed, hoewel zij geen lachje van herkenning teruggaf. Dat verbaasde me niets. We waren allebei twintig jaar ouder, en ik was na twee decennia in het buitenland heel wat meer veranderd dan zij. Ze had grijs haar en ze was magerder geworden, ik schatte haar achter in de vijftig, maar ze had nog steeds die nogal onderzoekende grijze ogen en straalde een onaantastbare competentie uit. Die ene keer dat ik haar vroeger was tegengekomen, vond ik haar erg intimiderend, maar nu gaf ze me een zusterlijk klapje op mijn arm toen ik haar zei dat mijn echtgenoot over pijn op de borst klaagde.

'Hij zegt dat hij een spier heeft verrekt,' zei ik terwijl ik haar in onze gehuurde boerderij voorging naar boven, 'maar hij heeft een halfjaar geleden een infarct gehad, en ik ben bang dat hij er weer een krijgt.'

Uiteindelijk bleek Sam het bij het rechte eind te hebben: het was een verrekte spier omdat hij de dag daarvoor te veel gespit had in de tuin – dat verbaasde me helemaal niets, maar dat verborg ik achter een verontschuldigend lachje. Dokter Arnold gaf Sam een standje dat hij mijn zorgen niet serieus nam. 'Je moet geen risico's nemen,' zei ze terwijl ze haar stethoscoop opvouwde, 'niet als je al een keer de dans ontsprongen bent.'

Sam, wiens geheugen voor gezichten bijna net zo slecht was als zijn geheugen voor namen, knoopte zijn overhemd dicht en wierp een geërgerde blik in mijn richting. 'Een belachelijk gedoe om helemaal niets,' klaagde hij. 'Ik zei nog dat ik naar het spreekuur zou gaan, maar dat mocht niet van haar... ze staat er gewoon op me te behandelen alsof ik invalide ben.'

'Zo is hij al de hele ochtend,' zei ik tegen dokter Arnold. 'Daarom onder meer dacht ik dat het misschien iets ernstigs was.'

'Verdomme,' snauwde Sam. 'Wat heb je? Het enige wat ik zei was dat ik last had van steken in mijn zij... En dat is helemaal niet vreemd gezien al dat onkruid dat ik gisteren uitgetrokken heb. De tuin is een zooi en het huis stort zowat in elkaar. Wat moet ik dan? De hele dag zitten duimendraaien?'

Dokter Arnold gooide olie op de golven. 'U moet dankbaar zijn dat u nog iemand heeft die zoveel om u geeft dat ze gebeld heeft,' zei ze lachend. 'Ik heb wel eens een patiënt gehad die door zijn vrouw kronkelend van de pijn op de keukenvloer achtergelaten werd, terwijl zij haar aanstaand weduwschap met een halve fles gin vierde.'

Sam was er de man niet naar lang kwaad te blijven. 'Heeft hij het overleefd?' vroeg hij grijnzend.

'Net. Het huwelijk niet.' Even bekeek ze zijn gezicht aandachtig en toen wendde ze zich met een nieuwsgierige blik naar mij. 'Ik heb het gevoel dat ik jullie ken, maar ik weet niet waarvan.'

'Ik herkende u meteen toen ik opendeed,' zei ik. 'Een buitengewoon toeval. U was onze huisarts in Richmond. We hebben van '76 tot begin '79 in Graham Road gewoond. U bent ooit bij ons thuis langsgekomen toen Sam bronchitis had.'

Ze knikte meteen. 'Mevrouw Ranelagh. Ik had de naam moeten herkennen. U hebt Annie Butts gevonden. Ik heb me vaak afgevraagd waar jullie naartoe zijn gegaan en wat er van jullie was geworden.'

Ik keek tersluiks van Sam naar haar. Tot mijn opluchting zag ik alleen verrassing op hun gezichten, geen achterdocht...

Sam had een baan gekregen als verkoopmanager buitenland bij een scheepvaartmaatschappij, die ons in de gelegenheid stelde van Hongkong naar Australië en Afrika te verhuizen. Het was een mooie tijd, en ik heb erdoor begrepen waarom families hun zwarte schapen zo vaak naar het buitenland sturen om een frisse start te maken. Het is ontzettend goed voor je karakter om de emotionele banden door te snijden die je met plekken en mensen hebt. We kregen twee zonen die als jonge bomen opgroeiden onder de niet-aflatende zon en al snel boven hun ouders uitstaken, en ik slaagde er altijd in een baan als lerares te vinden op de scholen waarop zij zaten.

We dachten dat we onsterfelijk waren, dat denk je altijd, dus kwam Sams hartinfarct op zijn tweeënvijftigste als een donderslag bij heldere hemel. Na de waarschuwing van de doktoren dat hij er nog een zou krijgen als hij zijn levensstijl – te veel reizen, te veel klanten entertainen en te weinig sport – niet zou wijzigen, keerden we in de zomer van 1999 naar Engeland terug, zonder werk en met twee bijna volwassen jongens die hun vaderland nog nooit gezien hadden.

We huurden – om geen andere reden dan dat we in 1976 in Dorset onze wittebroodsweken hadden doorgebracht – een oude boerderij in de buurt van Dorchester die ik toen we nog in Kaapstad zaten gevonden had in de huizenadvertenties van de *Sunday Times*. De gedachte was een wat langere zomervakantie te houden en ondertussen rond te kijken naar een plek om ons voorgoed te vestigen. We hadden geen van beiden banden met bepaalde delen van Engeland. De ouders van Sam waren dood en mijn eigen ouders woonden in de aangrenzende provincie Devon, in het zachte klimaat van Torquay. We schreven onze jongens voor de herfst in bij de universiteit en maakten ons op onze wortels opnieuw te ontdekken. Tijdens ons verblijf in het buitenland hadden we goed verdiend en dus was het niet noodzakelijk dat we direct weer werk vonden. Althans, dat dachten we...

De werkelijkheid was anders. Engeland was ondertussen veranderd in het 'Koele Brittannië' van het nieuwe Labour, stakingen kwamen vrijwel niet meer voor, het levenstempo was in een stroomversnelling geraakt en er heerste alom een nieuwe rijkdom die in de jaren zeventig niet bestaan had. Alles was ongelooflijk duur geworden, de wegen waren onvoorstelbaar druk, en het was onmogelijk parkeergelegenheid te vinden nu 'winkelen' de favoriete vrijetijdsbesteding van de Engelsen was geworden. De jongens lieten ons al snel in de steek voor leeftijdgenoten. Tuinfeestjes en cricket in het dorp was voor ouden van dagen. Designkleren en technomuziek, daar ging het om, clubs en cafés, daar moest je naartoe, vooral die clubs die tot in de kleine uurtjes openbleven om op grote schermen 's werelds sportevenementen te tonen.

'Heb jij ook het gevoel dat we vergeten zijn?' vroeg Sam somber aan het einde van de eerste week toen we als een gepensioneerd stel op het terras van onze gehuurde boerderij zaten en naar de grazende paarden in de aangrenzende wei keken.

'Door de jongens?'

'Nee, door onze leeftijdgenoten. Ik had Jock Williams vandaag aan de telefoon' – een oude vriend uit onze tijd in Richmond – 'en hij vertelde me dat hij vorig jaar een paar miljoen had verdiend door een van zijn bedrijven te verkopen.' Hij vertrok zijn gezicht. 'Dus toen vroeg ik hem hoeveel bedrijven hij dan nog overhad, en hij zei: nog maar twee, maar die zijn tien miljoen waard. Hij wilde weten wat ik eigenlijk deed, dus heb ik een verhaal opgehangen.'

Ik vroeg me even af waarom het nog nooit bij Sam was opgekomen dat Jock net zo'n fantast als hijzelf was, vooral nu Jock al jaren telefonisch schetterde over 'giga-verkopen' maar er nooit in geslaagd was tijd – of *geld?* – vrij te maken om ons eens op te komen zoeken. 'Wat heb je dan gezegd?'

'Dat we onze slag hebben geslagen op de beurs van Hongkong voor het weer onder China viel en dat we het ons kunnen permitteren nu al te stoppen met werken. Ik heb ook gezegd dat we een huis met acht slaapkamers en dertig hectares grond in Dorset gingen kopen.'

'Mmm.' Met mijn voet wroette ik in wat plukjes gras die tussen de spleten van ons terras groeiden en symptomatisch waren voor het slonzige dat de hele boerderij uitademde. 'Eerder een schoenendoos op een Vinex-locatie. Ik heb gisteren even bij een makelaar gekeken, en alles wat een beetje ruim is, valt totaal buiten ons budget. Iets als dit kost ongeveer driehonderdduizend, het geld om het op te knappen niet meegerekend. Laten we maar hopen dat Jock niet langs wil komen.'

Dit vooruitzicht maakte Sam nog somberder. 'Als we ons verstand hadden gebruikt, hadden we ons huis in Graham Road aangehouden. Jock zegt dat het tien keer zoveel waard is geworden. Hartstikke stom dat we het verkocht hebben. Je moet een potje op het vuur houden in de huizenmarkt, wil je door kunnen stoten naar iets behoorlijks.'

Af en toe wanhoopte ik wel eens aan het geheugen van mijn man. Het was eigenaardig selectief, waardoor hij de kleinste bijzonderheden van gelukkige transacties nog wist, maar steeds maar weer vergat waar het bestek lag in alle keukens die we gehad hebben. Het had zijn voordeel – je kon hem er makkelijk van overtuigen dat hij iets bij het verkeerde eind had – maar af en toe werd ik er toch door overvallen. Hij kon toch die weken na het onderzoek naar Annies dood niet vergeten zijn...

'*Ik* wilde weg,' zei ik effen. 'En het kan me niet schelen, zelfs al komen we in een caravan terecht, van die beslissing zal ik nooit spijt krijgen. Jij had misschien in Graham Road kunnen blijven wonen... maar ik niet... niet toen die telefoontjes begonnen...'

Hij wierp me een nerveuze blik toe. 'Ik dacht dat je dat allemaal vergeten was.'

'Nee.'

De paarden galoppeerden om onduidelijke redenen naar de andere kant van de wei en ik vroeg me af hoe goed hun gehoor was en of ze in staat waren de woedevibraties in een enkel woord op te vangen. We keken er even zwijgend naar. Ik verwedde er wat om dat Sam zoals gewoonlijk af zou stappen van dit onderwerp, de periode in ons leven die ons op de rand van echtscheiding had gebracht. Hij koos ervoor een zijweg in te slaan.

'Maar puur financieel gezien heeft Jock waarschijnlijk gelijk,' zei hij. 'Als we het huis hadden aangehouden en verhuurd, hadden we niet alleen al die jaren geld gevangen, maar ook nog eens duizend procent winst gemaakt.'

'We hadden een hypotheek,' merkte ik op, 'dus was de huur regelrecht naar de aflossing gegaan en hadden we er geen cent van gezien.'

'Behalve dan dat Jock zegt...'

Ik luisterde maar half naar Jocks beweringen aangaande het heilzame effect van de gierende inflatie eind jaren '70 en begin jaren '80 voor mensen die geld geleend hadden en over de Thatcher-revolutie die ondernemers de gelegenheid had gegeven roulette te spelen met andermans geld. Toen we nog in Londen woonden had ik al weinig met Jock op gehad, en Sams verslagen van de internationale telefoongesprekken die hij door de jaren heen met hem gevoerd had, hadden geen aanleiding gegeven mijn mening over hem bij te stellen. Ze hadden een competitieve vriendschap, gebaseerd op snoevende zelfverheerlijking van Jock en lachwekkende tegenzetten van Sam, waar iedereen met maar een greintje verstand direct doorheen zag.

Toen Sam zweeg, schrok ik op. 'Jock Williams liegt al vanaf de eerste dag dat we hem kennen over geld,' mompelde ik. 'Hij heeft zich in die pub aan ons opgedrongen, alleen maar om gratis drankjes te krijgen omdat hij zijn portemonnee zogenaamd thuis had laten liggen. Hij zei toen dat hij het terug zou betalen, maar dat heeft hij nooit gedaan. Ik geloofde hem toen al niet, en ik geloof hem nu ook niet. Als hij tien miljoen waard is' – ik ontblootte mijn tanden – 'dan heb ik het lichaam van een twintigjarige.'

Ik zei dit uit aardigheid tegen Sam, hoewel hij dat niet zo opvatte omdat het niet in hem opkwam dat ik Jock wel eens beter zou kunnen kennen dan hij. Hoe zou dat kunnen? Jock en ik hadden nooit meer contact gehad sinds ons geforceerde afscheid op de dag dat Sam en ik uit Londen vertrokken. Toch wist ik precies wat Jock waard was, en ik wist ook dat de enige persoon die er wakker van zou liggen Jock zelf was als zijn pocherige leugens eindelijk zouden uitkomen.

Sam klaarde enigszins op. 'Kom op,' zei hij. 'Zo erg is het toch niet? Toegegeven, de kont is een tikkeltje breder geworden, maar de tieten zijn nog prima in orde.'

Ik tikte hem liefkozend tegen zijn achterhoofd. 'Ik heb mijn haar tenminste nog.'

POLITIEGETUIGENVERKLARING

Datum: 16.11.78
Tijd: 18.27
Opgenomen door: agent Quentin, politie Richmond
Getuige: Sam Ranelagh, Graham Road nr 5, Richmond, Surrey
Incident: dood van juffrouw A. Butts in Graham Road op 14.11.78

Op dinsdag 14.11.78 kwam ik rond 19.30 op station Richmond aan. Mijn vriend Jock Williams, die op nummer 21 op Graham Road woont, zat in dezelfde metro en haalde me in toen ik door de kaartcontrole ging. Het regende hard en Jock stelde voor dat we een omweg zouden maken, langs de Hoop and Grapes aan Kew Road voor een pilsje. Ik was moe en ik vroeg hem in plaats daarvan met mij mee naar huis te komen. Mijn vrouw, ze is lerares, had een ouderavond en zou pas om half tien thuiskomen. Het is zo'n kwartiertje lopen langs de A316 en rond 19.45 sloeg ik de hoek om van Graham Road.

Ik woon al twee jaar op Graham Road en ik kende Ann Butts van gezicht. Heel goed zelfs. Ik heb haar een aantal keren voor ons huis aangetroffen, terwijl ze door de ramen naar binnen keek. Ik weet niet waarom ze dat deed, ik denk dat ze mijn vrouw, die ze 'bleekscheet' noemde, wilde intimideren. Vanwege het slechte weer verbaasde het me dat ik haar daar weer zag staan op die dinsdagavond (14.11.78). Ze liep weg toen we de hoek om kwamen. Ze was duidelijk dronken en toen ik Jock op haar wees, bezigden we allebei het woord 'lam' voor haar. We hadden weinig zin bij haar in de buurt te komen, omdat ze een grote hekel aan blanke mensen scheen te hebben. We staken achter haar over en gingen ons huis binnen.

Jock bleef ongeveer anderhalf uur, en die tijd brachten we grotendeels in de keuken door. De keuken ligt aan de achterkant, en de deur naar de gang was dicht. We hebben niets van de straat gehoord dat erop kon wijzen dat er een ongeluk was gebeurd. Jock ging om ongeveer 21.15 weg en ik liep met hem mee naar de voordeur. Ik was helemaal vergeten dat ik Ann Butts eerder die avond had gezien, en het kwam niet in me op te kijken waar ze nu was. Ik keek Jock na en zag hem regelrecht vanaf ons hekje naar zijn eigen huis lopen. Daarna ging ik weer naar binnen.

Ik schrok toen mijn vrouw een kwartier later kwam binnenstormen, roepend dat 'gekke Annie' in de goot in elkaar gezakt was en eruitzag alsof ze doodging. Ik ging met een zaklantaarn naar buiten en vond het lichaam tussen twee geparkeerde auto's voor nummer 1. Het leek me duidelijk dat ze al dood was. Haar ogen stonden open en ik voelde geen hartslag aan haar hals of polsen. Ik deed een poging tot mond-op-mondbeademing, maar daar stopte ik mee toen ze niet reageerde. Kort daarna kwam de ambulance.

Het spijt me nu dat ik geen poging heb gedaan Ann Butts om 19.45 naar huis te helpen, hoewel ik ervan overtuigd ben dat ze het aanbod had afgeslagen.

Getekend:

Sam Kanelagh.

In aanwezig

A Quin

Brief van Libby Williams, voorheen woonachtig op Graham Road nr. 21 in Richmond – gedateerd 1980

Templeton Road 39a
Southampton
Hampshire
Verenigd Koninkrijk

20 mei 1980

M' lief!

Ik was volkomen ondersteboven van je brief. En wat een geweldig nieuws van de baby. Zeven maanden, toch? Verwekt in Engeland en geboren in Hongkong. Dat moet geluk brengen! Natuurlijk moeten we vriendinnen blijven. Ik heb heus niet na Annies dood al die uren naar je gezeur geluisterd om je in de steek te laten op het moment dat je naar het buitenland verhuist. Ik ben gewoon ontzettend blij dat je me geschreven hebt, want zoals het nu gaat – Jock en ik spreken elkaar niet meer, helemaal niet meer! – wist ik niet hoe ik jou kon bereiken. Natuurlijk help ik je, maar je brief lijkt te suggereren dat Jock en Sam de hand hebben gehad in de dood van Annie, en daar zit ik een beetje over in. Hoewel ik walg van die onbetrouwbare worm waarmee ik stom genoeg getrouwd ben, denk ik niet dat hij slecht genoeg is om iemand te doden, en vooral niet iemand die hij amper kende. En wat Sam betreft... doe me een lol!

Goed, Sam is een keer dronken geworden en heeft jou toen verteld dat ze tegen de politie gelogen hebben over waar ze geweest waren en hij wil nu niet meer over Annie praten. Lieverd, geloof mij nou, ik denk dat je daar niet al te veel achter moet zoeken, ook al snap ik hoe kwaad je bent. Sam had niet voor Jock moeten liegen, hoe 'goed' het doel ook was. Maar goed, zo zijn mannen nu eenmaal. Ze laten elkaar nooit in de steek, maar hun vrouwen laten ze direct vallen, als het ze uitkomt!

Wat je vragen betreft:

1. Heb ik aan de politie gezegd dat Jock bij Sam was? Ja. Je weet dat ze de dag na het ongeluk bij iedereen aangeklopt hebben om te vragen of we het gehoord of gezien hadden. Ik zei dat ik alleen thuis was geweest en tv had zitten kijken en dat ik niets had gehoord, dus vroegen ze meteen wat mijn man toen deed en ik zei: 'Die zat te borrelen bij Sam Ranelagh, op nummer 5.'

2. Kwam Jock spontaan op de proppen met dit verhaal toen hij thuiskwam of heb ik ernaar gevraagd? Ik heb hem er de avond van de 14de naar gevraagd. Die rat kwam zoals gewoonlijk aangeschoten binnendweilen en ik zei: 'Waar heb je verdomme gezeten?' 'Bij Sam, een biertje gedronken,' zei hij ogenblikkelijk. Toen had ik kunnen weten dat hij loog! Hij gebruikte Sam altijd om uit de nesten te komen.

3. Hoe laat kwam Jock die avond thuis? Rond kwart over negen. Precies weet ik het niet meer. Ik weet wel dat het nieuws van negen uur nog niet was afgelopen.

4. Heb ik er enig idee van wanneer Jock met Sam heeft gesproken om dat alibi in elkaar te draaien? Jock kennende, heeft hij Sam de volgende ochtend op zijn werk gebeld en hem gezegd dat hij in de penarie zat en meteen iets had moeten verzinnen. 'Als iemand ernaar vraagt, dan was ik bij jou. Laat me niet zakken, goed?' Zoiets.

Tussen haakjes, ik betwijfel ten zeerste of Jock weer gegokt had, wat hij Sam ook verteld mag hebben. Hij had een delletje op Graham Road zitten, een geblondeerde vampier, Sharon Percy. Niet veel meer dan een hoer. Hij beweert dat hij een relatie met haar had, maar mijn advocaat heeft hem gedwongen zijn bankafschriften in te leveren, en het ziet ernaar uit dat hij haar regelmatig op dinsdag betaalde, in ruil voor sex. Hij ontkent dat betalen nu (maar de verhouding niet, daar is hij behoorlijk trots op!) maar mijn advocaat rekent erop dat we de waarheid van hem loskrijgen als hij weigert mij een redelijke toelage te geven en het een rechtszaak wordt.

Maar goed, waar het om gaat is dat Annie op een dinsdag stierf en dat ik eerder denk dat Jock Sharon toen een beurt gaf dan dat hij zat te gokken. Misschien was het wel de eerste keer, want hij heeft daarna nooit meer de moeite genomen om op dinsdag uit te leggen waarom hij zo laat was. Of op welke andere dag dan ook, trouwens! Je hebt gelijk. Het vooruitzicht van de scheiding is een opluchting en ik ben vast van plan hem helemaal uit te kleden, als dat lukt. Alleen als mijn advocaat hem onder druk zet, komt hij met papieren over de brug en hij beschrijft zijn aankoop van een huis in Alveston Road (zeer chic geval à 70.000 pond met 5 slaapkamers, vlak bij Richmond Park, compleet met inwonend dom blondje!) als een 'investering op de lange termijn, waar een zware hypotheek op rust'. En dat van die miezerige 10.000 pond die hij als zijn halve deel van Graham Road nummer 21 gekregen heeft. Doe me een lol! Klopt het sommetje, nee of nee? Ik kan me niet meer permitteren dan deze tweekamerflat in Southampton.

Je kunt me altijd om hulp vragen. Praten over Annie zal me heus geen zenuwinzinking bezorgen. Wat ouderwets van Sam om met zo'n uitdrukking aan te komen zetten. Geen enkele vrouw krijgt tegenwoordig meer een zenuwinzinking, en ik betwijfel of ze dat ooit kregen. Weer zo'n uitvinding van de mannen om de opmars van de vrouwelijke suprematie te stuiten. Ja, ik ben bitter, en… ja alle mannen kunnen de pot op, wat mij betreft… Ik volg jouw voorbeeld en ben naar Southampton gekomen om me te laten omscholen tot lerares. Verdorie meid, als jij geld kunt verdienen door Chinezen in Hongkong les te geven, dan kan ik dat ook wel door de kinderen hier te onderwijzen!

Liefs,

Libby

PS. Uit eigenbelang ben ik er blij om dat jij er niet op gebrand bent dat Sam en Jock te weten komen dat jij aan het rondvragen bent! Mijn advocaat heeft me gewaarschuwd om mijn kop te houden over wat ik allemaal al weet van zijn transacties, want anders zet hij zijn geld op een geheime rekening en krijg ik nooit wat me toekomt.

3

'Het was heel snel vergeten,' vertelde Sheila Arnold me toen we de trap afliepen, 'behalve dat Annies huis ongeveer drie jaar heeft leeggestaan. Ze had geen testament gemaakt en niemand wist of ze nog familie had. Uiteindelijk heeft de staat zich alles toegeëigend en is het huis te koop aangeboden. Het is door een aannemer gekocht, die het gerenoveerd heeft en daarna verkocht aan een jong stel met twee kleine kinderen.'

'Een blank stel, neem ik aan,' zei ik met nauwelijks verhuld sarcasme.

Ze deed of ze me niet hoorde, hoewel haar mond zich in een vage glimlach plooide. 'Vlak nadat ze erin getrokken waren, ben ik er geweest, toen hun jongste kind ziek was,' zei ze. 'Het was onherkenbaar! De aannemer heeft de hele benedenverdieping uitgebroken, en er één grote, open ruimte van gemaakt, met openslaande deuren naar de tuin.' Ze klonk gereserveerd, alsof ze niet zeker wist of die grote open ruimte wel een verbetering was.

'Vond je het niet mooi?'

Ze bleef bij de deur staan. 'O, het was schitterend, maar ik moest er steeds aan denken hoe het was toen Annie er nog woonde. Ben je toen ooit binnen geweest?' Ik schudde mijn hoofd. 'Net de grot van Aladdin. Zij en haar moeder waren verzamelaars. De voorkamer stond tjokvol kunstvoorwerpen uit West-Indië en Midden-Amerika, allemaal in de jaren veertig en vijftig door de vader van Annie meegebracht naar Engeland. Er zaten heel waardevolle stukken bij, vooral de gouden voorwerpen. Ik weet nog dat er een beeldje op de schoorsteenmantel stond met ogen van smaragd en lippen van robijnen.'

'Ik wist niet dat er een meneer Butts heeft bestaan,' zei ik verbaasd. 'Ik heb altijd aangenomen dat de moeder met het kind was blijven zitten.'

'Lieve help, nee hoor. Haar vader is eind jaren vijftig aan longkanker overleden. Ik heb hem nooit gekend, maar een van mijn partners dacht altijd met veel warmte aan hem terug. Hij heette George. Het was een gepensioneerd officier bij de koopvaardij en hij had een schat aan anekdotes van zijn reizen rond de wereld. Hij trouwde in de jaren dertig in Jamaïca met de moeder van Annie en nam haar en Annie kort naar de oorlog mee naar Graham Road.' Ze glimlachte. 'Hij zei dat hij ze niet mee naar Engeland kon nemen zolang zijn ouders nog leefden, omdat ze een zwarte schoondochter zeker afgekeurd hadden.'

Ik schudde stomverbaasd mijn hoofd en besefte hoeveel leemtes er nog waren in mijn kennis omtrent de vrouw die ik nooit gesproken had. Wisten de buren van Annie dat ze een halfbloed was, vroeg ik me af, en zou het verschil hebben uitgemaakt als ze dat geweten hadden? Ik dacht dat het antwoord op beide vragen 'nee' was. Ze waren nog later in de straat komen wonen dan Sam en ik... en Annies huid was te donker geweest om voor iets anders dan zwart door te gaan. 'Daar wist ik helemaal niets van,' zei ik tegen Sheila. 'Ik had er geen idee van dat haar vader blank was. Waarom heeft niemand de erfenis opgeëist? Ze moet toch familie in Engeland hebben gehad?'

'Kennelijk niet. Mijn collega zei dat George een jongere broer had, die op de Atlantische Oceaan is omgekomen tijdens de oorlog, maar verder...' Ze zweeg en haalde haar schouders op. 'Tragisch, maar niet ongewoon. Hele families zijn tijdens de twee wereldoorlogen van de aardbodem geveegd, vooral gezinnen met zonen en geen dochters.' Ze keek met tegenzin op haar horloge en stapte naar buiten. 'Ik moet er echt vandoor. Ik heb nog twee patiënten.' Maar ze bewoog langzaam, alsof ze deze schakel met het verleden niet wilde verbreken. 'Denk je nog steeds dat ze vermoord is?'

'Ik wéét het.'

'Waarom?'

Ik ging haar voor het tuinpad af. 'Dat kan ik niet uitleggen. Ik heb het wel geprobeerd, maar toen dacht iedereen dat ik net zo gek was als zij. Nu doe ik geen moeite meer.'

'Ik bedoel, waarom zou iemand haar hebben willen vermoorden?'

Dat was de grote vraag. 'Omdat ze anders was,' opperde ik. 'Misschien hadden ze haar met rust gelaten als ze gek was geweest, maar niet zwart... of zwart, maar niet gek... soms denk ik dat ze vanwege haar huidskleur op haar neerkeken, en dan denk ik weer dat ze bang voor haar waren.'

We bleven bij haar auto staan. 'Dus jij denkt dat een van de mensen uit haar straat haar heeft vermoord?'

Ik zei niets, haalde alleen mijn schouders even op. Dat kon ze uitleggen zoals ze wilde.

Ze keek me even aan, deed toen het achterportier open en legde haar tas op de achterbank. 'Ze was niet gek,' zei ze nuchter. 'Ze had het syndroom van Tourette en daarom trok ze rare gezichten en praatte ze in zichzelf, maar ze was in alle andere opzichten net zo gewoon als jij en ik.'

'Die indruk gaf de coroner bij het gerechtelijk onderzoek anders niet.'

Dokter Arnold knikte ongelukkig. 'Dat was een imbeciel. Hij wist helemaal niet van het syndroom van Tourette en hij wilde er ook niets van weten. Ik heb het altijd erg vervelend gevonden dat ik niet persoonlijk heb kunnen getuigen, maar ik was al weg voor een sabbatical year naar Amerika voor ze stierf en ik kon niet weten dat hij Annies medisch dossier praktisch zou negeren.' Ze zag de plotselinge hoop in mijn gezicht. 'Het zou niets hebben uitgemaakt voor de uitspraak,' zei ze verontschuldigend. 'Er waren geen aanwijzingen dat het niet om een ongeluk zou gaan, maar ik was heel kwaad achteraf toen ik erachter kwam dat ze haar goede naam door het slijk gehaald hadden.'

Ik dacht cynisch dat de pijn die ik in Annies brekende ogen gelezen had, niets van doen had gehad met zorg om haar goede naam. 'Heb je het verslag van de patholoog-anatoom gelezen?'

Ze knikte. 'Ze hebben me een kopie toegestuurd, met de uitspraak van de coroner. Het lag heel eenvoudig. Ze had een klap van een passerende vrachtwagen gekregen en was tegen een lantaarnpaal aan geworpen. Echt, het was een tragedie dat het gebeurde – ze hadden nooit mogen toestaan dat Graham Road als sluipweg werd gebruikt – maar ik heb altijd gedacht dat een kind overreden zou worden, niet iemand die zo op haar eigen veiligheid lette als Annie.'

Ik knikte. 'Ze droeg de avond dat ze stierf een donkere jas, en het was hondenweer... het regende pijpenstelen. Ik zag haar alleen maar omdat ik bijna op haar trapte toen ik de straat overstak.' Ik legde een hand op haar arm toen ze haar portier wilde openmaken. 'Je zei dat je kwaad was omdat haar goede naam door het slijk was gehaald. Ben je daar nog achteraan gegaan?'

Er kwam een afwezige blik in haar ogen, alsof ze een of andere veraffe horizon afzocht. 'Drie jaar lang niet. Het klinkt misschien harteloos, maar ik was haar helemaal vergeten toen ik in de VS zat en pas toen ik zag wat die aannemer met haar huis had gedaan, begon ik me af te vragen wat er met haar spullen was gebeurd.'

'Waarschijnlijk verkocht.'

Ze praatte door alsof ze me niet had gehoord. 'De mensen hadden een heel verkeerde indruk van Annie door de manier waarop ze zich kleedde en zich gedroeg, maar ze was absoluut geen arme vrouw, in geen enkele betekenis van het woord. Ze heeft me eens een lijst met taxatiewaardes laten zien die een antiquair van een aantal van haar kunstvoorwerpen had gemaakt, en voorzover ik het me herinner kwam dat bij elkaar op meer dan vijftigduizend pond neer. Dat was een heel bedrag in de jaren zeventig.'

'De politie moet toch weten wat ermee gebeurd is,' zei ik. 'Heb je het hun gevraagd?'

Ze huiverde theatraal. '*Hun* niet,' zei ze wrang. 'Het was er maar een. Een man, hoofdagent Drury, het kleine broertje van Joseph Stalin, maar dan botter en agressiever. Het was zijn zaak, dus mocht ik er niemand anders over aanspreken.'

Ik lachte. 'Ik ken 'm. Een goede omschrijving.'

'Ja... nu ja, volgens hem was Annie straatarm. Ze hebben een paar mensen van de dierenbescherming de dag na het ongeluk begeleid om haar katten weg te halen, en Drury zei dat er niets van waarde in het huis was. Erger, hij beschreef het interieur als amper beter dan een beerput.'

Ik knikte weer, dat wist ik nog. 'Dat werd ook tijdens het gerechtelijk onderzoek gezegd. De coroner zei dat de dierenbescherming de beesten meteen toen de buren over stank klaagden weg had moeten halen.'

Dokter Arnold kroop achter haar stuur. 'Alleen was viezigheid iets tegennatuurlijks voor haar,' zei ze. 'Ik ben regelmatig bij haar thuis geweest en het kostte heel wat moeite haar niet om de tien minuten op te laten springen om haar handen te wassen. Ze had iets met bacteriën. Dat is een bekend symptoom van het Tourette-syndroom, net zoals de aandrang om ieder uur te controleren of de sloten nog wel dichtzitten. Natuurlijk geloofde Drury me niet. Het was drie jaar later en hij hield het erop dat ik haar huis met dat van een ander verwarde.' Ze strekte haar hand uit om haar portier dicht te trekken, kennelijk in de mening dat ik begreep waar ze het over had.

Ik hield het portier tegen. 'Wat geloofde hij niet?'

Ze knipperde verbaasd met haar ogen. 'Nou... dat is toch zonneklaar... dat het huis van Annie geplunderd is, en alles van waarde gestolen.'

In het verleden was Sam altijd teruggedeinsd voor gesprekken over

Annie. Ik weet nog hoe hij zich geneerde toen ik op een feestje in Hongkong een hoofdinspecteur aanklampte en hem een uur lang vastzette met een schimprede over de tekortkomingen van de politie van Richmond. Sam had me uiteindelijk weggesleurd en tegen de tijd dat we thuis waren was zijn gêne omgeslagen in woede. 'Weet je wel hoe dom je klinkt als je over dat stomme wijf begint?' had hij me razend gevraagd. 'Je kunt volslagen vreemden niet de les lezen met wartaal over ogen die de spiegels van de ziel zijn als je serieus genomen wilt worden. Je bent verdomme mijn vrouw, en mensen beginnen ons te mijden omdat ze denken dat jij net zo gek bent als zij.'

Twintig jaar later, en nadat hij uitgebreid doorgeëmmerd had over het eigenaardige toeval dat we Sheila Arnold weer als huisarts hadden – 'Je moet toegeven dat het behoorlijk griezelig is... nog maar een paar dagen geleden had ik het met Jock ook al over Graham Road...' – toonde hij verrassend veel belangstelling voor waar Sheila en ik het over gehad hadden. Ik begreep wel waarom. Hij was nooit geneigd iets van mij aan te nemen, maar door een dokter liet hij zich maar wat graag kietelen, vooral als het een vrouw was.

'Is zij het met je eens? Denkt zij ook dat Annie vermoord is?'

'Dat weet ik niet,' antwoordde ik. 'Ze zei alleen dat het huis geplunderd was.'

Daarover dacht hij even na. 'Wanneer? Voor Annies dood of daarna?'

'Wat maakt dat nu uit?'

'Als het daarna is gebeurd,' zei hij terecht, 'dan betekent dat dat iemand wist dat ze in de goot lag, en dat die de gelegenheid heeft waargenomen om in te breken.' Hij krabde bedachtzaam aan zijn kin. 'En dat betekent dan weer dat ze daar waarschijnlijk heel wat langer heeft gelegen dan de coroner beweerde.'

'Zo kun je het ook bekijken,' beaamde ik voor ik naar de keuken liep om iets te eten klaar te maken. Oude gewoontes hebben een lang leven, heb ik gemerkt, en Annie was zo lang een taboeonderwerp voor ons geweest, dat het niet makkelijk was nu weer over haar te praten.

Sam liep achter me aan. 'En als het gebeurd is vóór ze stierf,' ging hij verder, 'verklaart dat wellicht waarom ze zich zo volgegoten heeft. Het moet een verschrikkelijke schok voor haar geweest zijn om thuis te komen en te ontdekken dat al haar schatten verdwenen waren. Arme vrouw, ik heb al nooit begrepen waarom ze zoveel gedronken had. Ik bedoel, we hebben haar wel eerder aangeschoten meegemaakt, maar toch nooit zo lam dat ze niet meer wist wat ze deed.' Hij lachte even verontschuldigend naar me. 'Ik heb het altijd moeilijk gevonden te geloven dat een van onze buren haar onder een vrachtwagen zou hebben geduwd. Goed, er zaten een paar echte zeikerds bij, en een aantal mensen hebben haar het leven vergald door over haar te klagen, maar dat is toch heel wat anders dan haar in koelen bloede te vermoorden.'

Ik deed de ijskast open en vroeg me af wat voor maaltijd ik in elkaar kon flansen van een half blik gepelde tomaten, een stukje stokoude kaas en een krop ijsbergsla. 'Ze was één meter vijfenzeventig en woog achtentachtig kilo,' mompelde ik. 'Haar bloed bevatte precies vijftien milligram meer alcohol dan is toegestaan om auto te rijden – dat wil zeggen dat ze vijf borreltjes gedronken had, of vijf glazen bier. Dan moet je wel over heel veel verbeeldingskracht beschikken om dat ladderzat te noemen.' Ik haalde het blik uit de ijskast en keek of er schimmel op zat. 'Het zit er in feite dik in dat ze niet eens aangeschoten was, want ze was gewend aan drank en kon waarschijnlijk twee keer zoveel op als een ander zonder enige tekenen van dronkenschap te vertonen.' Ik glimlachte naar hem. 'Denk maar aan jezelf, als je mij niet gelooft. Jij bent vijf kilo lichter en vijf centimeter langer, en jij kunt acht pils achteroverslaan zonder vervelend te worden.'

Hij krabbelde meteen terug. Hij was er weliswaar zelf over begonnen, maar het was heel wat anders dat ik vraagtekens achter de feiten zette omdat ik er meer van wist dan hij. 'Iedereen zei dat ze lam was,' zei hij verongelijkt.

'Ook al was ze dat,' ging ik verder. 'Waarom wil jij niet geloven dat een van haar buren in een opwelling bezweken is voor de verleiding haar de weg op te duwen? Het was donker... het regende... ze was knettergek... ze ergerde iedereen... de straat was verlaten... en er kwam een vrachtwagen aan. Eén snelle duw en hopla, probleempje opgelost. Geen zwarten meer in de straat, de huizenprijzen stijgen direct.' Ik trok geamuseerd mijn wenkbrauwen op. 'Niemand heeft ooit beweerd dat het om een geplande moord ging, Sam.'

Een paar dagen later zat er een envelop met fotokopieën van Sheila Arnold bij de post. Op de envelop stond 'Annie Butts'.

'Ik dacht dat dit je misschien zou interesseren,' had ze op een bijgesloten briefje geschreven. 'Het is helaas niet veel, omdat ik het opgegeven heb toen het tot me doordrong dat ik steeds met mijn kop tegen de muur liep! PS. Wat enig dat ik jullie weer ben tegengekomen!'

Toevallig gingen Sam en ik diezelfde dag samen lunchen in Weymouth, en werd Sam kwaad op een man die me aan zat te staren. We hadden een pub uitgekozen met uitzicht op de haven en met tafeltjes buiten, waardoor we in de zon konden zitten en naar de zeilboten kijken die de haven in en uit voeren als de ophaalbrug werd opgetrokken. Het was een leuk plekje om een paar uur door te brengen. Langs de kade stonden achttiende-eeuwse huizen. Gehavende vissersboten laadden kratten vol zeeduivel en krab uit, maar Sam begon te zeuren over de kroegbaas die steeds bij de deur kwam staan om naar mij te kijken, en mijn plezier in het vredige plekje verdween. Ik droeg een zonnebril en kon vanachter de donkere glazen de man onopgemerkt opnemen. Hij was net zo mager en gretig als vroeger, en ongetwijfeld even slecht... maar hij was knapper dan Jozef Stalin... of het broertje van Jozef Stalin...

PROCES-VERBAAL

Datum: 15.11.78
Tijd: 11.15
Dienstdoend agent: hoofdagent Drury, politie Richmond
Incident: gerechtigd betreden van de woning op Graham Road nr. 30, na de dood van de eigenaar, juffrouw Ann Butts. Buren hadden melding gemaakt van een aantal katten die in de woning opgesloten zaten. Er was geen naaste familie bereikbaar.
Aanwezig van de politie: hoofdagent Drury, agent Andrew Quentin. Eveneens aanwezig: inspecteurs van de dierenbescherming: John Howlett, Tony Barrett

---

Toegang tot de woning werd verkregen via de voordeur met een lipssleutel die juffrouw Butt bij haar dood aan een touwtje om haar hals droeg. Het huis was bijzonder koud, er was geen cv. In beide kamers beneden bevonden zich gashaarden, maar geen van beide brandde bij binnenkomst. Alle ramen waren gesloten, hoewel er een klein klapraampje van het toilet niet goed dichtzat wegens een kapotte sluiting.

De agenten was door buren gemeld dat er zich ten minste twintig katten in de woning bevonden, en de lucht van kattenurine was bij binnenkomst in het halletje overweldigend. De woning verkeerde in vervuilde toestand – vooral het toilet beneden en de badkamer boven, waar beide wc's niet waren doorgetrokken en waar bevuild toiletpapier op de grond lag. In de kamers beneden zijn menselijke uitwerpselen aangetroffen. Dozen met lege wodkaflessen stonden tegen de muren van de keuken opgestapeld.
Vooral in de keuken was de stank van kattenurine om te snijden. Korrels uit een kattebak lagen door de hele keuken over het linoleum verspreid en waren door de dieren benut. De vertegenwoordigers van de dierenbescherming merkten met bezorgdheid op dat juffrouw Butts een ladekastje tegen het kattenluik had geschoven, dat ze had toegezegd te installeren na hun vorige bezoek. Er stonden een aantal etens- en drinkbakjes langs de muur, maar ze waren allemaal leeg.

Een grondig onderzoek van de keukenkastjes bracht aan het licht dat er niet voldoende eten aanwezig was, zowel voor juffrouw Butts zelf als voor de kattenkolonie die ze onder haar hoede had. Er waren amper blikjes of pakken kattenvoer aanwezig, hoewel er in de ijskast zeven liter melk en wat rauw vlees werd aangetroffen. De 'voordeel'-stickers deden vermoeden dat juffrouw Butts goedkoop winkelde, hoewel volgens informatie later bij de supermarkt ingewonnen juffrouw Butts afgedankte partijen nazocht om aan gratis kattenvoer te komen.

Beneden waren er twee kamers, de keuken en het toilet niet meegerekend, en de deuren daarvan stonden open. Ook deze kamers waren door de dieren bevuild, hoewel minder dan de keuken. In de voorkamer werden onder een berg kussens in een hoek drie dode katten aangetroffen. Volgens John Howlett (dierenbescherming) waren ze alle drie al minstens vier dagen dood. Twee van hen, beide katers, hadden amper meer vacht op hun kop en hun lijf zat onder de krabben. Kennelijk waren ze gestorven omdat hun verwondingen na een gevecht niet behandeld waren. De derde, ook een kater, was vrijwel zijn hele vacht kwijt en was overleden aan een gebroken nek. Nog twee dode katers werden in de slaapkamer van mevrouw Butts aangetroffen: ze lagen in handdoeken gewikkeld in de kleerkast. Beide waren zwaar ondervoed, kaalgeschoren en hun nekken waren gebroken.

De deuren van de kamers boven zaten dicht. Vijf levende katten, alle katers, zaten opgesloten in de slaapkamer aan de achterkant. De dieren waren volkomen van slag en hadden de kamer duidelijk al een aantal dagen bevuild. Alle zaten onder de bijt- en krabwonden van gevechten. Op de vloer stonden bakjes, waarin wellicht eten of water gezeten had, maar ze waren allemaal leeg bij betreding van de woning. Afgezien van de dode katers in de kleerkast zaten er vier levende vrouwtjespoezen en twee gecastreerde mannetjes in de voorkamer. Ook deze dieren waren volkomen van slag.

In totaal hebben de medewerkers van de dierenbescherming 21 katten verwijderd, waarvan er vijf dood waren.* Hun verslag (bijgesloten) concludeert dat de katers het meest onder verwaarlozing te lijden hebben gehad; de toestand van de vrouwtjespoezen en de gecastreerde katers gaf minder aanleiding tot zorg. Hun mening is dat juffrouw Butts de dieren al enige tijd haar huis heeft laten bevuilen – vooral de katers, die een penetrante geur afscheiden. Ze wezen ook op de tekenen van wreedheid, zoals de geschoren vachten, de gebroken nekken en het feit dat kennelijk is toegestaan dat de dieren zich 'doodvochten'. Bovendien vestigden ze de aandacht op het feit dat met name de <u>mannelijke</u> dieren gemarteld waren. Gezien de ontoereikende voorraden in de keuken en de geschatte sterfdatum van de dode katten kan men aannemen dat juffrouw Butts vijf tot zeven dagen voor haar dood niet meer naar behoren voor haar katten heeft gezorgd.

Een oppervlakkige huiszoeking leverde geen namen en/of adressen van familie van juffrouw Butts op. Een doos met papieren uit de voorkamer beneden is meegenomen voor nader onderzoek.**

De algemene indruk van alle aanwezigen was dat juffrouw Butts al enige tijd in extreme armoede leefde. In de kamers beneden lag geen vloerbedekking, het grootste gedeelte van het meubilair was kapot en er waren amper snuisterijen. Het was koud in de woning, en de gaskraan in de kast onder de trap was dichtgedraaid. Er was ook een aantal stoppen uit het elektrisch circuit verwijderd, hoewel de hoofdstop nog aanwezig was. Toen men de toiletten poogde door te trekken, bleek dat de plugkraan dichtgedraaid was. Een verklaring kan zijn dat juffrouw Butts zich zorgen maakte om haar energierekeningen. Wellicht verergerd door haar afhankelijkheid van alcohol.

* Post-mortems van de dierenarts op de vijf dode katten bevestigden het geschatte tijdstip van overlijden van John Howlett. Twee waren gestorven aan onbehandelde verwondingen na een gevecht, drie aan een gebroken nek. Allemaal vertoonden ze tekenen die op mishandeling wezen, met name: vacht die van de snoeten afgetrokken was – waarschijnlijk door plakband, tape of kleefband aan te brengen dat daarna weer verwijderd was. Bovendien was bij twee dieren kennelijk superlijm aangebracht op hun lippen en oogleden: er zijn resten aangetroffen op stukjes vacht rond de ogen en bek. Geschat tijdstip van overlijden: vier tot zeven dagen voor de lijkjes aangetroffen zijn. Er is rekening gehouden met de temperatuur in het huis, waardoor ontbinding vertraagd kan zijn.

** Alle papieren waren zakelijk: een aantal rekeningen – sommige betaald, andere (gas en licht) onbetaald; een chequeboek en bankafschriften; een spaarbankboekje (Abbey National) met 15.340 pond en 21 pence erop; een afschrift van kijk- en luistergeld; betaalbewijzen van belasting en gemeentebelasting. Er was een envelop met een aantal foto's van een vrouw (zwart) en een man (blank) met achterop geschreven 'pappa' en 'mamma' of 'George' en 'Elisabeth', maar verder geen persoonlijke papieren. Navraag bij de bank van juffrouw Butts leverde het eigendomsbewijs van haar huis op, een aantal aandeelbewijzen en een lopende bankrekening met 4324,82 pond erop. (NB: de bankmanager zei dat juffrouw Butts 'regelmatig schold op de bankbedienden en dat ze ervan overtuigd was dat ze geld van haar stalen'. Hij zei ook dat het hem niets zou verbazen als ze niet precies wist of ze iets wel of niet kon betalen, want ze had 'ze niet allemaal op een rijtje'.

Correspondentie tussen dokter Sheila Arnold en inspecteur John Howlett van de dierenbescherming – gedateerd 1983

LYVEDON AVENUE 39, RICHMOND, SURREY

John Howlett
Dierenbescherming
Guardian House
Twickenham
Surrey

22 februari 1983

Geachte meneer Howlett,

Ik probeer informatie in te winnen over het bezoek, meer dan drie jaar geleden op 15 november 1978, van u en uw collega Tony Barrett aan Graham Road nummer 30. Het huis was het eigendom van een vrouw die Ann Butts heette en die bij een verkeersongeluk is omgekomen. U bent gevraagd de politie te vergezellen bij een huisbezoek de dag daarop om haar katten te redden. Ik heb een kopie van het politierapport van dat bezoek, maar het rapport dat u en uw collega opgesteld hebben, ontbreekt. Hebt u nog een exemplaar in uw dossier en zo ja, zou ik dat in mogen zien?

Ik was verscheidene jaren huisarts van juffrouw Butts en de beschrijving die de politie van haar leefomstandigheden gaf, baart me op een aantal punten zorgen. 'Vervuild' en 'extreme armoede' komen niet overeen met de herinneringen die ik aan juffrouw Butts en/of haar huis bewaar. Wat haar katten betreft, in mijn herinnering verkeerden ze altijd in blakende gezondheid, ze waren bemind en bijzonder goed verzorgd. Bovendien: ik heb begrepen dat u, naar aanleiding van klachten van de buren van juffrouw Butts, in 1978 verscheidene keren Graham Road nr. 30 hebt bezocht, en dat geen van de klachten gegrond bleek.

Kunt u zich van die bezoeken nog herinneren dat er zich in haar voorkamer kunstvoorwerpen uit West-Indië en Midden-Amerika bevonden en kunt u er wellicht een paar beschrijven?

Het verbaast me dat de politie niets van hun bestaan vermeldt, vooral omdat Ann er trots op was en me vaak verteld heeft hoeveel ze waard waren.

Alle informatie is mij zeer welkom.

Met vriendelijke groet,

Sheila Arnold

Dr. Sheila Arnold

White Cottage
Littlehampton
Bij Preston
Lancashire

Dokter Sheila Arnold
Lyvedon Avenue 39
Richmond
Surrey

7 maart 1983

Geachte dokter Arnold,

Tot mijn spijt moet ik u meedelen dat ik sedert juni 1980 niet meer voor de dierenbescherming werk en dat ik, hoewel mijn collega's zo vriendelijk zijn geweest uw brief naar mijn nieuwe adres in Lancastershire door te sturen, niet langer toegang heb tot de dossiers en u zodoende niet kan voorzien van een kopie van het rapport waar u naar vraagt. Niettemin staat de zaak me nog helder voor de geest en ik geef u graag alle informatie die ik me over juffrouw Butts herinner.

Inderdaad heb ik verscheidene (totaal vier) bezoeken aan Graham Road nr. 30 gebracht in de maanden voorafgaande aan haar dood. U hebt het ook bij het rechte eind als u zegt dat geen van de klachten van de buren door feiten gestaafd werd. Haar katten waren goed verzorgd en in puike conditie. Echter, bij geen van die bezoeken heb ik meer dan zeven katten aangetroffen – (bij het laatste bezoek zes, omdat er een overleden was, wat juffrouw Butts bijzonder had aangegrepen) – bovendien wees niets erop dat er meer katten aanwezig zouden zijn.

Bij mijn eerste bezoek in maart 1978 heb ik twee aanbevelingen gedaan: 1) dat ze een kattenluikje aanbracht in de keukendeur zodat de dieren vrij toegang tot de tuin zouden hebben; 2) Dat ze haar katers moest laten castreren om tegemoet te komen aan de klachten van de buren over de penetrante geur. Beide aanbevelingen heeft ze opgevolgd en hoewel de klachten aan bleven houden, had ik geen enkele reden haar van dierenmishandeling of verwaarlozing te verdenken. Ik ben zelfs een stapje verder gegaan en heb de politie getipt dat de klachten kwaadwillig waren en dat een onderzoek gerechtvaardigd was. Ik heb geen idee of daar iets mee gedaan is.

Op 15 november '78 troffen mijn collega en ik echter een totaal andere toestand aan in haar huis. Tussen mijn laatste bezoek, ergens in augustus '78, en die ochtend in november, had ze er kennelijk nog vijftien katten bij gekregen. Als u een kopie heeft van het politierapport, dan weet u dat we vijf dode katers aantroffen, en nog eens vijf, ernstig gestresst en gewond, opgesloten in de achterkamer boven. Om het maar ronduit te zeggen: de dode katten hadden elkaar gedood of hun nekken waren omgedraaid, en de levende waren zo mishandeld en verwaarloosd dat ze vel over been waren en onder de beten en de krabben zaten van onderlinge vechtpartijen. We hebben besloten drie direct te laten inslapen, en de andere twee katers waren binnen vierentwintig uur overleden. De overige elf katten waren of gecastreerd of het waren vrouwtjespoezen. Zes daarvan kon ik identificeren als de katten die ik eerder had gezien.

Ik ben van mening dat 'vervuild' nog zwak was uitgedrukt. Het was werkelijk walgelijk. Het kattenluikje in de keuken was geblokkeerd door een meubelstuk, dus hadden de dieren al een paar dagen het interieur bevuild. Het sanitair van juffrouw Butts zelf was afgrijselijk: stinkende, niet doorgetrokken toiletten en vuil papier en fecaliën op de vloer. Ik kan niet genoeg benadrukken hoe ontzet ik was over wat we aantroffen, hoewel ik er geen idee van heb waarom het tussen augustus en november zo bergafwaarts met haar is gegaan. Er waren aanwijzingen dat ze zwaar dronk – de politie heeft meer dan vijftig lege drankflessen in het huis aangetroffen – en wellicht heeft dat bijgedragen tot haar neergang.

Tot mijn spijt kan ik geen beschrijvingen geven van de kunstvoorwerpen die ik bij mijn eerdere bezoeken gezien heb. Ik weet nog wel dat juffrouw Butts een aantal boeiende, kleurige snuisterijen in haar voorkamer had uitgestald, maar ik mocht ze nooit lang genoeg bekijken om nu te kunnen zeggen wat het precies was. Helaas koesterde ze achterdocht jegens mij vanwege mijn uniform en ze ontving me liever in de keuken. Ik herinner me nog een paar kleurige schilderijen aan de muur tegenover de deur en een boeket van pauweveren in een koperen granaathuls naast de voordeur. Ook herinner ik me nog een stel silhouetten in de gang die volgens haar haar grootouders voorstelden. Maar op 15 november was het huis ontdaan van alle snuisterijen en ik neem aan dat ze alles verkocht heeft om haar alcoholverslaving te onderhouden.

Aangaande de eenentwintig katten die we in het huis aantroffen: ik vermoed dat ze na mijn laatste bezoek van augustus zwerfkatten heeft opgenomen en dat ze in paniek raakte toen de katers met elkaar gingen vechten. Het lijkt veelzeggend dat: 1) er aanwijzingen zijn dat de bekken van de katers afgeplakt zijn geweest, kennelijk heeft ze geprobeerd te verhinderen dat ze elkaar beten; 2) het kattenluikje dichtzat, waarschijnlijk om te voorkomen dat er nog meer zwerfkatten binnenkwamen, hoewel het een raadsel is waarom ze degene die er al waren wilde houden. De mannetjes zijn het slechtst behandeld en dat vond ik verontrustend – wijst dat erop dat juffrouw Butts een of andere obsessie tegen mannen in het algemeen had ontwikkeld? – en ik vraag me af of ze ze heeft gehouden omdat ze bang was dat ze anders haar buren bewijzen in handen zou spelen voor de verwaarlozing en mishandeling waarvan ze haar regelmatig beschuldigd hadden.

Ten slotte zou ik willen opmerken dat ik het altijd spijtig heb gevonden dat ze op zo'n manier aan haar einde is gekomen. Ze was niet gemakkelijk, wat u ongetwijfeld ook weet. Maar, ondanks dat ik haar alleen in functie bezocht heb, geloof ik toch dat ze me als een vriend zag, en het doet me verdriet dat ze er niet aan gedacht heeft mij te bellen op het moment dat ik haar had kunnen helpen.

Met vriendelijke groet,

LYVEDON AVENUE 39, RICHMOND, SURREY

John Howlett, Esq
White Cottage
Littlehampton
Bij Preston
Lancashire

23 maart 1983

Geachte meneer Howlett,

Dank voor uw brief van 7 maart. U moet weten dat ik Annie twee maanden voor haar dood thuis heb bezocht en dat er toen niets op wees dat het 'bergafwaarts' met haar ging. Ik hou zelf niet van katten, dus heb ik die dag niet speciaal op ze gelet. Maar als het er meer dan anders waren geweest, was het me zeker opgevallen. Het huis stonk in ieder geval absoluut niet.

Een van de redenen waarom ik haar bezocht, was om haar te vertellen dat ik voor een jaar weg zou gaan. Dat nieuws greep Annie aan, zoals ik al verwacht had. Lijders aan het syndroom van Tourette hebben een hekel aan veranderingen. Daarom ben ik een uur bij haar gebleven en heb in haar zitkamer met haar gepraat over de collega die tijdens mijn afwezigheid mijn werk zou overnemen. Ik had daardoor ruimschoots de gelegenheid de kamer te bekijken. Voor ik wegging, zei ze dat ze me een aandenken wilde geven, en ze vroeg me iets uit te zoeken. We hebben toen nog een kwartier haar schatten bekeken – de meeste waren kleine kunstvoorwerpen – en ik kan met stelligheid zeggen dat op die dag – 8 september – die kamer nog vol stond met snuisterijen.

Helaas is het onmogelijk de politie ervan te overtuigen dat beroving de meest aannemelijke verklaring is voor het feit dat het huis acht weken later leeg was. Ik heb hoofdagent James Drury uw brief laten lezen – hij is een van de agenten die die dag met u mee naar binnen ging – en hij zei me dat hij, tenzij ik iemand zou vinden die haar woning in de week voor haar dood vanbinnen had gezien, net als u, moest concluderen dat ze haar bezittingen zelf verkocht had om drank te kopen. Dit was het beste wat hij kon verzinnen! Minder goed was dat hij suggereerde dat mijn geheugen mij in de steek liet, of erger nog, dat ik opzettelijk loog om te verbloemen dat ik niet in staat was gebleken de gezondheid van een patiënte van me te waarborgen. Geen van beide aantijgingen klopt. Ik kan niet vaak genoeg herhalen dat de laatste keer dat ik Annie zag, ze in goede geestelijke en fysieke gezondheid verkeerde. Niets wees erop dat ze meer dan gewoonlijk dronk en er was geen enkele aanwijzing dat ze incontinent was geworden.

Toen ze stierf, dacht ik dat de enige specifieke kennis over haar waarover ik beschikte haar medische geschiedenis was. Ik besef nu echter dat ik ook als een van de weinigen over informatie over haar interieur beschik, omdat ik bij het handjevol mensen hoor die verder mochten komen dan de voordeur. Zelfs de dominee moest op de stoep blijven staan omdat ze hem wantrouwde vanwege zijn betrekkingen met haar buren. Ik heb een sociaal werkster kunnen natrekken die in '77 in haar woonkamer is geweest, maar haar beschrijving daarvan is, hoewel hij met de mijne overeenkomt, afgedaan als 'achterhaald'. Hoofdagent Drury wuift uw beschrijvingen van 'kleurige schilderijen', 'pauweveren' en 'silhouetten' om dezelfde reden weg – namelijk dat uw laatste bezoek in augustus '78 plaatsvond en dat ze zich in de drie maanden daarna zelf van die spullen ontdaan kan hebben.

Ik wil u niet vervelen met mijn ergernis (en woede!) over het feit dat zowel mijn geheugen als mijn deskundigheid in twijfel wordt getrokken door een politieman die duidelijk geen zin heeft een oude zaak te heropenen, maar ik vraag me af of u zich nog voor de geest kunt halen wat zich rechts op de schoorsteen in de zitkamer bevond. Het aandenken dat Annie me gegeven heeft, lag daar en het zou – omdat ik het nog steeds heb – bijzonder prettig zijn als ik hoofdagent Drury kan bewijzen dat ik het me wat dit betreft in ieder geval niet 'alleen maar verbeeld'. Een niet door mij ingegeven herinnering van een van haar 'vrienden' aan dat voorwerp, kan van onschatbare waarde zijn.

Het is niet meer dan eerlijk dat u weet dat ik weinig onder de indruk ben van zowel hoofdagent Drury als van de coroner, die beiden kennelijk niet zo zwaar hebben getild aan hun verantwoordelijkheid voor het onderzoek naar Annies dood. Ik wil niet zo ver gaan om te zeggen dat ze vermoord is – wat een van de buren naar ik meen wel deed – maar ik geloof stellig dat de invasie van haar huis en het stelen van haar geliefkoosde schatten haar bijzonder heeft aangegrepen. Dit kan wel degelijk geleid hebben tot het 'bergafwaarts gaan' en het zich overmatig overgeven aan drank, wat uiteindelijk bijgedragen heeft tot haar dood.

Met vriendelijke groet,

Sheila Arnold

Dr. Sheila Arnold

White Cottage
Littlehampton
Bij Preston
Lancashire

Dokter Sheila Arnold
Lyvedon Avenue 39
Richmond
Surrey

24 maart 1983

Geachte dokter Arnold,

Helaas kan ik me niets meer van die schoorsteen en wat erop lag herinneren, maar mijn vrouw wist me te vertellen dat een van de schilderijen in de voorkamer een ingelijst mozaïek was dat de Azteekse god Quetzalcóatl voorstelde, ook wel bekend als het gevederde serpent of de slang met de veren. Mijn vrouw is dol op het werk van D.H. Lawrence en kennelijk heb ik haar na een van mijn bezoeken aan Graham Road verteld dat juffrouw Butts een bijzonder mozaïek van het 'Gevederde Serpent' had. Jammer genoeg kan ik me het mozaïek amper voor de geest halen, en ook weet ik niet meer dat ik er met mijn vrouw over gepraat heb, maar mijn vrouw is er absoluut zeker van dat het 'de gekke zwarte vrouw met de katten' was die die Quetzalcóatl aan de muur had hangen.

Ik hoop dat u hier wat aan hebt.

Met vriendelijke groet,

John Harlett

Correspondentie tussen dokter Sheila Arnold en de politie van Richmond – gedateerd 1983

LYVEDON AVENUE 39, RICHMOND, SURREY

Hoofdagent J. Drury
Politiebureau Richmond
Richmond
Surrey

Betreft: juffrouw Ann Butts, Graham Road 30, Richmond, Surrey

25 mei 1983

Geachte meneer Drury,

Na de talloze gesprekken die ik met u gevoerd heb, zowel telefonisch als persoonlijk, ben ik steeds bozer geworden over uw weigering een onderzoek in te stellen naar de mogelijke diefstal van de bezittingen van juffrouw Ann Butts, voorafgaande aan haar dood op 14-11-'78. Gezien het feit dat er geen andere verklaring voor is, ben ik gedwongen tot de conclusie te komen dat de politie van Richmond vandaag de dag nog net zo onverschillig tegenover juffrouw Butts staat als ten tijde van haar dood.

Het is onacceptabel om te zeggen – zoals u dat vanmorgen over de telefoon deed – dat 'iemand die zo gek is als "gekke Annie" makkelijk in een periode van negen weken een fortuin aan drank uitgegeven kan hebben'. Zoals u in uw eigen rapport uit die tijd stelt, had ze vierduizend pond op haar bankrekening staan, en nog eens vijftienduizend pond op een spaarbankboekje en dus was het niet nodig dat ze haar dierbare bezittingen verkocht, zoals ze volgens u gedaan heeft. Daarnaast kan ik niet genoeg beklemtonen dat het syndroom van Tourette geen vorm van geesteszieke is, maar slechts het onvermogen bepaalde motorische functies onder controle te houden. Het feit dat juffrouw Butts rare gezichten trok en in zichzelf praatte, beïnvloedde haar intelligentie op geen enkele wijze.

Ik ben er inmiddels van overtuigd dat haar buitengewoon snelle aftakeling veroorzaakt moet zijn door de plundering van haar huis in de week voorafgaande aan haar dood. Ik heb u al herhaaldelijk verteld dat het binnendringen van haar huis haar ontzettend angstig gemaakt moet hebben, vanwege haar dwangmatige – en daarom onbedwingbare – obsessie met haar huis en persoonlijke veiligheid, en het is onzin aan te voeren dat ze de politie gebeld zou hebben als er bij haar ingebroken was. Alle vreemden boezemden haar angst in, dus ook mensen in uniform (zie ook de brief van John Howlett van 7 maart '83) en als u en uw collega's haar toen ze nog leefde met dezelfde onverschilligheid behandelden die u nu toont, had ze geen enkele reden u te vertrouwen. In dit opzicht – het wantrouwen jegens vreemden – kan men Annies gedrag inderdaad als irrationeel aanmerken, maar alleen omdat obsessief gedrag dwangmatig is. In al het overige was haar gedrag normaal.

Ik aarzel om te zeggen dat uw onverschilligheid neerkomt op minachting, hoewel ik kwaad genoeg ben om te geloven dat het dat is. Inderdaad, Ann leed aan een neuropsychologische ziekte en inderdaad, ze was zwart, maar geen van beide feiten zou invloed mogen hebben op uw beslissing haar al dan niet alsnog recht te doen.

Natuurlijk is het zo – en hier citeer ik uw eigen woorden – dat de kosten om de eventuele inbrekers op te sporen, het mogelijke profijt voor de belastingbetaler als haar bezittingen achterhaald worden, verre overtreffen, maar sinds wanneer heeft gerechtigheid iets met kosten te maken? Gerechtigheid is onpartijdig, en zo hoort het ook te zijn, en toch suggereert uw opmerking dat de politie selectief te werk gaat wanneer het erom gaat hoe, wanneer en voor wie ze de wet handhaaft.

Hoogachtend,

Sheila Arnold

Dr. Sheila Arnold

C.c. Inspecteur Hathaway, politie Richmond
C.c. Zijne excellentie William Whitelaw, minister van Binnenlandse Zaken

Bureau inspecteur A.P. Hathaway
Hoofdstedelijke politie, Richmond

Dr. Sheila Arnold
Lyvedon Avenue 39
Richmond
Surrey

21 juni 1983

Ref: APH/VJ

Betreft: juffrouw Ann Butts, Graham Road 30, Richmond

Geachte dokter Arnold,

Dank voor de kopie van uw brief van 25 mei aan de heer Drury, de kopieën van de correspondentie en uw aantekeningen van telefoongesprekken, die ik allemaal met belangstelling heb gelezen. Ik heb daarna geruime tijd over de zaak gesproken met hoofdagent Drury, en, hoewel ik sympathiseer met uw overtuiging dat juffrouw Butts voorafgaande aan haar dood beroofd is, ben ik het ook eens met hoofdagent Drury dat geen enkel nut gediend wordt, door de zaak te onderzoeken.

Hoofdagent Drury geeft toe dat het onderzoek in november 1978 geen rekening heeft gehouden met mogelijke diefstal, maar beklemtoont dat bij geen enkele gelegenheid hem ter overweging werd gegeven dat de situatie zoals hij die aantrof in de woning van juffrouw Butts ongewoon was. Integendeel. Er was ruim voldoende bewijs aanwezig in het dossier naar aanleiding van klachten van de buren: dat het huis vol katten zat; dat er constant een onaangename lucht rond het pand hing; en dat ze onder onhygiënische omstandigheden leefde. Gezien deze omstandigheden acht ik hoofdagent Drury onverschillig noch nalatig in zijn aanpak van de zaak.

Inbraak en diefstal in Engeland en Wales neemt jaarlijks met 15% toe, en politieonderzoek eindigt zelden in een veroordeling. Deze cijfers zijn openbaar, en politici van alle gezindten dringen aan op zwaardere straffen en meer middelen voor de politie om een halt toe te roepen aan wat in feite een ware misdaadepidemie is geworden.

Tegen die achtergrond zou het irrationeel zijn een onderzoek in te stellen naar een inbraak die wellicht, of wellicht niet, drie jaar geleden heeft plaatsgevonden; waarbij het vermeende slachtoffer niet langer in leven is om te getuigen; waarbij er geen accurate beschrijving aanwezig is van wat er zich in de woning bevond; en waarbij de kansen op een succesvolle afhandeling nul zijn. Ik besef dat dit niet is wat u wilt horen, maar ik hoop dat u begrip kunt opbrengen voor de overwegingen die tot dit besluit hebben geleid. Het zou een andere zaak zijn als er vraagtekens gezet konden worden achter de wijze waarop juffrouw Butts de dood heeft gevonden, maar de uitspraak van de coroner was ondubbelzinnig.

Ten slotte wil ik u ervan verzekeren dat de politie van Richmond haar verantwoordelijkheid jegens alle leden van het publiek uiterst serieus neemt, ongeacht ras, huidskleur, geloof of handicaps.

Hoogachtend,

A. P. Hathaway

Inspecteur A.P. Hathaway

4

'JE HEBT HET IN EEN VAN JE BRIEVEN AAN DIE INSPECTEUR VAN DE dierenbescherming over een aandenken dat Annie je heeft gegeven,' zei ik tegen Sheila Arnold toen zij en haar man die volgende zondag bij ons kwamen lunchen. 'Wat was het?'

Ze stak haar arm uit. 'Een jaden armband,' zei ze terwijl ze de bleekgroene band om haar smalle pols omdraaide. 'Er lag een hele set op haar schoorsteenmantel en ze koos hem uit omdat ze vond dat de kleur bij me paste. Ik had toen nog rood haar.'

'Dat weet ik nog,' zei ik.

Haar man, Larry, een lange Amerikaan met een zachte stem, ging verzitten op zijn stoel. 'Hij is van jadeïet,' zei hij. 'De allerduurste soort jade. We hebben hem in drieëntachtig laten taxeren zodat Sheila de politie kon laten zien dat ze zich de waarde van Annies bezittingen niet verbeeldde.' Hij volgde de ronding van de armband met zijn wijsvinger en duim. 'Hij komt uit Mexico... waarschijnlijk achttiende-eeuws... meer dan tweehonderd pond waard. Als je dan in aanmerking neemt dat er volgens Sheila tien lagen, dan kun je je een voorstelling maken hoe rijk Annie was.'

Sam floot zachtjes. 'Geen wonder dat je wilde dat de politie een onderzoek instelde.'

Sheila zuchtte. 'Ik heb nog steeds het gevoel dat ik meer had moeten aandringen... Ik had in ieder geval moeten zorgen dat Drury voor een tuchtcommissie gesleept werd. Hij was schandelijk nalatig. Erger, het was een racist. Hij nam gewoon aan dat een zwarte vrouw wel onder smerige omstandigheden zou wonen.'

Larry klakte ongeduldig met zijn tong. 'Zo denkt de gemiddelde burger nu eenmaal. Ik ben het met je eens dat de man een klootzak was, maar hij had het wat één ding betreft bij het rechte eind... niemand heeft hem gezegd dat de toestand daar in huis niet klopte... zelfs John Howlett, die inspecteur van de dierenbescherming, vond er niets eigenaardigs aan.' Hij zei het opvallend vastberaden, alsof het een gevoelig onderwerp voor hen was. 'En jij had gewoon geen tijd om je nog meer met Annies zaak bezig te houden, met je praktijk en twee kinderen. Bovendien,' ging hij verder terwijl hij zich tot ons wendde, 'had inspecteur Hathaway gelijk toen hij het over die nul procent kans op succes had. Sheila heeft een lijst opgesteld van alles wat ze zich nog herinnerde, maar die was bijzonder vaag en, zoals de politie al zei, er was geen enkele kans tot een veroordeling te komen als ze de voorwerpen niet wat nauwkeuriger kon beschrijven. Uiteindelijk leek het zinloos door te gaan.'

We zaten buiten op het terras in de schaduw van een oude parasol waarvan de kleuren in lange, zonnige zomers grotendeels verbleekt waren. De tuin liep achter het huis naar beneden af en een verstandig iemand in het verre verleden had de vooruitziende blik gehad een verhoogd terras van Portland-stenen aan te leggen, waarvandaan je een schitterend uitzicht had op de andere kant van de komvormige vallei waarin onze boerderij lag. Ik vond het eigenaardig hoe het Engelse klimaat leek te zijn veranderd in de jaren dat we weg waren geweest. Ik had altijd aan Engeland teruggedacht als aan een groene, weelderige plek, maar de tuin, de weilanden en de velden waren bruin geworden van de hitte en de dorstige bloemen lieten hun kopjes hangen. Sheila en Larry droegen dezelfde sportieve panamahoeden. Het was een elegant stel: zij in een zachtgele katoenen jurk, hij in een wit overhemd en een kaki broek. Ik schatte hem tien jaar ouder dan haar, en ik vroeg me af wanneer ze elkaar waren tegengekomen, wanneer ze getrouwd waren en of de twee kinderen waarover hij het net had de zijne waren, of van een vorige echtgenoot.

Ik leunde over de tafel om hun wijnglazen bij te vullen terwijl ik loom overwoog of ik naar binnen zou gaan om het eten te halen, een makkelijke maaltijd van koud vlees, salade en stokbrood. 'Als ze door een van haar buren bestolen was,' zei ik terloops, 'dan hebben ze misschien iets bewaard, vooral als het niet veel waarde had. Die pauwenveren in de granaathuls bijvoorbeeld, waar John Howlett het over had. Toen ik zijn brief las, dacht ik onwillekeurig dat het die dingen zijn die iemand zou willen bewaren, al was het alleen maar omdat niemand die veren zou kunnen identificeren als het eigendom van Annie.'

Sheila keek me nieuwsgierig aan. 'Je schijnt behoorlijk de pest te hebben aan haar buren,' merkte ze op. 'Waarom?'

Sam antwoordde voor mij. 'Die hele klotestraat keerde zich tegen ons nadat zij hen voor racisten had uitgemaakt tijdens het gerechtelijk onderzoek. Ze hebben ons wekenlang lastiggevallen met scheldtelefoontjes. Daarom zijn we uit Engeland vertrokken.'

Leugenaar! dacht ik.

'Geen wonder dat je ze haat,' zei Larry hartelijk.

Het werd automatisch gezegd, maar Sheila trok haar wenkbrauwen vragend op om me uit te nodigen er verder op in te gaan. In plaats daarvan stond ik op en zei dat het tijd was te gaan eten. Ik had geleerd om zonder te gaan schreeuwen over dreigtelefoontjes te praten...

Maar over haat? Dat was heel iets anders.

Sheila en ik liepen na het eten naar het weiland en leunden over het hek om naar de paarden te kijken die lusteloos aan het armetierige gras knabbelden. 'Larry en ik zijn er altijd van uitgegaan dat het om beroepsinbrekers ging,' zei ze. 'Het is niet bij ons opgekomen dat het om mensen uit haar eigen omgeving kon gaan.'

'Hoe zouden beroeps kunnen weten wat ze in huis had?' vroeg ik. 'Je zei zelf dat ze nooit iemand binnenliet.'

'Maar dat geldt ook voor haar buren,' merkte ze terecht op. 'Die wantrouwde ze nog meer dan vreemden.'

'Ze gluurden door haar ramen,' zei ik terwijl ik terugdacht aan hoe ik eens een bende jonge vandalen betrapt had die door het glas heen gekke gezichten naar haar trokken. 'De kinderen waren het ergste. Ze vonden het grappig haar bang te maken.'

Er kwam een zoele bries over het weiland heen aanwaaien en Sheila greep haar hoed beet. 'Larry is ervan overtuigd dat het door de man van de taxaties is gedaan. Hij denkt dat het een zwendelaar was, iemand die de deuren langsging en zich voordeed als antiquair, om erachter te komen welke huizen de moeite waard waren om in te breken.'

Het klonk aannemelijk, dacht ik.

'Maar ik ben het niet met hem eens,' ging ze verder. 'Ik ben er vrijwel zeker van dat de taxatie door Sotheby's gedaan was, want ik weet nog dat ik toen dacht dat de bedragen moesten kloppen als een bonafide veilinghuis ze verstrekt had.' Ze zuchtte. 'En nu ben ik razend op mezelf omdat ik er toen niet over doorgevraagd heb. Die hele episode was toch nogal eigenaardig. Waarom had ze die taxatie laten doen? En hoe had ze zichzelf zover gekregen dat ze een vreemde naar haar schatten liet kijken?' Ze schudde met haar arm zodat de jaden armband tegen haar horloge aan tikte. 'Toen ze me vroeg een cadeautje uit te zoeken, mocht ik niets aanraken. Ik moest op het zicht kiezen, niet op gevoel.'

'Wanneer liet ze je die taxatierapporten zien?'

'Ergens in de zomer. Ik weet nog dat ze die dag heel lastig was. Het ene moment moest ik het rapport van haar lezen, het volgende griste ze het weer weg alsof ze dacht dat ik het zou stelen. Ze zat soms vast in een geestelijke spiraal waardoor ze dezelfde woorden en handelingen steeds bleef herhalen tot iets nieuws haar op een ander spoor zette. Ze kon heel vermoeiend zijn als ze zo'n bui had, en daarom heb ik waarschijnlijk niet gevraagd waarom ze de boel had laten taxeren.'

'Misschien voor de verzekering?' opperde ik. 'Geen taxatie, geen verzekering?'

Ze zuchtte geërgerd. 'Dat zei de politie ook en dat maakte me zo razend. Het kan niet allebei, zei ik tegen ze. Of ze was een hersenloze gekkin die haar leven door katten en drank te gronde liet richten, of ze was bij de pinken genoeg om zelf een verzekering te regelen. Misschien had ik er wat aan gehad als ik met haar bankmanager had gepraat, maar tegen de tijd dat ik daaraan dacht was hij allang vertrokken. Iemand heeft me verteld dat hij in Saoedi-Arabië zit, maar ik ben er nooit achteraan gegaan.'

(Ik wel, en ik wist nog woordelijk wat de man door de krakende telefoonlijn vanuit Riyad gezegd had. 'Ik kan u helaas niet helpen. Jammer genoeg was juffrouw Butts ervan overtuigd dat ik haar bestal, daarom heb ik haar aan mijn plaatsvervanger overgedragen, die vijf jaar geleden is overleden.')

'Heb je nog overwogen contact op te nemen met Sotheby's om erachter te komen of ze nog een kopie hadden van het taxatierapport en om te vragen waarom Annie de taxatie had laten doen?'

'Nee, maar het had ook niet uitgemaakt als ik daar wel aan had gedacht,' zei ze met een droog lachje. 'Larry ging dwarsliggen omdat ik volgens hem te veel tijd verspilde, dus heb ik man en kinderen op de eerste plaats gesteld en Annie laten zitten.'

Ik dacht aan Sams woede over de politieman in Hongkong. 'Vervelend hè?'

'Wat?'

'Je plicht doen.'

'Ja,' ze glimlachte wrang. 'En het ergste moet nog komen.'

'Hoe bedoel je?'

'Larry is ouder dan ik, en hij zit hier zijn tijd uit tot ik de pensioengerechtigde leeftijd heb bereikt, en dat is al over twee jaar. Daarna gaan we naar zijn flat in Florida.'

'Waarom?' vroeg ik nieuwsgierig.

'Dat zijn we overeengekomen toen hij met mij en de kinderen begon.' Ze vatte de uitdrukking op mijn gezicht als kritiek op. 'We hebben een ander soort huwelijk dan jij en Sam. Het plan was terug te gaan naar de VS als Larry met pensioen ging, maar hij is ermee akkoord gegaan te wachten toen ik deze baan in Dorset aangeboden kreeg. Hij zei dat hij het nog wel een paar jaar kon uithouden, zolang we maar niet in Londen zaten.' Ze zuchtte. 'Het is een lang verhaal... vol compromissen.'

'Zo klinkt het wel,' zei ik meelevend. 'Wil je in Florida wonen?'

'Nee,' zei ze eerlijk, 'maar nog minder wil ik eenzaam oud worden. Dat heb ik genoeg gezien, dat is geen optie voor mij.'

Dat was een nuttige waarschuwing, vooral nu een arts het zei. 'Waarom denk je dat het huwelijk van Sam en mij anders is?'

Ze haalde haar schouders op. 'Hij zou je niet in de steek laten als je hem voor het blok zette.'

Ik wilde haar er net op wijzen dat Sam dat al eens gedaan had en dat er geen redenen waren te denken dat het niet weer kon gebeuren. Maar ik besefte toen dat ze waarschijnlijk gelijk had. Ergens in ons leven waren de rollen omgedraaid en nu was het Sam die bang was voor een ultimatum. 'Hij is banger voor de eenzaamheid dan ik,' zei ik langzaam, 'dus heb ik de beste kaarten in handen in onze verhouding... zoals Larry in die van jullie.'

Ze keek me even verrast aan. 'Dat is wel een heel berekenende manier om ertegenaan te kijken.'

'Komt voort uit ervaring,' zei ik luchtig. 'Ik denk dat echte eenzaamheid is als je *binnen* je relatie in de steek gelaten wordt... als je merkt dat je jezelf steeds afvraagt wat je eigenlijk waard bent. Ik weet hoe dat is, en ik weet dat ik dat kan overleven. Ik denk dat dat ook voor Larry geldt. Hij is er geweest... heeft het gezien... en jij niet. Sam ook niet. En dat zet jullie op een achterstand.'

'Larry zou nog niet weten wat eenzaamheid was als hij er frontaal tegenop botste,' wierp ze tegen. 'Ik ken niemand die zo'n kuddedier is als hij. Ik word er gek van, soms. Ik word voortdurend meegesleept naar gezellige avondjes als ik alleen maar wil slapen omdat ik doodmoe ben van de hele dag zieken tevredenstellen.'

Ik glimlachte naar haar. 'Daar gaat het ook om. Jij hebt een bestaan dat je voldoening geeft, en Larry niet. Hij moet eropuit om een doel te vinden. Jouw doel is zo duidelijk, jij valt gewoon in slaap om je voor te bereiden op de uitdagingen van de volgende dag.'

Ze legde haar armen op het hek en keek uit over het veld. 'Wil je hiermee zeggen dat Annie jouw doel was?'

'Deels.'

'Je hebt kinderen gekregen,' zei ze. 'Vulden die de leegte dan niet?'

'De jouwe wel?'

'Nee, maar ik had mijn werk. En ik ben absoluut niet moederlijk ingesteld. Ik kan ertegen dat mijn patiënten afhankelijk van me zijn... maar mijn kinderen niet. Ik verwacht van mijn kinderen dat ze het zelf uitzoeken.'

Ik vroeg me af of ze zelf hoorde wat ze zei, en of ze Larry had gevraagd hoe hij dacht over die scheiding tussen het zakelijke en het privé-leven. 'Die van mij maakten mijn zorgen alleen maar groter,' zei ik en ik leunde ook op het hek. 'De oudste in ieder geval wel. We verhuisden naar Hongkong toen ik zwanger was en een kind was wel het laatste waar ik toen behoefte aan had.'

'En hoe nam Sam het op?'

'Als een kip zonder kop.'

Ze lachte proestend. 'Wat bedoel je daar nu mee?'

'Hij kreeg een zoon,' zei ik droogjes. 'Hij vond het fantastisch... zolang iemand anders ervoor zorgde.' We stonden even in aangenaam zwijgen bij het hek, we begrepen elkaar. 'Heb je nog een exemplaar van die lijst die je van Annies bezittingen hebt gemaakt?' vroeg ik haar toen.

'Zat die er niet bij?'

'Nee.'

Ze keek of ze eraan twijfelde. 'Ik zal thuis eens kijken... het probleem is dat we veel hebben weggegooid toen we hier zeven jaar geleden naartoe verhuisden. Ik ben de correspondentie tussen mij en die sociaal werkster ook kwijt. Ik weet nog dat ze me een lange brief gestuurd heeft waarin ze het interieur van Annie beschreef, maar er zat niets in de map toen ik alles voor jou kopieerde. Ik ben bang dat het tijdens de verhuizing zoekgeraakt is.'

Ik vroeg me af wat er nog meer was zoekgeraakt en weidde enkele duistere gedachten aan Larry die zich kennelijk niet te goed achtte voor een beetje sabotage om er zeker van te zijn dat er eerst aan zijn behoeftes voldaan zou worden. *Herkende ik Sam daarin?* 'Kun je een nieuwe lijst voor me maken?'

'Ik kan het proberen. Maar hij zal niet zo gedetailleerd zijn als de oorspronkelijke lijst. Waar ben je naar op zoek?'

'Niet naar waardevolle spullen,' zei ik. 'Kleine dingetjes die iemand misschien gehouden heeft.'

'Zoals die pauwenveren?'

Ik knikte.

'Die kunnen niet als bewijsmateriaal ingebracht worden.'

'Dat weet ik, maar...' Ik aarzelde, bang dat het belachelijk zou klinken. 'Het is misschien een dom idee, maar stel dat je op je lijst die pauwenveren zet, de silhouetten van haar grootouders en andere dingetjes van weinig of geen waarde... bijvoorbeeld een houten beeldje...' Ik kon niets meer verzinnen. 'Ik dacht gewoon dat als ik iemand vond met eenzelfde combinatie van spulletjes in z'n huis, dat ik dan tenminste zou weten dat ik op het goede spoor zat.'

Ze keek me verschrikt aan. 'Dus je wilt op zoek gaan?'

Ik haalde verlegen mijn schouders op.

'Maar waar begin je dan?'

'Bij Graham Road? Er moet daar toch nog wel iemand wonen die er in 1978 al woonde. Als ik daar eens de huizen afga, misschien komt er dan wat uit.' Ik zei dit alleen maar om haar een antwoord te geven, niet omdat ik echt van plan was om het op zo'n confronterende manier aan te pakken. Ik zag de twijfel op haar gezicht.

'Maar waarom? Dat is een hele hoop werk voor niets. Larry heeft gelijk dat het nooit een rechtszaak wordt.'

'Maar ik ben ook helemaal niet uit op een veroordeling wegens diefstal, Sheila, ik ben uit op een proces wegens moord. Zoals de hoofdinspecteur al zei in zijn brief aan jou, het zou iets anders zijn als er vraagtekens over de dood van Annie waren.' Ik glimlachte. 'Nu, die zijn er... en ik ben van plan dat te bewijzen.'

Ze keek me even onderzoekend aan. 'Wat is er die avond werkelijk voorgevallen tussen jou en Annie?' vroeg ze op de man af. 'Drury heeft me je getuigenverklaring laten lezen, maar daarin stond dat ze niets tegen je gezegd had.'

'Klopt.'

'Maar waarom dit dan?'

'Ik heb op het ogenblik niets beters te doen.'

Dat was een povere reden, maar het leek voldoende voor haar. 'Ik denk niet dat er nog veel mensen van vroeger wonen,' waarschuwde ze me. 'De meesten waren nog voor wij weggingen al vertrokken.'

'En de dominee?' vroeg ik. 'Die ging altijd langs bij mensen in Graham Road.'

Ze trok haar hoed aan de rand naar voren om haar ogen tegen de zon te beschermen. 'Ik dacht niet dat hij er nog zat.'

Ik haalde rustig mijn schouders op. 'Nu ja, zijn opvolger moet me toch kunnen vertellen waar hij nu zit. Weet je hoe hij heet?'

'De nieuwe dominee? Nee.'

'En de dominee die bij Annie langsging?'

Ze gaf niet direct antwoord, en ik wendde mijn hoofd om haar aan te kijken. Ik kon onmogelijk zien hoe ze keek omdat haar ogen in de schaduw waren, maar ze hield haar kaken op elkaar geklemd. 'Peter Stanhope,' zei ze.

Brief van Libby Williams – voorheen woonachtig op Graham Road 21 – gedateerd 1982

Southampton

3 oktober 1982

Lieve M,

Ingesloten stukje zal je wel interesseren. Ik heb een paar oude vrienden in Richmond bezocht en kwam toevallig de Rich & Twick tegen. Rotstreken vieren hoogtij, kennelijk, en tussen toga en stethoscoop zal het wel over en uit zijn na de lasterlijke opmerkingen van de eerwaarde! Ik ken hem nog van de begrafenis van Annie – dik mannetje met zweterige handen – maar ik geloof niet dat ik de dokter ooit gezien heb. Jock en ik hadden een man met een enorme snor.

Met mij verder alles goed. Ik ben aan mijn laatste jaar bezig, en na verscheidene mislukte pogingen – een meisje moet nou eenmaal doen wat ze doen moet, als ze dezelfde fout niet nogmaals wil maken! – heb ik eindelijk een winnaar getroffen! Lieve jongen die Jim Garth heet. Ja, ja, laat mij maar schuiven!

Veel liefs,

Libby

Arts ontkent plichtsverzuim

Dokter Sheila Arnold, 41, werkzaam bij het gezondheidscentrum Cromwell Street, Richmond, ontkent plichtsverzuim nadat Frederick Potts, 87, eerder deze week vrijwel dood werd aangetroffen in zijn flat in Channing Towers. Meneer Potts heeft zijn leven te danken aan zijn buurvrouw, mevrouw Gwen Roberts, 62. 'Ik hoorde Fred op de tussenmuur slaan,' aldus mevrouw Roberts, 'dus heb ik de politie gebeld.'

De politie omschrijft de toestand waarin Potts verkeerde als 'schokkend'. Hij had al een aantal dagen zijn bed niet meer kunnen verlaten en leed veel pijn door onbehandelde doorligwonden aan benen en rug. Bovendien was hij uitgedroogd en ondervoed. Dokter Arnold werd door de politie ondervraagd nadat buren hadden gezegd dat ze geweigerd had opname voor de heer Potts te regelen omdat hij 'in het verleden onbeschoft is geweest tegen verpleegsters'. Dokter Arnold ontkent.

Er is gewezen op overeenkomsten tussen deze zaak en de zaak Ann Butts, 42, een onbehandelde alcoholiste met een medische geschiedenis van geestesziekte, die eveneens patiënte van dokter Arnold was. Na de dood van juffrouw Butts in november 1978 omschreef de coroner haar leefomstandigheden als 'schandelijk'. 'Het valt onder de verantwoordelijkheid van de mensen van de gezondheidszorg en de sociale zorg om de kwetsbare leden van onze samenleving te beschermen,' zei hij. Dokter Arnold ontkent dat de coroner daarmee op haar doelde en stelt dat ze in Amerika zat toen juffrouw Butts na een drinkgelag onder een vrachtwagen liep en dodelijk aan haar hoofd verwond raakte.

Volgens de eerwaarde Peter Stanhope, 45, dominee van St.-Mark's Church, krijgt de heer Potts een flat in een verzorgingstehuis aangeboden zodra hij het ziekenhuis kan verlaten. 'Voor dit soort plichtsverzuim bestaat er geen excuus,' aldus Stanhope. 'Uit de dood van Ann Butts had men zijn lesje moeten leren, opdat dezelfde fouten niet opnieuw gemaakt zouden worden.'

*****Richmond & Twickenham Times – vrijdag 18 juni 1982**

Southampton

12 februari 1983

Even een snelle krabbel. Hierbij het vervolg van de dokter/dominee-saga. Tweede ronde voor de dok, zou ik zo zeggen, maar het stukje is zo klein dat ik niet denk dat iemand de moeite zal nemen het te lezen.

Liefs,
Libby

Dokter door Medisch Tuchtcollege vrijgesproken

Dokter Sheila Arnold, 42, van gezondheidscentrum Cromwell Road in Richmond is tijdens een korte zitting van het Medisch Tuchtcollege vrijgesproken van plichtsverzuim. Schriftelijk bewijsmateriaal werd ingebracht dat aantoonde dat de heer Potts, 87, bij een andere praktijk stond ingeschreven ten tijde van het incident waarvan Arnold beschuldigd werd, en al sedert mei 1980 geen patiënt meer van dokter Arnold was.

***** Richmond & Twickenham Times – vrijdag 28 januari 1983**

5

Het zette direct een domper op ons etentje toen Sheila Larry vertelde dat ik van plan was Peter Stanhope op te zoeken om erachter te komen of hij wist wat er met Annies bezittingen was gebeurd. Het scheen bij geen van beiden op te komen dat hij nog nooit in haar huis was geweest en dus ook geen idee kon hebben van wat ze bezat. Zijn naam alleen al was genoeg om de stemming te bederven.

Larry vond het een bijzonder slecht idee en keek me vanachter zijn wijnglas bedachtzaam aan, terwijl Sam bezorgd van de een naar de ander keek, zich duidelijk afvragend wie Peter Stanhope was en waarom zijn naam Larry zoveel zorg baarde. Ten gevolge hiervan werd Sam nogal luidruchtig – hij vindt het altijd verschrikkelijk om te merken dat hij iets niet weet – en ik, nogal onaardig van me, genoot van zijn ongemakkelijkheid. Het was tenslotte zijn eigen schuld want hij had het hele onderwerp altijd taboe verklaard.

Ik ben die avond een halfuur bezig geweest om de eerwaarde Peter Stanhope via de PTT-inlichtingen op te sporen. Niemand met die naam stond in Richmond ingeschreven en de telefoniste wilde niet naar dominees Stanhope in de rest van Engeland zoeken. Ook St.-Mark's Church stond niet vermeld en omdat ik de naam van de huidige dominee niet wist, kon ik ook niet aan het nummer van de pastorie komen. Het zou allemaal een stuk gemakkelijker gegaan zijn als Sam er niet de hele tijd bij was blijven staan – anders had ik de telefoniste kunnen aanraden de Stanhopes in Exeter eens te proberen, maar ik wilde me nu nog niet zo duidelijk in de kaart laten kijken. Uiteindelijk stelde ik, half voor de grap, Sam voor Jock Williams, overtuigd atheïst, te bellen en hem te vragen naar St.-Mark's te rijden om te kijken of de naam van de nieuwe dominee op het bord bij de deur stond. Tot mijn verbazing deed hij het.

'Hij wilde weten wat er aan de hand is,' zei Sam toen hij de keuken weer in kwam waar ik stond af te wassen.

'Wat heb je gezegd?'

'Dat de baas mij alle hoeken van het huis laat zien als ik haar niet help de vermiste schatten van gekke Annie te achterhalen.' Hij grijnsde zuur. 'Hij dacht twintig jaar geleden al dat jij getikt was, maar nu denkt hij dat we allebei een klap van de molen te pakken hebben. Hij vroeg me hoe iemand erbij komt dat een oude zwerfster als Annie schatten zou kunnen hebben.'

Ik zette een bord in het afdruiprek. 'Wat heb je gezegd?'

'Ik heb herhaald wat Larry ons over dat jadeïet heeft verteld. Dat maakte wel indruk trouwens... hij zei dat hij nooit gedacht had dat Annie meer dan een stuiver had.'

'Hij was vast aardiger tegen haar geweest als hij het geweten had,' zei ik stekelig. 'Jock reageert altijd een stuk menselijker als hij geld hoort rinkelen.'

'Mmm, nu ja, hij adviseert me nu mijn Hongkong-winsten onder te brengen in een of ander offshore-fonds dat hij vanaf het Isle of Man beheert. Hij heeft een trucje bedacht om de belasting te ontduiken en hij is bereid me mee te laten delen als ik belangstelling heb.'

'Jack kennende, is het vast illegaal.'

'In ieder geval onethisch,' zei Sam opgewekt. 'Maar hij gelooft niet in de verzorgingsstaat. Hij zegt dat dat niet strookt met de evolutietheorie van Darwin. De zieken, de lammen en de armen moeten sterven. Zo werkt natuurlijke selectie nu eenmaal.'

Ik hield een vork op om de tanden te inspecteren. 'Eens krijgt hij zijn verdiende loon,' zei ik. 'Zo gaat het nu eenmaal met arrogante, egoïstische klootzakken. Zijn einde zal niet vredig zijn, dat is de *ongeschreven* wet van natuurlijke selectie.' Ik keek hem achterdochtig aan. 'Ik hoop dat je hem gezegd hebt dat hij het dak op kan met zijn belastingtruc?'

'Natuurlijk niet,' zei hij. 'De enige reden waarom hij op een zondagavond naar St. Mark's Church rijdt is omdat hij denkt dat ik zijn kas ga spekken met mijn miljoenen.' Hij ging schrijlings op een stoel zitten. 'Hoe komt het dat jij en Jock elkaar zo goed kennen? Ik dacht altijd dat je hem zoveel mogelijk probeerde te ontlopen?'

De vraag kwam onverwacht. 'Hoe bedoel je "elkaar kennen"?'

'Dat weet ik niet, daarom vraag ik het.'

Ik probeerde tevergeefs een glimlach te verbergen. 'Bedoel je in de bijbelse zin van het woord?'

'Misschien.'

Ik proestte het uit. 'Geestig!'

'Waarom?'

'Omdat-ie een vervelend piepeltje is met een autoriteitscomplex,' zei ik. 'Zelfs zijn vrouw viel niet op hem, dus ik begrijp niet waarom jij denkt dat ik dat wel zou doen.'

'Ik vroeg het alleen maar,' zei hij verongelijkt.

'Maar hoe kwam je erbij?'

'Het verraste hem niet dat je weer met Annie bezig was, hij zei dat hij dat wel verwacht had.'

'En wat dan nog?' vroeg ik nieuwsgierig.

'Hij schijnt je beter te kennen dan ik. Ik dacht dat dat achter ons lag. Je hebt het in geen twintig jaar over haar gehad.'

'Op jouw verzoek.'

'Is dat zo?' zei hij en hij fronste nadenkend zijn wenkbrauwen. 'Daar weet ik niets meer van.'

Ik wist niet hoe oprecht die frons was, dus begon ik over iets anders. 'Je moet niet alles geloven wat Jock tegen je zegt,' zei ik. 'Hij zit je alleen maar op te juinen, net zoals hij je opjuint met het geld dat hij zou hebben. Hij vindt het heerlijk je te zien kronkelen.'

'Waarom?'

Ik schudde mijn hoofd over zoveel naïviteit. De moeilijkheid met mijn man, dacht ik wel eens, was dat hij te snel geneigd was de mensen te nemen zoals ze zich voordeden. Daar zou hij in zijn werk nadeel van gehad moeten hebben, maar vreemd genoeg pakte het juist andersom uit omdat mensen heel positief reageerden wanneer Sam het beeld dat ze van zichzelf presenteerden zo grif accepteerde. Toen ik hem nog maar net kende, dacht ik dat hij een geraffineerde vorm van omgekeerde psychologie toepaste, maar in de loop der jaren ben ik erachter gekomen dat hij er werkelijk geen idee van had dat de meeste mensen meer dan één kant hebben. Het was zijn aantrekkelijkste eigenschap... maar ook zijn meest irritante...

'Jock stookt,' zei ik luchtig. 'Hij gunt anderen hun geluk niet... vooral niet binnen hun relatie. Hij heeft alleen maar rampen meegemaakt... gescheiden ouders... een broer die zelfmoord heeft gepleegd... een mislukt huwelijk... geen kinderen.' Ik richtte een pannensponsje op het hart van Sam. 'Hij zou je niet zo pesten als je hem van je hartaanval had verteld en niet gelogen had over het geld dat je verdiend zou hebben. Hij denkt dat jij alles hebt. Gezondheid. Rijkdom. Geluk. Vroeg binnen. Een vrouw die je trouw is. *En* zonen.'

Sam vlocht zijn vingers achter zijn hoofd in elkaar en staarde naar het plafond. 'Hij heeft de dood van zijn broer nooit kunnen verwerken,' zei hij.

'Dat zeg je nu altijd, maar je hebt me nooit verteld waarom niet.'

'Ik wilde niet dat je er meteen weer van alles achter zou zoeken.'

Ik fronste mijn wenkbrauwen. 'Hoe heeft die broer dan zelfmoord gepleegd?'

'Heeft zich opgehangen, aan een boom. Er was geen afscheidsbrief, dus dacht de politie dat het moord was en viel de verdenking op Jock omdat die wat geld uit zijn broers slaapkamer gepikt had, na zijn dood. Uiteindelijk liet de coroner zich overtuigen dat de jongen in een depressie zat vanwege de scheiding van zijn ouders en oordeelde dat het zelfmoord was, maar het hele gezin is eraan kapot gegaan, volgens Jock. Iedereen gaf elkaar de schuld.'

'Wat triest,' zei ik en ik meende het. 'Hoe oud was die broer?'

'Zestien, drie jaar jonger dan Jock.'

'God, dat is echt triest. Hoe is het met de ouders gegaan?'

'Na de scheiding heeft Jock geen contact meer met ze gehad. Ik geloof dat hij niet eens weet waar ze nu zitten... of ze nog leven... of ze nog om hem geven. Hij beweert dat het hem niets kan schelen, en vervolgens is hij er constant mee bezig te bewijzen dat hij een man is met wie je rekening moet houden.' Sam keek weg van het plafond, naar mij. 'Het blijft natuurlijk een arrogante, egoïstische klootzak, dat verandert hier niet door, maar het verklaart het wel een beetje.'

Het verklaarde een heleboel, dacht ik terwijl ik beloofde aardig te zijn als Jock ons opbelde met de naam van de dominee van St.-Mark's. Maar het verklaarde niet hoe Jock aan dat extra geld was gekomen waardoor hij zijn helft van Graham Road nr. 21 kon inruilen voor een indrukwekkend – en duur – huis bij Richmond Park.

Pas op woensdag lukte het me Peter Stanhope aan de lijn te krijgen. Bij mijn eerdere pogingen kreeg ik steeds het antwoordapparaat, en het leek me zinloos zijn bandje te vullen met een omstandige uitleg wie ik was en waarom ik hem wilde spreken. Hij was nu in Exeter beroepen, ongeveer negentig kilometer ten westen van Dorchester, en ik wilde net aan een brief aan hem beginnen toen hij op woensdagochtend eindelijk opnam.

Toen we nog in Richmond woonden, had ik maar één keer met hem gesproken en ik verwachtte niet dat hij net zo goed zou weten wie ik was, als ik wist wie hij was. Ik noemde mijn naam en zei dat ik met hem over Annie Butts wilde praten. 'Die zwarte vrouw die door een vrachtwagen is aangereden.'

Er viel een lange stilte waarin ik terugdacht aan Libby's beschrijving van hem als 'dat dikke mannetje met de zweterige handen'. Ik begon me net af te vragen of het zo lang stil bleef omdat hij de telefoon had laten vallen, toen hij plotseling blafte: 'Zei u Ranelagh?

Bent u familie van de vrouw die beweerde dat Annie vermoord was?'

'Dat ben ik zelf,' zei ik. 'Ik had niet gedacht dat de naam u iets zou zeggen.'

'Heremetijd, natuurlijk! U was eventjes heel beroemd.'

'Een kwartiertje, ja,' zei ik droogjes. 'En dat was niet het leukste kwartier van mijn leven.'

'Nee, dat zal wel niet.' Een stilte. 'U heeft het daarna heel moeilijk gehad.'

'Ja.'

Hij hield duidelijk niet van eenlettergrepige antwoorden en begon over iets anders. 'Ik heb gehoord dat u en uw man naar het buitenland zijn gegaan. Is dat goed uitgepakt?'

Ik nam aan dat dit de beleefde manier was te informeren of ik nog getrouwd was, dus ik verzekerde hem dat dat zo was, schetste hem in vogelvlucht onze twintig jaar buiten Engeland, vertelde dat ik twee zonen had en vroeg hem toen of ik bij hem langs mocht komen. 'Om over de buren van Annie te praten,' legde ik uit, terwijl ik wenste dat ik wat enthousiaster kon klinken bij het vooruitzicht hem weer te zien. Ik vertrouwde erop dat hij uit plichtsgevoel zou instemmen met mijn bezoek, maar ik nam aan dat hij er net zo weinig trek in zou hebben als ik.

Zijn stem klonk nu duidelijk een stuk afhoudender. 'Is dat wel verstandig?' vroeg hij. 'Twintig jaar is een lange tijd, en het schijnt jullie goed te zijn gegaan... bij elkaar gebleven... een gezin gesticht... al die nare dingen achter jullie gelaten.'

'U herinnert zich ons gesprekje dus nog,' prevelde ik. 'Dat had ik niet verwacht.'

'Ik herinner het me heel goed,' zei hij.

'Dan begrijpt u wel waarom ik over de buren van Annie wil praten.'

Ik hoorde hem aan de andere kant van de lijn zuchten. 'Wat heeft het voor zin ouwe koeien uit de sloot te halen?'

'Het hangt ervan af wat je daarbij aantreft,' zei ik. 'Mijn vader viste eens zijn hoed uit de sloot, en daarbij dregde hij een gouden munt op. Die had iemand kennelijk in de sloot laten vallen, en eeuwen later streek mijn vader de winst op.'

Weer een stilte. 'Ik denk dat het onverstandig van u is, mevrouw Ranelagh, maar vrijdagmiddag ben ik vrij. Na tweeën bent u welkom, maakt niet uit hoe laat.'

'Dank u wel.' Nu was het mijn beurt even te zwijgen. 'Waarom is het onverstandig van me?'

'Wraak siert de mens niet.'

Ik staarde in de spiegel met de vergulde lijst die aan de muur tegenover me hing. Hij was oud en het weer zat erin en vanaf het punt waar ik stond gaf hij een verlengd beeld, waardoor mijn gezicht er smal en wreed uitzag. 'Ik ben niet uit op wraak,' zei ik gemaakt luchtig. 'Ik ben uit op gerechtigheid.'

Onverwachts lachte de dominee. 'Dat denk ik niet, mevrouw Ranelagh.'

Ik was niet van plan Sam mee te nemen naar Exeter, dus zei ik hem dat het dom was met zijn tweeën te gaan nu het gras gemaaid moest worden en de bloembedden gewied. Hij leek dat te accepteren hoewel ik hem erop betrapte dat hij me tijdens het ontbijt nogal eigenaardig zat aan te kijken. 'Wat is er?' vroeg ik.

'Het lijkt wel of iedereen naar deze streek is verhuisd,' zei hij. 'Ik vroeg me af waarom.'

Peter Stanhope was beroepen in St.-David's in Exeter. Ik was er te vroeg en bleef een uur aan het eind van de straat in mijn auto zitten wachten terwijl ik door mijn voorruit keek naar de wereld die aan mij voorbijtrok. Ik stond aan de rand van de campus van de universiteit geparkeerd, en de meeste voetgangers leken me studenten: groepjes jongens en meisjes met boeken, of jonge stelletjes, als siamese tweelingen met heupen en schouders aan elkaar geklonken. Ik merkte dat ik ze benijdde, vooral die schaars geklede meisjes met strakke rokjes en korte topjes, die heupwiegend langsliepen in de zonneschijn en het zelfvertrouwen uitstraalden dat ik nooit had gehad.

De oude pastorie was een indrukwekkend Victoriaans huis, verborgen achter hoge heggen, waar een makelaarsbord voor stond dat adverteerde met een te koop staand 'aantrekkelijk penthouse'. De nieuwe pastorie was een schoenendoos van goedkoop materiaal tegenover de kerk, zonder charme of karakter. Toen ik mijn auto er om precies twee uur voor de deur zette, wenste ik dat ik zo verstandig was geweest het laatste uur in een pub door te brengen. Alcoholmoed was beter geweest dan helemaal geen moed. Een deel van me wilde er het liefst met de staart tussen de benen vandoor gaan, maar ik zag de vitrage achter een van de ramen beneden bewegen en wist dat ik gezien was. Trots werkt altijd beter dan moed.

Een lange, lijkachtige vrouw met een haakneus en schouderlang grijs haar opende de deur. Ze ratelde als een machinegeweer: 'U bent vast mevrouw Ranelagh,' zei ze terwijl ze me bij de hand nam en me naar binnen trok. 'Ik ben Wendy Stanhope. Peter is laat. Het is zijn opvangtehuis-ochtend. Mishandelde vrouwen, die stakkerds. Kom maar mee naar de keuken. Hij heeft me gezegd dat u uit Dorchester komt. Heeft u honger? Misschien iets drinken? Een glaasje Chardonnay?'

Ik liep achter haar aan het gangetje door. 'Graag.' Ik keek om me heen in de witte melamine keuken, die slaapverwekkend uniform was, en amper groot genoeg om je kont te keren. 'Gezellig hier.'

Ze duwde met haar lange, benige vingers een glas in mijn handen. 'Vindt u?' vroeg ze verbaasd. 'Ik heb een hekel aan deze keuken. Die in Richmond was veel prettiger. Maar de kerk geeft je weinig keus. Je moet het maar doen met het miezerige keukentje dat je van ze krijgt.' Ze zweeg even om adem te halen. 'Maar goed,' ging ze opgewekt verder, 'het is mijn eigen schuld. Niemand heeft me gedwongen met een dominee te trouwen.'

'Is dat geen prettig leven dan?'

Ze vulde haar eigen glas en tikte het tegen het mijne. 'Jawel. Ik heb weinig reden tot klagen. Ik vraag me soms af hoe het zou zijn om een *lap dancer* te zijn, maar ik probeer daar maar niet te lang bij te blijven stilstaan.' Haar ogen twinkelden ondeugend. 'En jij?'

'Ik ben bang dat ik er het lijf niet voor heb,' zei ik.

Ze schaterde. 'Ik bedoel, heb jij een prettig leven gehad? Je ziet er goed uit, dus ik neem aan van wel.'

'Klopt,' zei ik.

Ze wachtte even of ik verder zou gaan, en toen ik dat niet deed zei ze opgewekt: 'Peter zei dat je in het buitenland hebt gezeten. Was dat opwindend? En je hebt twee zonen, niet?'

Er stond zoveel nieuwsgierigheid op haar te magere gezicht te lezen, dat ik medelijden met haar kreeg – het was tenslotte niet haar schuld dat haar man te laat was – en ik vertelde enthousiast over onze jaren in het buitenland en onze kinderen. Terwijl ik praatte bekeek ze me over de rand van haar glas en in haar ogen zag ik een scherpzinnig lichtje dat me niet aanstond. Ik was er niet aan gewend dat mensen dwars door me heen keken, niet na al die jaren waarin ik me een ondoordringbare huid had aangemeten.

'We hebben geluk gehad,' besloot ik slapjes mijn relaas.

Ze keek alsof ze ergens om moest lachen. 'Je bent bijna net zo'n goede leugenaarster als ik,' zei ze nuchter. 'Meestal kan ik mijn frustraties in toom houden, maar af en toe rijd ik naar een grote open plek, meestal de top van een klif, en dan schreeuw ik het uit. Peter weet daar natuurlijk niets van, want als hij dat wel zou doen zou hij denken dat ik gek was en ik zou er gewoon niet tegen kunnen als hij me zou gaan betuttelen.' Ze schudde haar theatrale lokken in een groteske parodie op een *lap dancer*. 'Het is belachelijk. We zijn al veertig jaar getrouwd, we hebben drie kinderen en zeven kleinkinderen, en toch heeft hij er geen notie van hoezeer ik de leegheid van mijn bestaan verafschuw. Ik zou een prima dominee geweest zijn, maar ik had geen andere keus dan tweede viool spelen voor een man.'

'Schreeuw je daarom?'

Ze schonk mijn glas bij. 'Het is leuker dan met een kater zitten.'

Psychiatrisch rapport betreffende mevrouw M. Ranelagh – gedateerd 1979

KONINGIN VICTORIA-ZIEKENHUIS, HONGKONG

AFDELING PSYCHIATRIE

Een consult is door huisarts J. Tang aangevraagd voor zijn patiënte mevrouw M. Ranelagh, Greenhough Lane 12, Pokfulam, Hongkong. Tang vermoedt een postnatale depressie na de geboorte van haar zoon Luke (20 oktober 1979). Volgens haar echtgenoot lijdt ze al enige tijd aan depressies. Ze weigert medicijnen. Mevrouw Ranelagh heeft op 19 december 1979 een twee uur durend consult gehad met dr. Joseph Elias.

(De hieronder opgenomen passages zijn afkomstig uit het rapport van dokter Elias dat in februari 1999 ter beschikking werd gesteld aan mevrouw Ranelagh.)

... Mevrouw Ranelagh was een lastige patiënte. Ze maakte van meet af aan duidelijk dat ze alleen maar kwam om voor eens en voor al te bewijzen dat ze geen last had van depressies. Ze werkte slecht mee en was kwaad. Ze gaf blijk van een zeer vijandige houding tegenover 'mannen die de macht in handen hebben' en 'mensen die de baas proberen te spelen' en had het verschillende keren over 'dwang', 'gekoeioneer' en 'intimidatie'. Toen ik haar voorhield dat dit soort beweringen er niet toe zouden leiden dat ik haar gezond zou verklaren, maar me er integendeel toe brachten me af te vragen of ik hier met een paranoïde persoonlijkheidsstoornis van doen had, ging ze ermee akkoord mee te werken.

... Ze geeft toe dat ze hevig geëmotioneerd is door een aantal gebeurtenissen die zich eind vorig en begin dit jaar in Londen hebben voorgedaan. Ze wil niet ingaan op de bijzonderheden omdat ze bang is dat mijn vermoeden van paranoia daar alleen maar door bevestigd zal worden, maar ze heeft kort drie – waarvan twee uiterst persoonlijke – voorvallen aangestipt om haar 'woede' te verklaren. Ze overhandigde me een aantal knipsels als bewijs dat de eerste gebeurtenis inderdaad heeft plaatsgehad – nl. de dood van een zwarte vrouw –, maar kon haar andere beweringen niet met bewijzen staven. Zonder onafhankelijke getuigenissen kan ik niet vaststellen of de onderstaande incidenten a) daadwerkelijk plaats hebben gehad, of b) verzonnen zijn om haar gevoel dat er geen recht is gedaan aan de dood van de zwarte vrouw te onderbouwen.

... Haar wrok richt zich vooral op haar echtgenoot (met haar woonachtig in Hongkong) en haar moeder (woonachtig in Engeland), door wie ze zich om een aantal redenen in de steek gelaten voelt. Dit heeft geresulteerd in een 'koelheid' jegens hen die 'tijd nodig heeft om overwonnen te kunnen worden'. Ze beschrijft haar zwangerschap als 'ongewenst' – waarbij ze wijst op de moeilijkheid om een nieuw leven te beginnen terwijl je een zwangerschap uitdraagt. Ze spreekt met liefde over het kind, noemt hem 'mijn baby', maar verwijt haar echtgenoot dat hij haar 'aan een ongeplande zwangerschap heeft blootgesteld'. Ze heeft een sterke band met haar vader (woonachtig in Engeland) met wie ze via de telefoon nauw contact onderhoudt en die haar enige vertrouweling is. Daarbij noemt ze een aantal aanverwante problemen: een afkeer om aangeraakt te worden; gevoelens van onveiligheid als ze alleen thuis is; een obsessie met hygiëne; afkeer van bepaalde geluiden – de deurbel bijvoorbeeld, een Londens accent, het gekrabbel van ratten (?).

... Ik heb haar afgeraden bondgenoten te zoeken – vooral haar vader niet, die 'wat onderzoek' voor haar doet – wat door haar echtgenoot als hij erachter zou komen vrijwel zeker als verraad zal worden opgevat. Ik heb haar ook op de potentiële gevaren gewezen als ze een bondgenoot van haar zoon zou maken als hij ouder wordt. Ze was het op beide punten met mij eens, maar blijft volhouden dat haar huwelijk morgen afgelopen is als ze nogmaals de confrontatie met haar echtgenoot aangaat. En dat wil ze niet. Ze heeft mijn voorstel voor een gezamenlijke sessie met haarzelf en meneer Ranelagh afgewezen, omdat ze niet gelooft dat een van beiden eerlijk kan zijn zonder de hierboven genoemde scheiding te bewerkstelligen. Haar gevoelens voor haar echtgenoot zijn verward. Ze lijkt ondanks haar wrok een nauwe band met hem te onderhouden en ze vindt dat haar keus eerder dit jaar om bij hem te blijven, de juiste is. Desondanks wil ze hem straffen voor dingen die hij gedaan of juist nagelaten heeft.

... Mevrouw Ranelagh presenteert zich als een intelligente, zelfbewuste vrouw die in het reine probeert te komen met een paar bijzonder onaangename, en tot nu toe onopgeloste, kwesties in haar leven. Toen ze er eenmaal van overtuigd was dat ze mij had duidelijk gemaakt dat ze niet 'depressief' was – een idee dat ik aangemoedigd heb – had ze het er uitvoerig over dat ze iets wilde 'afsluiten', hoewel ze duidelijk ambivalent is over wat voor soort 'afsluiting' dat dan zou moeten zijn. Eenvoudig gezegd prefereert zij de aangenamere omschrijving 'gerechtigheid voor haar zwarte vriendin' boven de juistere 'wraak voor zichzelf'.

... Toen ik haar ervoor waarschuwde dat langdurig geïnternaliseerde woede, of die nu gegrond is of niet, kan leiden tot het paranoïde ziektebeeld – achtervolgingswaan, fobieën, waandenkbeelden – waarvan ze zichzelf zo duidelijk wenst te distantiëren, zei ze dat het kwaad al geschied was. 'Ik heb geen keus, dokter Elias. Ik ben een lafaard als ik het opgeef, en een neurotische trut als ik terugvecht.'

... Samenvattend: ik zie bij deze patiënte geen tekenen die op depressie wijzen. Ze is een obsessieve en uiterst manipulatieve persoonlijkheid, maar ze heeft zichzelf uitstekend in de hand. Ik vond haar nogal beangstigend...

6

UITEINDELIJK WISSELDE IK MINDER DAN TWINTIG WOORDEN MET PETER Stanhope. Hij kwam een halfuur te laat binnengerend, een en al excuus, maar werd vervolgens bijna onmiddellijk door een telefoontje weggelokt. Hij bracht het nog net op te zeggen dat het belangrijk was, verdween toen in zijn studeerkamer terwijl hij zijn vrouw beleefdheden in de hoorn liet lispelen, tot hij het andere toestel opgepakt had. Het deed er weinig toe. Wendy was een bron van informatie die, daar was ik vrij zeker van, ik van haar echtgenoot nooit gekregen zou hebben, omdat het grotendeels roddel was, waaronder vuile roddel.

We wachtten Peters terugkomst in de zitkamer af, waar Wendy me had geprobeerd te verlossen van mijn asymmetrische rugzak, waarbij ze zich niet realiseerde dat hij met een gesp om mijn borst vastzat. Het verraste haar dat hij zo zwaar was en dat ik hem liever niet afdeed. Ik liet me in zoverre vermurwen dat ik de riem om mijn borst losmaakte en ik hem op de bank naast me liet zakken – maar als ze zich afvroeg waarom ik mijn hele hebben en houwen met me meesjouwde, was ze te beleefd dat te laten merken. Ik was duidelijk een raadsel voor haar, want wat haar voorstelling van een fanatieke kruisvaarster ook was, ik leek er in ieder geval absoluut niet op.

Ze trok een lip toen ze de hoorn had neergelegd en ik vroeg me af hoe vaak ze moest inspringen en hoe inschikkelijk Peter zou zijn geweest als de rollen omgedraaid waren en zij de dominee was geweest en hij haar hulpje. Mijn gezichtsuitdrukking verried kennelijk meer dan ik besefte.

'Voel je je teleurgesteld door Peter?' zei ze in de stilte.

'Welnee,' stelde ik haar gerust. 'Ik wilde over de buren van Annie in Graham Road praten en jij weet er waarschijnlijk toch meer van af.'

Ze keek me met die allesziende ogen van haar strak aan. 'Ik bedoel vroeger,' zei ze zacht. 'Heeft hij je vroeger teleurgesteld?'

'Deels wel,' zei ik en ik keek de kamer in om haar niet aan te hoeven kijken. 'Hij zei dat ik hysterisch was toen ik dat helemaal niet was.’ Wendy verzamelde kennelijk porseleinen beeldjes want ze stonden overal. Op de schoorsteenmantel stond een fraai arrangement van Dresdener herderinnetjes en in een vitrinekastje aan de muur zat een aantal handbeschilderde vogels. Foto’s waren haar andere passie: overal hingen kiekjes van haar gezin en aan één wand een vergroting van zeven lachende kinderen. ‘Wie zijn dat?’ vroeg ik met een knikje in hun richting.

Ze maakte geen bezwaren tegen deze verandering van onderwerp. ‘Mijn kleinkinderen. Een van die zeldzame keren dat ze er allemaal goed op staan.’ Ze lachte even. ‘Gewoonlijk is er altijd wel eentje die een kwaad gezicht trekt.’

‘Wie heeft hem genomen?’

‘Ik.’

‘Maar dat is geniaal,’ zei ik welgemeend. ‘Laat dat domineeschap maar zitten. Je had beroepsfotograaf moeten worden.’

‘Dat ben ik ook een tijdje geweest… nu ja, semi-professioneel. Ik deed vroeger de huwelijken in St.-Mark’s Church, vooral voor stellen die niet zoveel geld hadden.’ Ze trok een la open van een bureau dat naast de open haard stond en haalde er een uitpuilend fotoalbum uit. ‘Dit zul je interessant vinden. De meeste van Annies buren staan wel ergens op.’

Ze gaf het me aan en ik bladerde door de aanschouwelijke geschiedenis van huwelijken, dopen, begrafenissen en hoogtijdiensten in St Mark’s. De foto’s uit de jaren zeventig deden me glimlachen omdat de kleding zo gedateerd was – mannen in pakken met broeken met wijde pijpen, overhemden met volants en zware armbanden met hun naam erop, vrouwen met enorme bossen haar, rechte jurken en pumps met open hielen. Er was zelfs een foto van mij op de begrafenis van Annie: vierentwintig en verschrikkelijk ongemakkelijk in een gloednieuwe zwarte maxi-jas die me niet goed paste, waardoor ik eruitzag als een in afdankertjes gestoken weeskind. Ik herkende maar weinig gezichten omdat de foto’s niet allemaal van mijn tijd waren, maar sommige wist ik nog.

‘Waarom heb je er zoveel genomen?’ vroeg ik Wendy. ‘Ze kunnen toch niet allemaal in opdracht gemaakt zijn?’

‘Ik dacht dat het leuk zou zijn voor toekomstige generaties,’ zei ze. ‘Ik was van plan afdrukken in het parochiearchief achter te laten, zodat mensen die inlichtingen over hun familie zochten niet alleen schriftelijke maar ook visuele informatie zouden krijgen.’ Ze lachte. ‘Het was een slecht idee. Het kostte zoveel tijd en geadministreer om verwijzingen te maken van de foto’s naar het geschreven register en vice versa, dat ik het al snel niet meer aankon. Daarna heb ik die foto's gewoon voor de lol genomen.'

Ze deed een hoop gewoon voor de lol, dacht ik. Ik begon haar steeds aardiger te vinden. Ik begon me zelfs af te vragen of ik waar ik mee bezig was van datzelfde etiket kon voorzien. Zou men het accepteren dat ik vragen stelde over de dood van Annie puur omdat ik me verveelde? Ik legde een vinger op een groepsportret. 'Het gezin Charles,' zei ik. 'Ze woonden naast ons, op nummer 3.'

Wendy kwam naast me op de bank zitten. 'Paul en Julia. En twee kinderen wier namen ik vergeten ben. Peter heeft er eentje gedoopt, en die heeft de hele dienst door gebruld. Dit zijn de doopfoto's.'

'Dat was Jennifer,' zei ik. 'Ze huilde iedere nacht. Sam is er een keer naartoe geweest om ze eens stevig toe te spreken, want we konden niet slapen van die herrie. Maar Julia was zo uitgeput dat ze in tranen uitbarstte toen ze hem opendeed, dus kon hij het niet meer over zijn hart verkrijgen. Daarna zijn we oordopjes gaan dragen. Jennifer is nu zowat vierentwintig en ze werkt als advocate in Toronto. Het hele gezin is in 1980 naar Canada geëmigreerd.'

'Jeetje! Je bent wel heel goed op de hoogte.'

'En deze man herken ik ook,' zei ik terwijl ik op een andere foto wees.

'Derek Slater,' zei ze. 'Een onvoorstelbare schoft... hij sloeg zijn vrouw en kinderen als hij dronken was. Het arme mens vluchtte altijd naar ons omdat ze als de dood voor hem was.' Ze sloeg een blad om en wees op een donkerharige vrouw met een peuter op de arm. 'Daar heb je haar... Maureen Slater. Ze had vier kinderen van hem – twee jongens en twee meisjes – die allemaal wel eens afgetuigd werden. Derek werd voortdurend opgepakt... meestal voor dronkenschap en verstoring van de openbare orde, maar ik geloof dat hij ook wel eens veroordeeld is wegens diefstal.' Ze zette haar vinger op het gezicht van de peuter. 'Hij heeft in ieder geval gezeten, want dit ventje is een hele poos na de andere drie geboren. Voorzover ik weet woont Maureen nog steeds op Graham Road, maar ik heb geen flauw idee waar Derek gebleven is. Ergens in 1979 of 1980 is er een enorme vechtpartij geweest toen zijn oudste zoon eindelijk genoeg moed bij elkaar geraapt had om hem met een honkbalknuppel het huis uit te ranselen.'

'Alan?'

'Ja. Heb je hem gekend?'

'Ik heb hem een jaar Engels gegeven... een grote, zwaargebouwde jongen met handen als kolenschoppen. Ze woonden naast Annie op de hoek. Nummer 32. Heb je een foto van Alan?'

'Ik geloof van wel. Maar die heb ik niet bij de kerk genomen. Voorzover ik weet is hij daar maar één keer geweest, om te kijken of er wat te halen viel.' Ze maakte verontwaardigde geluidjes voor zichzelf. 'Een verschrikkelijke dief, heeft eens onder mijn ogen de broche van mijn moeder gestolen toen ik Maureen weer eens onderdak gaf, en dat heb ik hem nooit vergeven. Al haar kinderen waren dieven... dat viel te verwachten, neem ik aan, met een vader als Derek. Droevig dat de zonden van de vaderen in het volgende geslacht terugkeren.'

'Heb je die diefstal aangegeven?'

Ze zuchtte. 'Dat had geen zin. Hij zou het gewoon ontkend hebben. En het was trouwens mijn eigen schuld. Dan had ik maar beter moeten oppassen. Daarna zorgde ik er wel voor dat ik alles achter slot en grendel had als ze bij ons thuis kwamen.'

Ik vroeg me af waarmee Alan nog meer was weggekomen. 'Hij heeft mij ook geprobeerd te bestelen,' zei ik. 'Ik had mijn tas eens op mijn tafel laten staan toen ik wat aantekeningen uit de docentenkamer ging halen, en toen ik terugkwam zat hij in mijn portefeuille te snuffelen. Ik heb het ook niet aangegeven.' Ik tikte met mijn wijsvinger tegen mijn lip; onder de huid klopte een klein adertje van haat. 'Mijn eigen kinderen waren er niet zo gemakkelijk vanaf gekomen.'

'Nee,' zei ze langzaam terwijl ze me met die scherpzinnige blik van haar opnam. 'Maar ik denk dat je Alan niet zo aardig vond, en daarom heb je overgecompenseerd.'

Ik antwoordde niet.

'Ik was helemaal vergeten dat je lerares was,' zei ze om de stilte te doorbreken.

Ik knikte. 'Tot mijn straf.' Ik boog me over het album om Derek Slater wat beter te bekijken. Hij had lang, donker haar, een prettig, glimlachend gezicht en hij leek absoluut geen man die zijn vrouw slaat. 'Waarvoor heeft Derek gezeten?'

'Geen idee. Diefstal? Geweldpleging?'

'Jegens zijn vrouw?'

'Het moet in ieder geval een vrouw zijn geweest. Ik denk niet dat hij het lef had met mannen te vechten.'

'Wie is dit?' vroeg ik en ik wees op een foto van een zwaaropgemaakte blondine, die met een dom lachje vanonder een breedgerande hoed de camera in keek.

'Sharon Percy,' zei Wendy met neergetrokken mondhoeken. 'Probeert zich jonger voor te doen dan ze is. Ze was bijna veertig toen die

Maureen en Danny Slater voor St.-Mark's Church, zomer 1978

Derek Slater op een bank voor St.-Mark's Church, zomer 1978

foto gemaakt is, maar haar boezem hangt er vrijwel uit en haar rok bedekt amper haar onderbroek. Je kent haar vast nog wel. Ze woonde ook naast Annie, aan de andere kant, en ze klaagde constant over haar.' Ze zuchtte diep. 'Arme Annie. Ze zat knel tussen de ergste twee gezinnen in de straat – aan de ene kant een gewelddadig gezin dat bovendien stal, de Slaters, en aan de andere kant een slet met een ontspoorde zoon.'

Sharon Percy, alias Jocks delletje en Libby's geblondeerde vampier, dacht ik geamuseerd. 'Ik geloof niet dat ik haar ooit ben tegengekomen,' zei ik. 'In ieder geval weet ik er niets meer van. Ik heb haar zoon, Michael, in de klas gehad... dezelfde klas als Alan Slater. Maar ik geloof niet dat ze ooit op school is geweest.'

'Het was een verschrikkelijk mens,' zei Wendy bitter, 'nauwelijks beter dan een hoer... ze had iedere avond een andere man op bezoek... maar toch vond ze dat ze een stuk beter was dan een zwarte vrouw... ze heeft Annies leven tot een hel gemaakt, met haar eeuwige geklaag bij de gemeente.'

Ik nam dat jongoude gezicht met belangstelling in me op en moest denken aan de rednecks uit Zuid-Afrika. 'Dat is het syndroom van de arme blanke,' zei ik langzaam. 'Hoe lager je in de pikorde zit, hoe belangrijker het is dat je iemand onder je hebt.'

'Mmm, nou dat ging voor Sharon in ieder geval op.'

Ik vond haar houding weinig christelijk en ik vroeg me af wat de vrouw gedaan had dat Wendy zo'n hekel aan haar had. 'Hoe komt het dat je zoveel over haar weet?' vroeg ik nieuwsgierig. 'Kwam ze vaak in de kerk?'

'Jazeker, vaak genoeg, zolang Peter maar bereid was een uur per week haar problemen met haar door te nemen. Ha!' zei ze opeens verachtelijk. 'Zogenaamde problemen, als je het mij vraagt. Ze noemde hem *vader* Stanhope omdat ze wist dat dat zijn ijdelheid streelde. Pas toen ze haar hand op zijn dij legde, drong het tot hem door waar ze op uit was en toen heeft hij haar gezegd dat hij haar alleen nog maar in mijn bijzijn wilde zien. Daarna is ze de kerk niet meer in geweest.'

Ik verbeet een glimlachje. Ondanks al die frustraties over haar huwelijk, kon ze toch nog wel jaloers zijn. 'Is ze ooit getrouwd geweest?'

'Niet toen wij haar kenden, ik weet niet eens wie de vader van Michael was, en ik denk dat Sharon dat zelf ook niet wist. Dat arme kind lag steeds maar weer overhoop met de politie, en dan moest Peter midden in de nacht *loco parentis* op komen draven, omdat de moeder elders op haar rug lag.'

Sharon Percy op een trouwerij, St.-Mark's Church, lente 1983

Alan Slater en Michael Percy in het achterom van Graham Road, maart 1979

'In '78 was hij veertien,' wist ik nog. 'Donker haar, zag er nogal volwassen uit... droeg altijd een wit T-shirt en een spijkerbroek.'

Ze knikte. 'Het was geen slechte jongen, maar volkomen losgeslagen. Hij was intelligent, goedgebekt – het absolute tegendeel van Alan Slater die amper een zin uit kon brengen zonder een schuttingwoord. Ik was eigenlijk nogal op hem gesteld, maar hij was niet het soort jongen dat zich makkelijk gaf.' Een weemoedige blik vloog even over haar gezicht. 'Ik heb zo'n zes jaar geleden in de krant gelezen dat een zekere Michael Percy elf jaar had gekregen voor een gewapende overval. De leeftijd klopte, maar de foto leek absoluut niet op de jongen zoals ik me hem herinner.'

Ik kon het niet over mijn hart verkrijgen haar illusies te verstoren. 'En woont Sharon nog steeds op nummer 28?'

'Dat zal wel. Ze woonde er in ieder geval nog toen wij in '92 verhuisden.' Ze nam het album van me over en bladerde erdoorheen tot ze bij een foto was van een grijze man met een scherp, ingevallen gezicht, als een schildpad. 'Geoffrey Spalding,' zei ze. 'Getrouwd met een vrouw die Vivienne heette en die in '82 aan borstkanker is overleden. Arme stakkerd; ze heeft er lang tegen gevochten, bijna vijf jaar in totaal. Deze heb ik op haar begrafenis genomen. Ze woonden tegenover Sharon, en het was een van de grootste schandalen dat Geoffrey – terwijl zijn arme vrouw op sterven lag – meer tijd in Sharons huis doorbracht dan in het zijne. Ongeveer zes maanden na Viviennes dood is hij definitief bij Sharon ingetrokken.' Ze zuchtte weer. 'Zijn kinderen hebben het zich ontzettend aangetrokken. Hij had twee dochters, tieners, die Sharon volkomen negeerden.'

'Woonden zij ook bij haar?'

'Nee. Zij zijn aan de overkant gebleven en hebben voor zichzelf gezorgd. Heel triest allemaal. Ze hadden vrijwel geen contact met Geoffrey, ze gooiden alleen de energierekeningen door zijn brievenbus. Ik denk dat ze hem de schuld gaven van de dood van hun moeder.'

'Ik denk dat iedereen die gekwetst is wild om zich heen slaat,' zei ik terwijl ik aan Jock en zijn ouders dacht. 'Zo zit de mens in elkaar.'

'Het waren heel stille meisjes... wat al te stil vond ik altijd. Ik heb ze nooit zien lachen. Ze waren natuurlijk nog veel te jong toen ze al voor hun moeder moesten zorgen. Ze hadden geen tijd om met leeftijdgenootjes op te trekken.'

'Weet je nog hoe ze heten?'

'God, al sla je me dood.' Ze dacht even na en schudde toen haar hoofd. 'Nee, het spijt me. Het waren mooie meisjes, blond haar, blauwe ogen... ze deden me altijd aan Barbiepoppen denken.'

'Je zei dat het tieners waren toen hun moeder stierf. Maar hoe oud ongeveer?'

'Ik denk dat de oudste vijftien was en de jongste dertien.'

Ik trok het een en ander in gedachten van elkaar af. 'Dus ze waren elf en negen toen Annie stierf?'

'Zowat ja.'

'Dan zijn het Rosie en Bridget,' zei ik. 'Ze liepen iedere dag hand in hand naar school in keurig gestreken uniforms en ze zagen er heel onschuldig uit.'

'Klopt,' zei Wendy. 'Wat heb jij een geweldig geheugen.'

Niet echt, dacht ik. Voor de dood van Annie was ik bevriend geweest met de meisjes. We groetten elkaar altijd met een glimlachje en een 'hallo' als ik op weg naar mijn school was en zij naar de hunne. Toen – en ik heb nooit begrepen waarom – veranderde alles in de maanden na Annies dood. Hun brede glimlach verdween en ze ontweken mijn blik. Vroeger had Bridget vlechten gehad, net zoals haar zusje, tot iemand ze afknipte en de lange blonde slierten bij mij door de brievenbus duwde. Ik wist toen hun achternaam niet en ik wist ook niet waar ze woonden. Het enige wat ik wist was dat Rosie steeds magerder en bleker werd, terwijl het haar van de negenjarige Bridget de ene dag nog lang was, en de volgende dag afgeknipt. Ik begreep totaal niet waarom die vlechten bij mij bezorgd werden en wat ze betekenden.

'Ik wist niet dat hun moeder ziek was,' zei ik treurig. 'Ik dacht altijd dat het een heel aardige vrouw moest zijn omdat zij zich zo keurig gedroegen. In tegenstelling tot sommige anderen.'

Ze zuchtte nogmaals. 'Ze waren na haar dood volkomen ontredderd. Ik heb geprobeerd hen te helpen, maar Geoffrey gedroeg zich stuitend agressief en zei dat ik me er niet mee moest bemoeien. Je kunt helaas niet zo heel veel doen... En Geoffrey heeft ervoor gezorgd dat ze me wantrouwden door ze te vertellen dat ik ze in een tehuis wilde stoppen. Dat was niet zo, maar ze geloofden hem uiteraard.' Bij de herinnering trokken haar mondhoeken weer naar beneden. 'Een afschuwelijk kereltje...'

'Wonen de meisjes nog op Graham Road?' vroeg ik.

Ze keek verdrietig. 'Nee, en het erge is dat ik er geen idee van heb wat er van ze geworden is. Ik dacht dat Michael een tijdje bij ze heeft gewoond, maar hij was net zo vaak in als uit een jeugdinrichting, dus dat was moeilijk bij te houden. Ik heb Geoffrey eens gevraagd hoe het met ze was maar hij wapperde me weg alsof ik een lastig insect was. Een verderfelijk mannetje. Hij en Sharon verdienden elkaar wel, heb ik altijd gevonden.'

Ik bracht het gesprek weer terug op Rosie en Bridget. 'Zijn de meisjes getrouwd?'

Ze schudde haar hoofd. 'Dat weet ik niet. In ieder geval niet in St.-Mark's.' Ze zweeg even om na te denken. 'In dat artikel over die gewapende overval – over die Michael Percy – hadden ze het over zijn vrouw die Bridget heette, en ik dacht toen nog...' Ze kneep haar lippen tot een klein rozenknopje samen. 'Ja, ja! Die kinderen waren allemaal heel dik met elkaar. Ze renden altijd met z'n allen rond... je kon ze vrijwel niet uit elkaar halen.'

Ik was niet gekomen om punten te scoren omdat ik er meer van wist dan zij, dus zocht ik in plaats daarvan naar een foto van Jock Williams. Die kon ik, logisch, niet vinden. Hij snoefde over zijn atheïsme als een wedergeboren christen over de liefde van Jezus, en zou van z'n leven geen voet in een kerk zetten. Er was een foto van Libby die op de begrafenis van Annie met mij en Sam stond te praten, en ik wees Wendy haar aan en vroeg of ze haar man ooit had ontmoet. 'Hij heette Jock Williams. Ze woonden op nummer 21.'

'Hoe zag hij eruit?'

'Hij was achter in de twintig... zo'n vijf jaar ouder dan Libby... donker haar, best aantrekkelijk, ongeveer een meter tachtig.' Ze schudde nogmaals haar hoofd. 'Hij en Libby zijn ongeveer anderhalf jaar na de dood van Annie gescheiden. Libby is naar Southampton gegaan, maar Jock is verhuisd naar een huis met drie verdiepingen in Alveston Road.'

Wendy glimlachte verontschuldigend. 'Om je de waarheid te zeggen zou ik niet geweten hebben wie die vrouw was als jij het me niet verteld had. Is het belangrijk?'

'Waarschijnlijk niet.'

Ze keek me even aan. 'Dus wel. Waarom?'

Ik keek naar een klein beeldje op een bijzettafeltje dat ongeveer dezelfde kleur had als de armband van Sheila Arnold. 'De meeste mensen moeten het met een kleiner huis doen als ze scheiden,' zei ik vriendelijk terwijl ik wenste dat ik meer van jade af wist. 'Maar Jock is naar een groter verhuisd.'

Mijn belangstelling bevreemdde haar duidelijk. 'Zo deden we het toen. De mensen namen onder Margaret Thatcher krankzinnige risico's met hypotheken. Soms ging dat goed, soms ook niet. Ik weet nog dat een van onze gemeenteleden zich opzadelde met een hypotheek van bijna tweehonderdduizend pond en dat hij die investering bin-

Geoffrey Spalding op de begrafenis van zijn vrouw, St.-Mark's Church, zomer 1982

Libby Williams en de Ranelaghs op de begrafenis van Ann Butts, november 1978

nen vijf jaar verdubbeld had. Een ander kocht een huis toen de markt op zijn top was, en binnen een paar maanden had hij meer schuld dan zijn huis waard was. Je vriend heeft gewoon geluk gehad.'

Ik knikte. 'En de huizen van Maureen Slater en Sharon Percy?' vroeg ik haar. 'Als ze daar nog wonen, betekent dat dan dat ze nog steeds huren, of hebben ze hun recht op koop gebruikt?'

'O, ze hebben het uiteraard gekocht,' zei ze zuur. 'Alles wat gemeentelijk bezit was, is binnen een paar jaar verkocht. En belachelijk goedkoop... Je moest wel hartstikke gek zijn als je zo'n aanbod liet lopen. Sharon heeft het in één keer afbetaald, geloof ik, en Maureen heeft een hypotheek genomen. En nu zitten ze goed. Hun huizen zijn zo'n tweehonderdduizend waard en ze hebben er een schijntje voor betaald omdat de hardwerkende belastingbetaler de aankoop subsidieerde.'

Ik glimlachte. 'En daar ben jij niet voor.'

'Waarom zou ik?' zei ze verontwaardigd. 'Iedere keer dat ik een dakloze in een portiek zie, denk ik weer hoe misdadig het is dat er geen huizen meer zijn voor de echte misdeelden.'

'Sommigen zouden Maureen Slater een echte misdeelde noemen,' prevelde ik. 'Haar man heeft haar toch zwaar mishandeld.'

'Jawel, Maureen is ook een ander geval,' gaf ze onwillig toe. 'Haar hersens zijn door die schoft tot pulp geslagen. Peter zei altijd dat ze dizzy was van al die keren dat ze afgetuigd is, maar eerlijk gezegd denk ik dat ze waarschijnlijk vaak dronken was. Ze was net zo aan de drank als Derek... hoewel zij er meer reden toe had.' Ze zag mijn verbazing. 'Als verdoving,' legde ze uit. 'Het moet toch pijnlijk zijn als boksbal te worden gebruikt.'

'Maar toch,' zei ik langzaam, 'als haar hersens tot pulp geslagen waren, hoe kwam ze dan aan geld voor dat huis? Ik neem aan dat ze niet kon werken, dus hoe kon ze het opbrengen, ook al was het een schijntje?'

Het bleef lang stil.

'Waar ben jij eigenlijk op uit?' vroeg Wendy uiteindelijk.

Ik dacht even na wat ik daarop zou zeggen, maar uiteindelijk besloot ik schoon schip te maken. 'Ik ben Sheila Arnold onlangs tegen het lijf gelopen... de huisarts van Annie. Zij heeft me verteld dat Annie bestolen is. En nu vraag ik me af wie haar dan bestolen heeft, hoeveel hij of zij eraan verdiend heeft en waar dat geld naartoe is gegaan.'

'O jee,' zei Wendy oprecht bekommerd. 'Ik geloof geen steek van dat verhaal. Sheila is er pas mee op te proppen gekomen nadat ze ervan beschuldigd werd een andere patiënt te hebben verwaarloosd... en dat was drie of vier jaar na de dood van Annie. Ze was in de verste verte niet geïnteresseerd tot haar eigen belang in het geding kwam.' Ze sloeg de toppen van haar vingers verontrust tegen elkaar. 'Het was allemaal een beetje vreemd. Tijdenlang wordt er niets gezegd... en dan verwacht Sheila opeens dat wij zouden geloven dat Annie helemaal geen kwetsbare stakkerd was, zoals we dachten, maar een rijke vrouw die royaal leefde, tot vlak voordat ze stierf. Het werd al snel heel onaangenaam... de beledigingen vlogen je om de oren... iedereen beschuldigde iedereen van leugens.'

Ik zei niets en kennelijk dacht ze dat ze me van streek had gemaakt.

'Stelt dat je teleur?' vroeg ze. 'Dat spijt me. Peter heeft me verteld dat Annies dood je erg heeft aangepakt.'

'Dat hoeft je niet te spijten.' Ik vroeg me af wat Peter nog meer had onthuld. 'Ik ben niet teleurgesteld.' Ik deed mijn rugzak open, waardoor een vijftien centimeter dikke map zichtbaar werd, en haalde er een envelop met krantenknipsels uit. Ik bladerde door het stapeltje tot ik bij juni 1982 was. 'Heb je het hier over?' vroeg ik haar en overhandigde haar het artikel 'Arts ontkent plichtsverzuim'.

'Ja,' zei ze, terwijl ze opkeek van het vergeelde papier. 'Hoe lang heb je dit al?'

'Zestien jaar. Het was de vijfde keer sinds haar dood dat Annies naam in de pers werd genoemd. Hier heb je...' – ik haalde de rest van de knipsels uit de envelop en liet mijn duim langs de afgeknipte randjes glijden – 'alle andere verwijzingen. Haar geval wordt meestal aangehaald ter illustratie van de risico's die kwetsbare mensen in de samenleving lopen wanneer men ze voor zichzelf laat zorgen.' Ik glimlachte om Wendy's gezicht. 'Een paar vrienden hebben stukjes voor me bewaard. Bovendien heb ik de bibliotheek van mijn oude universiteit gevraagd de plaatselijke en landelijke pers na te trekken op Ann Butts,' legde ik uit.

'Lieve help!'

'En op de twee agenten die belast waren met het onderzoek naar haar dood,' ging ik door terwijl ik nog een envelop tevoorschijn haalde. 'Hier heb je de stukken over hen. Eentje, agent Quentin, is zeven jaar geleden bij een auto-ongeluk om het leven gekomen. De ander, hoofdagent Drury, is in 1990 weggegaan bij de politie en pacht nu een café van de Radley-keten. Ik heb ook knipsels over de mensen die in een knipsel genoemd zijn... ik heb bijvoorbeeld een stukje over de overstap van dokter Arnold naar Dorchester en eentje over jullie vertrek van St.-Mark's naar Zuidwest-Engeland.'

Ze keek naar het stukje over het vermeende plichtsverzuim van Sheila Arnold. 'Naar aanleiding van dat citaatje van Peter onderaan, neem ik aan?'

Ik knikte. 'Hij nam geen blad voor de mond: "Voor dit soort plichtsverzuim bestaat er geen excuus... men had zijn lesje moeten leren... opdat dezelfde fouten niet opnieuw gemaakt zouden worden."' Mijn ogen dwaalden weer af naar het jaden beeldje. 'Wist hij waarover hij het had? Was hij ooit bij Annie binnen geweest?'

Wendy schudde haar hoofd. 'Ze negeerde hem volkomen omdat ze wist dat Maureen wel eens naar de pastorie vluchtte.'

'Dan had hij het niet over "dit soort plichtsverzuim" mogen hebben,' zei ik. 'Dat suggereert dat hij wist waarover hij sprak en ik kan me goed voorstellen dat Sheila zich dat erg aantrok.'

'Dat weet ik,' knikte ze ongelukkig. 'Maar hij heeft haar naam in ieder geval niet genoemd.'

Ik haalde mijn schouders op. 'Dat hoefde ook niet. Het was overduidelijk over wie hij het had. Bovendien had de krant haar naam waarschijnlijk sowieso weggelaten, om een aanklacht jegens laster te vermijden. Het hele stuk is zorgvuldig in elkaar gezet: er staat alleen dat Sheila plichtsverzuim *ontkent*, ze wordt er niet van beschuldigd.'

Wendy zuchtte weer uit de grond van haar hart. 'Het was eigenlijk mijn schuld. Ik heb Peter aan Annie herinnerd, en hij ontstak in woede en ging regelrecht naar de pers. Sheila heeft het hem nooit vergeven en het werd heel lastig allemaal daarna.'

'Dat kan ik me indenken,' – ik haalde het 'Arts door tuchtcommissie vrijgesproken'-stukje tevoorschijn – 'vooral omdat Sheila gezuiverd is van alle blaam. Meneer Potts was niet eens een patiënt van haar.'

'Toen was het al te laat. Het kwaad was al geschied. Peter heeft geprobeerd zijn excuses aan te bieden, maar Sheila wilde er niets van weten.' Ze zweeg even. 'Maar het was niet helemaal zíjn fout. Sheila verspreidde op haar beurt lasterlijke praatjes over hem, beweerde dat Annie hem wantrouwde omdat hij de pogingen van haar buren om haar weg te krijgen uit de straat zou steunen. Ze suggereerde zelfs dat hij een racist was.'

'Is hij dat?'

Ik dacht dat ze boos zou worden, maar dat was niet zo. 'Nee. Hij heeft veel fouten, maar een racist is het niet. Sheila wist dat ook. Het was heel onaardig van haar.'

'Weinig plezierig voor jullie,' mompelde ik.

'Verschrikkelijk!'

'Maar dat wil nog niet zeggen dat Sheila het bij het verkeerde eind had toen ze zei dat Annie beroofd was,' merkte ik op.

'Maar het lijkt me zo onwaarschijnlijk,' zei Wendy. 'Niemand ging er toch vanuit dat Annie een huis vol schatten had toen ze nog leefde. Of jij wel?'

'Nee,' gaf ik toe, 'maar Sheila kan haar verhaal met bewijzen staven. Brieven van de inspecteur van de dierenbescherming bijvoorbeeld, die er geweest is vanwege de katten. En als Annie inderdaad beroofd is, dan deugde het politieonderzoek naar haar dood ook niet omdat het geen rekening hield met het feit dat iemand een klein fortuin van haar afgenomen had, hetzij voor of na haar dood.'

'Maar wie dan?'

'Daar probeer ik nu achter te komen,' zei ik en ik stopte de krantenknipsels weer in hun enveloppen. 'Iemand uit haar omgeving, denk ik... iemand die wist wat daarbinnen was.'

Ze hield haar hoofd een beetje schuin om me met haar heldere, doordringende ogen op te nemen. 'En wat vindt je man ervan?'

'Niets,' zei ik langzaam. 'We hebben het hier al twintig jaar niet meer over.'

Ze legde zachtjes haar hand op mijn schouder. 'Dat spijt me.'

'Hoeft niet,' zei ik kortaf. 'Dit is mijn project, niet het zijne.'

Vond ze 'project' een ongepast woord? 'Het is jouw schuld niet dat Annie is gestorven,' zei ze welgemeend. 'Jij hoeft je nergens schuldig over te voelen.'

'Dat doe ik ook niet.'

Misschien geloofde ze me niet. Misschien vond ze mijn uiterlijke rust en het bewijs van obsessie op mijn schoot met elkaar in tegenspraak. 'Niemand ontloopt zijn terechte straf,' zei ze en ze liet haar hand zakken om een van de mijne te pakken en hem zachtjes tussen de hare te wrijven. 'Misschien kunnen we die straf niet zien of begrijpen, maar hij is altijd passend.'

'Daar heb je wel gelijk in, denk ik,' zei ik. 'Maar ik ben niet geïnteresseerd in een abstracte straf. Ik wil een straf die ik kan zien... oog om oog... strikte rechtvaardigheid.'

'Dan zul je teleurgesteld worden,' zei ze. 'Het is niet prettig pijn te veroorzaken... hoe edel de motieven ook zijn.'

Ik had daar niets op te zeggen, ik kon alleen de druk van haar vingers beantwoorden. Dat was een soort erkenning dat ze gelijk had, en in zoverre suste het haar ook, maar haar bezorgdheid bleef in haar ogen te lezen staan tot ik wegging.

CURRAN HOUSE
Whitehay Road
Torquay
Devon

Woensdag 28 juli '99

Lieve M,

Als ik je een goede raad mag geven – en je hoeft hem natuurlijk niet op te volgen – dan zou ik eens met Sam praten voor je moeder en ik op zaterdag bij jullie op bezoek komen. Ze is nog steeds bijzonder ongelukkig over jullie verhuizing naar Dorchester en zal, ben ik bang, de jongens uithoren nu ze van jou niets wijzer wordt. Sam heeft haar gezegd dat de boerderij het enige huis was dat jullie op zo'n korte termijn konden vinden – en dat gelooft hij duidelijk echt – en zij is er nu van overtuigd dat er 'iets gaande is', omdat haar gedresseerde makelaar jou begin juni een lijst heeft gefaxt met geschikte huurwoningen in Devon.

Het spijt me dat ik je hiermee lastig moet vallen, maar het oude adagium – kies uit twee kwaden het beste – gaat nog steeds op, heb ik gemerkt. Je weet hoe je moeder is als ze zich ergens in vastgebeten heeft, en ik ben bang dat Sam gekwetst zal zijn als hij de waarheid van zijn kinderen hoort nadat ze door hun grootmoeder ondervraagd zijn! Het zal niet makkelijk zijn alles 'op te biechten' – geheimzinnigheid is verslavend, daar ben ik zelf achter gekomen toen ik besefte hoeveel nader jij en ik tot elkaar gekomen zijn door onze gezamenlijke kruistocht, en hoe ik die intimiteit koester – maar ik denk dat het nu tijd is voor eerlijkheid. Ik weet dat je Sam niet onnodig pijn zult doen.

Liefs,

je vader

XXX

7

HET HUIS WAS VOL JONGE MENSEN TOEN IK DIE AVOND THUISKWAM. Op ons terras vond een spontane barbecue plaats. 'Weer een feestje om het einde van het studiejaar te vieren,' verklaarde mijn jongste zoon op weg van de keuken naar het terras met een bord vol spareribs. Hij knipoogde ondeugend naar me. 'Luke en ik zijn tot de aangewezen types uitgeroepen om een lekker feest te geven.' Een mooi meisje hing aan zijn elleboog. Haar haar was bijna zo lang en blond als het zijne. 'Georgie,' zei hij bij wijze van introductie. 'Mam.'

Het meisje was dermate ondersteboven van hem dat ze me maar even aankeek. 'Aardig dat ik mocht komen,' zei ze.

Ik knikte en vroeg me af hoe Luke en Tom erin geslaagd waren zo snel in het middelpunt van vrouwelijke belangstelling te staan. Op hun leeftijd had ik me achter mijn pony verborgen; ik hoopte op te vallen maar werd altijd over het hoofd gezien, terwijl Sam in het spoor van de Jock Williamsen van deze wereld aan meisjes was gekomen via een aantrekkelijker vriend. De jongens zouden zeggen dat het door hun lengte kwam, hun beachboy-uiterlijk en hun strakke kontje, maar ik dacht dat het meer van doen had met hun baantje achter de kassa van de plaatselijke supermarkten, die het moderne equivalent leken van de dorpspomp. Uiteindelijk komen alle wegen bijeen bij een winkelwagentje.

Na de belofte dat ik even op het terras zou komen zodra ik me had omgekleed, trok ik me terug in de slaapkamer, waar ik Sam languit op het bed aantrof. Hij staarde naar de zoldering. 'Het is een gekkenhuis beneden,' zei hij knorrig. 'Waarom heb je me niet gezegd dat de jongens van plan waren half Dorchester uit te nodigen om onze koelkast leeg te vreten?'

'Vergeten,' loog ik.

'Fraai. Je moet weten,' gromde hij, 'dat ik naakt lag te zonnebaden toen ze met z'n allen de hoek van het huis om kwamen zetten. Uiterst gênant.'

Ik plofte glimlachend naast hem neer. 'Houd je je daarom hier schuil?'

'Nee,' zei hij en hij maakte een beweging met zijn kin naar een aantal dozen in een hoek van de kamer. 'Ik bewaak de wijn. Een meisje probeerde in de keuken een fles Cloudy Bay open te maken omdat ze dacht dat het een goedkoop wijntje was, dus heb ik haar de les gelezen over de kwaliteiten van de Nieuw-Zeelandse wijnbouw en is ze in tranen uitgebarsten.'

'Dat verbaast me niets, als je geen kleren aanhad. Ze dacht waarschijnlijk dat je een verkrachter was.'

'Ha,wat grappig!'

'Je hebt zeker tegen haar geschreeuwd?'

Hij draaide zich om en steunde op zijn elleboog om me aan te kijken. 'Ik heb haar gezegd dat ik haar alle hoeken van het huis zou laten zien als ze het verschil niet zou leren tussen Liebfraumilch en een kostelijke Sauvignon Blanc. Ik heb haar trouwens bijna om haar geboortebewijs gevraagd, voor het geval we een inval van de politie zouden krijgen. Ze leek me niet ouder dan twaalf.'

Hij had een prettig gezicht, die man van me, met lachrimpeltjes om zijn ogen en mond en ik bedacht me hoe goed hij er nog uitzag voor zijn leeftijd en hoe weinig hij eigenlijk veranderd was in die kwart eeuw dat ik hem kende. Mensen voelden zich op hun gemak bij hem omdat hij niet snel kwaad werd en het, als hij het was, gauw weer goed wilde maken, en zijn gezicht weerspiegelde die vriendelijkheid. Meestal, tenminste.

Nu keek hij me aandachtig aan. 'Hoe was het? Heeft de eerwaarde Stanhope je nog iets kunnen vertellen?'

Ik schudde mijn hoofd. 'Ik heb amper met hem gesproken.'

'Waarom ben je dan zo laat?'

'Ik heb met zijn vrouw gepraat,' legde ik uit. 'Ze heeft hun tijd bij St.-Mark's Church fotografisch vastgelegd en ze heeft me foto's geleend van mensen die in '78 in Graham Road woonden.'

Hij keek me even aan. 'Dat was een meevaller.'

Misschien had ik toen de gelegenheid moeten aangrijpen om schoon schip te maken, maar zoals gewoonlijk wist ik niet of het wel een geschikt ogenblik was. In plaats daarvan knikte ik alleen maar.

'Ze kende zeker al hun namen nog?'

'De meeste wel,' zei ik.

'En ze wist nog van alles van ze?'

'Het een en ander.'

Hij duwde met zijn vingertoppen een lok haar van mijn voorhoofd. 'Er zullen maar weinig domineesvrouwen zijn die de gemeente van hun man gefotografeerd hebben.'

Ik haalde mijn schouders op. 'Ze was half beroeps. Ze deed de huwelijken van de armere stellen. Daar is het mee begonnen. Ze is behoorlijk goed. Als ze veertig jaar jonger was geweest, had ze er haar beroep van kunnen maken.'

'Maar toch,' – hij liet zijn hand op de sprei vallen –'voor hetzelfde geld was je dat hele eind gereden en had je een gezellig dikkerdje aangetroffen dat niets belangwekkenders had gedaan dan koekjes bakken voor de huisvrouwenvereniging. In plaats daarvan tref je een David Bailey. Onvoorstelbaar, toch?'

Ik vroeg me af wat hem dwarszat. 'Niet echt. Ik wist dat ze in ieder geval foto's van de begrafenis van Annie moest hebben. Weet je niet meer dat ze een foto van ons en Libby Williams heeft genomen? Het is een heel opvallende vrouw. Lang en broodmager... net een gier... die zie je niet zo gauw over het hoofd.'

'Hoe wist je dat het de vrouw van de dominee was en niet een persfotografe?'

'Julia Charles heeft het me gezegd. Wendy – mevrouw Stanhope – had foto's genomen van de doop van Jennifer, dus Julia kende haar vrij goed.' Ik zweeg terwijl hij ongelukkig zijn hoofd schudde. 'Wat heb je?' vroeg ik.

Hij zwaaide zijn benen over de rand van het bed en stond op. Het ongeloof leek als elektrische vonken van hem af te knetteren. 'Larry is vanmiddag langs geweest. Hij zegt dat je je in een wespennest steekt door vragen over Annie te stellen. Hij wil dat je ermee uitscheidt.'

'Je hebt hem hopelijk verteld dat het hem geen reet aangaat?'

'Integendeel. Ik ben het geheel met hem eens. Sheila is de vorige keer dat ze zich er druk over maakte, bijna ingestort. Ze is voor de tuchtcommissie gesleept toen jouw dierbare dominee haar van verwaarlozing beschuldigd had. Allemaal onzin natuurlijk – ze is ogenblikkelijk vrijgesproken – maar Larry wil dit niet nog eens.'

Hij liep naar het raam. Geluid van gelach dreef vanaf het terras naar binnen. Ik hoopte maar dat Tom niet dit moment zou uitkiezen om het volume van zijn versterker helemaal open te draaien, het enige waarmee hij zijn vader gegarandeerd knettergek maakte.

'Wat had Larry nog meer?' vroeg ik.

'Hij wilde weten waarom we naar Dorchester zijn gekomen. Hij zegt dat hij niet in toeval gelooft.' Hij keek me pijnlijk getroffen en tegelijk beschuldigend aan. 'Ik zei dat hij het bij het verkeerde eind had... dat het echt toeval was... dat we van tevoren absoluut niet hadden kunnen weten waar Sheila werkte. En toen zei hij dat ik naïef was. "Je *vrouw* wist het wel," zei hij. "Ze is de dag na jullie verhuizing bij de praktijk langs geweest en heeft zich speciaal bij dokter Arnold laten inschrijven, en toen heeft ze naar Sheila's rooster gevraagd, zodat ze er zeker van was dat ze haar zou krijgen."'

Nu keek ik op mijn beurt pijnlijk getroffen. 'Hoe komt hij daar nou bij?'

'Hij heeft aan de receptioniste gevraagd of mevrouw Ranelagh van tevoren had kunnen weten welke arts zou komen toen ze om een visite vroeg.'

Ik ging rechtovereind zitten in kleermakerszit. 'Ik dacht dat dat vertrouwelijke informatie was,' prevelde ik.

Hij wachtte tot ik verderging, maar toen ik dat niet deed, richtte hij zijn wijsvinger op me. 'Heb je verder niets te zeggen?' vroeg hij. 'Je zet me compleet voor gek en dan begin je over vertrouwelijkheid?'

Ik haalde onverschillig mijn schouders op. 'Wat moet ik dan zeggen? Ja, ik wist dat we met dit huis onder de praktijk van Sheila vielen, en daarom huren we het.'

'Waarom heb je niets aan mij gevraagd?'

'Wat moest ik je vragen?'

'Of ik daar wel zo blij mee was, bijvoorbeeld.'

'Ik heb het je gevraagd en jij zei dat je Dorchester prima vond.'

'Maar je hebt me niet verteld dat je een verborgen agenda had, toch?' Hij hield zijn stem nog in bedwang maar ik zag de voorboden van een enorme driftbui die zich in hem opbouwde. Dat is natuurlijk het probleem met evenwichtige mensen – als ze hun evenwicht kwijt zijn, dan zijn ze het ook compleet kwijt. 'Als je me nu verteld had dat je van plan was Annie op te spitten, dan was het wat anders geweest. Jezus Christus, vind je niet dat we daar toen niet al genoeg ellende mee hebben gehad?'

Ik denk dat iedereen wel een favoriete aanleiding heeft om kwaad te worden – voor mij was dat mijn moeders talent in stoken, voor Sam zijn angst voor 'gekke Annie' en alles waar haar dood voor stond: het masker van respectabiliteit dat haat en leugens bedekte. Hij heeft altijd gehoopt, denk ik – in een nogal vrije interpretatie van het karma-idee – dat als hij weigerde onder het oppervlak te kijken, het oppervlak de werkelijkheid zou zijn. Maar hij kon de angst dat hij het bij het verkeerde eind had nooit helemaal van zich afzetten.

Ik antwoordde niet direct. 'Dan had ik gewoon gedacht: En wat dan nog, Sam. Ik was sowieso gegaan.'

Onbegrip stond even op zijn gezicht te lezen. 'Zonder mij?'

'Ja.'
'Waarom?'
Zo'n klein woordje, maar je kon het op zoveel manieren uitleggen. Waarom kon ik overwegen hem te verlaten? Waarom gedroeg ik me zo slinks? Waarom vertrouwde ik hem niet genoeg om hem de waarheid te vertellen? Hij kon die vragen natuurlijk beter beantwoorden dan ik, als hij wilde, want hij had er langer over na kunnen denken. Ik moet toegeven dat ik ze hem nooit regelrecht heb gesteld, maar hij moet toch wel eens wakker hebben gelegen en de verklaringen bedacht hebben voor het geval dat ik dat wel zou doen.
Ik gaf eerlijk antwoord. 'Ik heb Dorchester uitgekozen omdat ik aannam dat Sheila over meer informatie dan wie dan ook zou beschikken,' legde ik uit, 'hoewel het eerlijk gezegd helemaal niet uitmaakt waar we heen waren gegaan. De diaspora van Graham Road is zo wijdverspreid dat we ditzelfde gesprek hadden gehad, of we nu hiernaartoe waren gekomen of' – ik haalde mijn schouders nogmaals op – 'naar Timboektoe. Paul en Julia Charles zitten in Canada... Jock en nog een paar mensen nog in Londen... Libby is hertrouwd en leidt een gelukkig leven met haar tweede man en drie kinderen in Leicestershire... De Stanhope'jes wonen in Devon... De coroner is gepensioneerd en zit in Kent... John Howlett, de inspecteur van de dierenbescherming, woont in Lancastershire, Michael Percy, de zoon van de naaste buurvrouw van Annie, zit in de gevangenis in Portland... Bridget Percy, geboren Spalding – een van de meisjes die tegenover Annie woonden – werkt in Bournemouth...' Ik wist even geen namen meer en begon aan de sjofele chenille sprei te plukken die we meehuurden met het huis en die me iedere keer dat ik ernaar keek met walging vervulde.
Ik had hem tot op het bot geschokt. 'Hoe weet je dit allemaal?'
'Zoals jij weet dat Jock op Alveston Road woont. Ik heb contact gehouden. Ik heb een dossier met correspondentie van mijn vader die al jaren voor mij brieven schrijft, en Julia en Libby sturen me elk halfjaar een briefje om me op de hoogte te houden van wat iedereen doet.'
Hij keek ontzet. 'Weet Jock dat jij contact hebt gehouden met Libby?' Hij zei het op een toon alsof ik deel uitmaakte van een bedrieglijk complot. *Wat nogal amusant was, alles in overweging genomen...*
'Ik denk het niet,' zei ik. 'Zij hebben sinds de scheiding geen woord meer met elkaar gewisseld.'
'Maar hij heeft altijd gedacht dat we aan zíjn kant stonden. Ver-

domme, dat heb ik hem ook altijd gezegd.'

'Dan had je het half bij het rechte eind,' zei ik, geheel opgaand in mijn gepluk aan de sprei. '*Jij* hebt altijd aan zijn kant gestaan.'

'Ja, maar...' Hij zweeg, duidelijk worstelend met nieuwe en onaangename gedachten. 'Weet je moeder dat je vader brieven voor je geschreven heeft?'

'Nee.'

'Die gaat dan helemaal door het lint,' zei hij enigszins gealarmeerd. 'Je weet heel goed dat zij denkt dat die rotzooi al twintig jaar geleden dood en begraven was.'

Ik trok een bijzonder grote pluk uit de chenille en stopte hem toen weer terug toen ik zag dat ik een gat in de sprei had gemaakt. Ik vroeg me af of hij nog wist dat mijn ouders de volgende dag kwamen logeren, of dat hij dat verdrongen had, zoals hij alle onaangenaamheden in zijn leven verdrong. 'Maak je maar niet druk,' mompelde ik. 'Ze wordt heus niet kwaad op jou... alleen op mij.'

'En je vader dan?' vroeg hij met overslaande stem. 'Die scheurt ze aan repen omdat hij dingen achter haar rug om heeft gedaan.'

'Dat hoeft zij toch niet te weten?'

'Maar daar komt ze heus wel achter,' zei hij pessimistisch. 'Ze komt altijd overal achter.'

Ik dacht aan mijn vaders wijze woorden over het minste van twee kwaden. Sams onvermogen zijn gevoelens te verbergen zou genoeg aanleiding voor mijn moeder zijn op jacht te gaan naar verborgen geheimen. 'Ze is misschien een paar dagen kwaad,' zei ik, 'maar dan zal ze zich ervan overtuigen dat het allemaal mijn schuld is. Ze is zo geprogrammeerd dat ze mannen nooit de schuld geeft. Wat haar betreft heeft Eva Adam op het slechte pad gebracht,' – ik hield Sams blik gevangen – 'terwijl ze toch heel goed zou moeten weten dat Adam Eva vrijwel zeker tegen haar zin heeft genomen.'

Hij had het fatsoen te blozen. 'Gaat het daarom? Het me betaald zetten?'

Ik gaf geen antwoord.

'Je had het me toch kunnen zeggen?'

Ik zuchtte. 'Wat had ik je moeten zeggen? Dat ik achter iets aan zat dat belangrijk voor me was? Als ik het me goed herinner heb je me de laatste keer dat ik die woorden gebruikte een neurotisch kreng genoemd en gezegd dat als Annies naam nog een keer in jouw bijzijn genoemd zou worden, je van me zou scheiden.'

Hij maakte een wanhopig gebaar. 'Dat meende ik niet.'

'Jawel, je meende het wel,' zei ik kordaat. 'En als ik de helft van het zelfvertrouwen had gehad dat Tom en Luke hebben, dan had ik gezegd dat je op kon rotten met je zielige scheiding. Ik ben alleen maar bij je gebleven omdat ik nergens anders heen kon. Mijn moeder had haar veto al uitgesproken en mijn vriendinnen wilden niet opgescheept worden met een gekkin in de logeerkamer.'

'Je hebt gezegd dat je *wilde* blijven.'

'Dat was een leugen.'

Sam ging voorzichtig op een wijndoos zitten. 'Ik dacht dat dit lang geleden voorbij was. Ik dacht dat je het allemaal vergeten was.'

'Nee.'

'Jezus,' mompelde hij. Hij verborg zijn gezicht in zijn handen en het bleef lang stil. Uiteindelijk vermande hij zich. 'Heb je *ooit* van me gehouden?' vroeg hij bitter.

Ik wilde hem zeggen dat dat een kinderlijke vraag was en dat als hij na vierentwintig jaar het antwoord erop nog niet wist, niets wat ik kon zeggen verschil zou uitmaken. Dacht hij echt dat iemand zo lang bij iemand kon blijven zonder van hem of haar te houden? *Kon hij dat?* Maar buiten op het terras kwamen de bassen in de boxen van Tom bulderend tot leven, waardoor de muren en vloeren van de oude boerderij gezellig meedreunden en mij de noodzaak een antwoord te geven bespaard bleef.

Ik ging naar de badkamer om me om te kleden en liet mijn rugzak voor Sam op het bed liggen. Het was een laffe manier om informatie te verstrekken, maar ik voelde me er niet schuldig over. Je oogst wat je zaait, luidt het oude gezegde en Sam had allang moeten oogsten.

E-mail van mevrouw Julia Charles, vroeger buurvrouw van de Ranelaghs op Graham Road nr. 3, Richmond, tegenwoordig woonachtig in Toronto in Canada – gedateerd 1999

M. Ranelagh

Van : Julia Charles (juliac@cancom.com)
Verzonden : 11 februari, 1999 18.50 uur
Aan : M. Ranelagh
Onderwerp : De kinderen Slater!

Onvoorstelbaar veel moeite gehad om in ieder geval één van de kinderen Slater te achterhalen! Helaas niet degene die jij wilde – het is de jongste (Danny) – maar wellicht is hij de geschiktste om zijn moeder te overtuigen dat ze je brieven moet beantwoorden! Ik zal je niet lastigvallen met alle details van de omwegen die ik bewandeld heb, het volstaat dat Jennifers kleuterschoolvriendinnetje op nummer 6 (Linda Barry) contact heeft gehouden met een andere kleuterschoolvriendin (Amy Trent) die met Danny op de kunstacademie zat en nog steeds contact met hem heeft. We hebben ons uit de naad gezocht naar Alan, maar zonder resultaat helaas. Het schijnt dat hij zes of zeven jaar geleden getrouwd is en ergens in Islesworth woont, maar ik weet niet of dat klopt. Je kunt de internationale inlichtingen bellen om te zien of daar ergens een A. Slater woont, maar de naam is vrij gewoon en je hebt kans dat je verscheidene adressen krijgt. Maar goed, Danny woont ergens in Brixton (geen adres of telefoonnummer) en geeft tekenen aan een volwassenenopleiding daar. Naam en adres van de opleiding: Freetown Community Center, Brixton, Londen. Maar het echte goede nieuws is dat hij een e-mailadres heeft – michelangelo@rapmail.com – en zijn berichten regelmatig binnenhaalt in een internetcafé bij Waterloo Station. Jennifer kan contact opnemen als Luke en Tom niet willen, maar misschien gaat het sneller als je hemzelf rechtstreeks benadert. NB: je idee om te zeggen dat het een IT-project is waarbij alleen van e-mail en internet gebruik wordt gemaakt, is prima en deed het heel goed bij Linda en Amy.
Fijn om te horen dat het beter gaat met Sam. Ik weet wat een schok het voor je geweest moet zijn!
Tot gauw, liefs,
Julia

Deel van de e-mailcorrespondentie tussen Luke Ranelagh en Danny Slater, gedurende de eerste zes maanden van 1999

Luke Ranelagh

Van : Danny Slater (michelangelo@rapmail.com)
Verzonden : 20 februari 1999 20.50 uur
Aan : Luke Ranelagh
Onderwerp : IT-project – database: Graham Road

Hé makker, wie een database wil opzetten rond een zwart gat als Graham Road moet nodig naar de dokter. Goed, jij zit aan de andere kant van de aardbol en je weet geen ruk van het VK. Dat is een soort excuus, en ik denk dat ik dat ook wel kan accepteren, maar doe me een lol en stuur me wat foto's van meiden in bikini's. Ik ben verdomme kunstenaar! Ik kan mooie vrouwen esthetisch waarderen. Beschrijvingen zijn oké als je niet de beschikking hebt over een scanner. Het is namelijk zo dat ik ABSOLUUT wil vergeten dat ik ooit op die klote Graham Road gewoond heb. Als je mijn moeder kende, dan zou je dat begrijpen! Groetjes, Danny.

Danny Slater

Van : Luke Ranelagh (beachbum@safric.com)
Verzonden : 22 februari 1999 15.12 uur
Aan : Danny Slater
Onderwerp : Meiden in bikini's

Wat dacht je hiervan? Die blonde rechts is van mij. Beschrijvingen zijn oké als je niet de beschikking hebt over een scanner. Ik ben een ex-pat, verdomme! Ik kan alles wat Engels is esthetisch waarderen. Groetjes, Luke.

Fragmenten uit een rapport van een schoolpsycholoog over Alan Slater, Graham Road nr. 32, Richmond. Aangevraagd door de rector van zijn school, inzake: permanente verwijdering van school – gedateerd: april 1979

... Alan vertoont een patroon van intimiderend gedrag. Hij wendt zijn lichaamskracht aan om andere kinderen te intimideren met onuitgelokt geweld, en scheldt kinderen van andere etnische afkomst uit. Hij heeft problemen met autoriteit en reageert agressief op leraren die hem tot de orde proberen te roepen, met name op vrouwen...

... zijn leerprestaties zijn op alle gebieden onder de maat en dat heeft geleid tot minderwaardigheidsgevoelens en een laag zelfbeeld. Hij ziet zichzelf als buitenstaander bij zijn leeftijdgenoten en kan razend worden om op het oog minieme blijken van geringschatting. Hij voelt zich verstoten door zijn familie, leeftijdgenoten en leraren, en laat zich nog verder verstoten door storend gedrag om zich een reden te verschaffen waarom niemand hem aardig vindt. Er zijn tekenen die op een gewelddadige thuissituatie wijzen. Hij zegt dat hij zijn vader haat en noemt zijn moeder een 'valse teef'. Hij heeft een nauwe band met Michael Percy, een buurjongen en klasgenoot, die hij als lotgenoot beschouwt...

... Samenvattend: ik maak me ernstig zorgen over Alans gevoelens van vervreemding. Deze zijn gevaarlijk en kunnen al geleid hebben tot crimineel gedrag. Ik ben van mening dat ingrijpen dringend geboden is om te voorkomen dat de situatie verder uit de hand loopt. Er zijn problemen thuis en op school, maar permanente verwijdering is geen oplossing. Alan heeft een intensief hulpprogramma nodig om zijn zelfbeeld te verbeteren, en moet aangemoedigd worden een positieve band met volwassenen aan te gaan – ofwel binnen de schoolomgeving, of daarbuiten. Alleen wanneer hij het gevoel krijgt dat hij gewaardeerd wordt, zal hij de motivatie vinden zijn agressieve en asociale houding te wijzigen...

8

IK TROF LUKE, MIJN OUDSTE ZOON, IN DE KEUKEN AAN, SCHRIJLINGS op een stoel gezeten. 'De jongen die je hebben moet staat buiten een joint te roken,' schreeuwde hij in mijn oor boven de kakofonie van geluid van het terras uit. 'Ik heb hem gezegd zich een beetje verdekt op te stellen voor het geval pa hem zou zien, dus houdt hij zich schuil achter een heg onder aan het trapje naar het terras.' Hij gaf me een blikje bier en stond toen op om me naar de openslaande deuren te leiden. 'Het is een beetje een zeur,' waarschuwde hij. 'Zegt steeds dat we steenrijk moeten zijn om ons zo'n huis te kunnen veroorloven, en dan zeikt hij maar door over dat hij nooit geluk heeft gehad.'

Ik knikte.

'Waar is pa?'

'Boven,' schreeuwde ik terug.

Luke glimlachte schuldbewust. 'Hij is toch niet nog steeds boos vanwege zijn Cloudy Bay?'

'Nee, maar hij ontploft zowat vanwege die herrie.'

'Goed.' Hij baande zich een weg door de mensen en draaide het volume omlaag tot draaglijke proporties. Toen hij terugkwam bracht hij een pezige, donkerharige man met zich mee van ongeveer vijfentwintig met een zenuwachtig fronsje op zijn gezicht. Luke stelde ons aan elkaar voor. 'Danny Slater,' zei hij. 'Een van de jongens die me info over Graham Road heeft gegeven... geeft tekenles op een buurthuis in Brixton. Zit van de zomer op Portland voor een workshop beeldhouwen in Tout Quarry... Onvoorstelbaar dat wij in een huis op geen steenworp afstand terecht zijn gekomen... een mooie gelegenheid eens kennis met elkaar te maken.'

Luke zei dit meer ten gerieve van Danny dan van mij. Het was amper tactvol, had hij al verscheidene keren opgemerkt, om eerst maandenlang bezig te zijn vriendschap met iemand te sluiten en hem dan de eerste de beste keer dat je elkaar daadwerkelijk ziet al te laten merken dat je een verborgen agenda hebt en dat de reden waarom je minder dan vijftien kilometer van zijn vakantieadres af woont is dat jij in contact met zijn ouders wilt komen. 'Ik zou razend zijn als mij zoiets geflikt werd,' had hij vastberaden gezegd, 'dus we gaan ons best doen. Goed? Ik vind hem aardig... hij is cool... en zijn e-mails zijn grappig.'

Voelde ik me schuldig omdat ik mijn zoon tot bondgenoot had gemaakt? Ja. Herinnerde ik me de waarschuwende woorden van dokter Elias nog over dat Sam zich verraden zou voelen als hij erachter zou komen? Ja. Had het me ervan weerhouden Luke te gebruiken? *Nee*. Ik had genoeg vertrouwen in mijn man om te geloven dat hij zijn kinderen nooit iets zou kwalijk nemen dat ze voor hun moeder gedaan hadden.

'Deze patiënte is obsessief... manipulatief... beangstigend...'

Danny was nu niet bepaald de aantrekkelijkste jongeman die ik ooit gezien had, maar ik lachte mijn liefste lachje en schudde hem hartelijk de hand terwijl Luke in de richting van de barbecue verdween. 'Je weet vast niet meer wie ik ben,' zei ik, 'maar mijn man en ik woonden vroeger op nummer 5. Jij was toen niet ouder dan drie, vier jaar, maar je grote broer heb ik heel goed gekend... Alan... ik was zijn lerares Engels op het King Alfred.'

Hij schudde zijn hoofd. 'Dat kan mijn broer niet geweest zijn,' antwoordde hij. 'Alan is vijfendertig. U heeft iemand anders voor ogen.'

'Nee,' verzekerde ik hem. 'Het was Alan, zeker. Ik heb hem in '78 lesgegeven, toen hij veertien was. Hij was nogal lastig,' zei ik glimlachend, 'maar hij zal nu wel uitgeraasd zijn.'

Danny bekeek me even aandachtig, voor hij een pakje sigaretten uit zijn zak haalde. 'Dan heeft u het makkelijk gehad,' zei hij, eerder als kritiek dan als een compliment. 'Mijn moeder is net vijftig, maar ze ziet er heel wat ouder uit dan u.'

Ik glimlachte. 'Dat hangt ervan af of je lesgeven makkelijk vindt. *Ik* vind dat niet, maar ik heb ook nog nooit tekenen gegeven. Misschien is het minder slopend dan recalcitrante tieners Shakespeare op te dringen?'

Hij hapte meteen en ik luisterde geduldige naar een vijf minuten durende jeremiade over de onverdraaglijkheid van het feit dat een artiest gedwongen wordt zijn brood te verdienen... Over de slijtage aan zijn zenuwen veroorzaakt door het arrogante egoïsme van studenten die geen enkele creativiteit hadden... over dat, als hij het geluk had gehad in een land te leven waar cultuur op waarde werd geschat, hij een beurs had gekregen om zijn eigen kunst te kunnen maken in plaats van hersendode idioten te leren hoe zij het moesten doen...

Ik knikte meelevend toen hij stopte om adem te halen. 'En ik neem aan dat het thuisfront niet in staat is je te helpen?'

'Ik ben ongetrouwd.'

'Ik bedoelde je ouders. Ik kan me je vader nog heel goed voor de geest halen.' Ik dacht aan de foto van Derek Slater die Wendy Stanhope me had geleend. 'Donker haar, nogal aantrekkelijk. Leek erg op jou, eigenlijk.'

Maar hij liet zich niet makkelijk vleien. 'Ik heb alleen mijn moeder nog,' zei hij. 'En zij heeft een uitkering.' Hij bood me een sigaret aan en stak er zelf een op toen ik mijn hoofd schudde. 'Pa heeft ons jaren geleden in de steek gelaten... ik kan me zelfs niet meer herinneren hoe hij eruitzag.'

'Wat naar.'

Hij haalde zijn schouders op. 'Het was beter zo,' zei hij onaangedaan. 'Hij heeft ons allemaal wel eens afgeranseld. Alan het meest. Pa sloeg hem op zijn hoofd als hij ma probeerde te beschermen. Je kunt de littekens nog zien.'

'Ik heb me vroeger wel eens afgevraagd wat er aan de hand was,' zei ik eveneens onaangedaan. 'Hij had vaker wel dan niet een blauw oog, maar hij heeft altijd tegen me gezegd dat hij met jongens uit andere bendes had gevochten. "U zou de andere jongens eens moeten zien," zei hij altijd.'

Voor het eerst glimlachte Danny. 'Hij was aardig. Hij heeft heel wat op zijn donder gehad tot zijn vijftiende. Toen heeft hij een honkbalknuppel genomen en pa ermee in zijn gezicht geslagen.Toen is pa ervandoor gegaan.' Weer een schouderophalen. 'Ik herinner me hem niet meer, maar iedereen zegt dat het een klootzak was. Hij heeft een paar jaar geleden nog contact opgenomen met een van mijn zusjes, maar dat is niets geworden. Hij was alleen maar op geld uit. Sally heeft Alan proberen over te halen hem te helpen, maar die wilde niet en sindsdien hebben we niets meer van hem gehoord.'

'En weet je waar hij nu is?'

Hij aarzelde even. 'Ergens in Londen geloof ik.'

In de gevangenis? 'En Alan?' ging ik op geruststellende toon verder, als om aan te geven dat ik meer in mijn oud-leerling dan in zijn vader geïnteresseerd was. 'Hoe gaat het met hem? Is-ie getrouwd?'

Danny knikte. 'Hij heeft twee kinderen, een jongen en een meisje. Zal zijn stem nog niet tegen ze verheffen... geeft ze nog geen tik.' Hij zoog somber aan zijn sigaret. 'Klotezooi om daar op bezoek te gaan.

Hij woont in een geweldig huis in Isleworth en zijn vrouw is briljant. Ze heet Beth... lelijk als de nacht... en dik op de verkeerde plekken... maar iedere keer als ik daar kom dan denk ik, zo hoort een gezin te zijn, iedereen houdt van elkaar en de kinderen voelen zich veilig. Dan besef je wat je gemist hebt.' Zijn ogen dwaalden af naar Luke en Tom die bekvechtten over welke cd ze op zouden zetten. 'Uw zonen hebben ook geluk, zou ik zo zeggen.'

Ik besefte opeens hoe kwetsbaar hij was en ik schaamde me dat ik hem zo gebruikte. Tot die avond was hij een naam op een beeldscherm geweest, een kind van twintig jaar geleden dat ik me niet meer herinnerde en die geantwoord had op een e-mail in de waan dat hij een jongen in Kaapstad hielp een volkomen onbelangrijk IT-project af te maken. Toch had hij geen enkele verantwoordelijkheid voor de dood van Annie en ik vroeg me af of hij ooit geweten had dat er in '78 een zwarte vrouw op Graham Road was gestorven. De naam 'Ranelagh' zei hem in ieder geval niets, wat erop duidde dat Annie en ik allang vergeten waren tegen de tijd dat Danny oud genoeg was om te begrijpen dat er in de straat een vrouw gestorven was en dat een andere vrouw haar buren van een racistische moord betichtte.

Ik volgde zijn blik. 'Misschien vinden Luke en Tom wel dat jij juist geluk hebt,' zei ik.

'Hoe dat zo?'

'Omdat hun opvoeding met zich meebrengt dat ze nooit jouw creativiteit zullen hebben of jouw drang jezelf te bewijzen. Geïnternaliseerd verdriet is altijd een betere motivatie dan veiligheid en tevredenheid. Tevreden mensen vinden geluk gewoon. Gekwelde zielen vechten om dat geluk door zelfexpressie te vinden. Jij hebt tenminste een kans op roem.'

'Gelooft u dat echt?'

'Ja.'

'Waarom maakt u het leven van uw zonen dan niet tot een hel?'

De vraag was zo simplistisch dat hij me deed glimlachen. Hij werd ingegeven door de aanname dat ouderliefde iets was dat je naar omstandigheden aan- en uit kon zetten... maar misschien was dat voor hem de realiteit van zijn jeugd. 'Zou je me niet eerst moeten vragen of roem een verstandige ambitie van een moeder voor haar kinderen is?'

'Waarom niet?'

'Omdat het alle kans heeft verkeerd uit te pakken. Leed leidt niet automatisch tot succes, het geeft alleen een mogelijkheid. Verder is het een kwestie van genialiteit. In elk geval word ik wat Luke en Tom betreft geheel geleid door eigenbelang. Ik wil dat ze me aardig vinden.'

Hij was niet onder de indruk. 'Iedereen wordt door eigenbelang gestuurd,' zei hij, 'Luke en Tom ook. Ze gedragen zich zoals u verwacht omdat ze denken dat ze daarvoor iets terug zullen krijgen. Alan ging door het stof om niet afgerammeld te worden, maar ik verwed er wat om dat Luke en Tom door het stof gaan om aan geld te komen.'

Ik knikte. 'Vaak wel, ja.'

'De kinderen van Alan zijn net zo. Ze zijn nog maar amper uit de luier, maar ze hebben hem al om hun pink gewonden.' Hij liet zijn sigarettenpeuk op het terras vallen en trapte hem uit onder zijn hak. 'Ze hoeven maar in tranen uit te barsten en zeggen dat ze een ijsje willen en dan trekt hij zijn portemonnee al. Ik heb hem gezegd dat hij zichzelf voor joker zet, maar hij is zo paranoïde over de manier waarop wij door pa zijn behandeld, dat je hem niet tot rede kunt brengen.'

Ik vroeg me af of Danny besefte hoe verward zijn ideeën over het ouderschap waren en wat hij onder 'rede' verstond. De roede niet sparen en het kind niet verwennen, waarschijnlijk, hoewel waarom hij, zoals zoveel mensen, geloofde dat hardvochtigheid een betere opvoeder was dan zachtheid, een eeuwig raadsel voor mij was. 'En wat vindt je moeder ervan?'

'Weet ik veel. Ze is verslaafd aan de prozac,' zei hij bitter, 'dus het hangt gewoon van haar bui af. Als ze een goede dag heeft kan ze zich uit bed slepen... maar ergens een mening over hebben...' Hij zweeg en staarde naar de grond.

'Wat naar voor je,' zei ik nogmaals.

'Ja, het is een rotzooi.' Hij lachte vreugdeloos. 'U zult wel teleurgesteld zijn.'

'Waarover?'

'Dat een type als ik op Luke's e-mails reageert. U hoopte waarschijnlijk op iets beters.'

'Ik oordeel niet op die manier,' zei ik naar waarheid. 'Dan zou ikzelf ook een etiketje opgeplakt moeten krijgen, en dat wil ik niet. Maar hoe dan ook, wat voor type denk je dan dat je bent?'

Hij schopte tegen een tegel, wilde me niet aankijken. 'Een waardeloos iemand,' mompelde hij. 'De laatste keer dat ik iets van mijn vader hoorde was toen hij wegens geweldpleging de nor in ging, maar we zijn daar allemaal wel eens geweest. Ik heb zes maanden gekregen voor autodiefstal, Alan heeft vier jaar in een jeugdinrichting gezeten wegens dealen... en m'n zusjes hebben gezeten wegens winkeldiefstal. Wij deugen niet. En die arme ma werd iedere keer dat ze haar huis verliet met de nek aangekeken om wat haar kinderen gedaan hadden.' Even zweeg hij ongelukkig. 'Daarom zal ze haar bed wel niet meer uitkomen.'

Het deed hem duidelijk pijn dat te moeten toegeven, en ik vroeg me af of hij niet net zo ijverig naar ons op zoek was geweest als wij naar hem. Of naar mensen zoals wij, die niet aangestoken waren met het anti-Slatervirus. *Maar als dat zo was, waarom had hij de fouten van zijn familie dan zo grif toegegeven?* De sluwe blik die hij me toewierp overtuigde me ervan dat hij uittestte of ik hem werkelijk niet van een etiket wilde voorzien, en mijn warme gevoel voor hem nam enigszins af. Ik nam aan dat hij het prettig vond wrok te koesteren en dat hij op zoek was naar een afwijzing om die wrok te voeden... en ik vroeg me af wie van ons hier de manipulator was.

'Ik dacht dat je jezelf ging omschrijven als een worstelend artiest,' zei ik met een lachje. 'Ik had niet op een waardeloos iemand gerekend. Wil dat zeggen dat ik mijn tijd zou verknoeien als ik je opzocht bij de beeldhouwworkshop?'

Hij lachte onwillig. 'Nee. Ik ben een goede beeldhouwer.'

'Dat dacht ik al,' zei ik. 'Je broer had er op zijn veertiende echt talent voor.'

Hij keek verbaasd. 'Alan?'

Ik knikte. 'Ik heb nog een klein houten beeldje dat hij voor me gemaakt heeft. In de vorm van een slang, met veren om zijn kop.'

'Dat kan kloppen,' zei Danny. 'Hij heeft iets met een Azteekse god die half-slang, half-vogel was. Grote flauwekul allemaal, maar Alan denkt dat het een *alien* was die naar de aarde kwam om een teloorgegane beschaving in Mexico te stichten.'

'Quetzalcóatl?' opperde ik.

'Dat is 'm. Hij heeft er een mozaïek van. In zijn huiskamer aan de wand.'

Die avond kwam ik verder niets te weten over het mozaïek van Alan omdat Danny het leuker vond af te geven op zijn broers geloof in buitenaardse wezens dan het over zijn smaak in kunst te hebben. Ik klampte me vast aan het restje geduld dat ik nog overhad om naar al die stokoude ruzies van hen te luisteren, en was nogal opgelucht toen een een meter tachtig lange brunette met benen tot in haar oksels hem weglokte met een sigaret.

Ik keek toe hoe ze aan de eerste stappen van een paringsdans begonnen – wat onhandig gedoe van schoudergewriemel en zogenaamde onverschilligheid bij het overbuigen naar de aansteker – en wilde net weer naar binnen gaan toen Sam naast me opdook met een zoenoffer. 'Het is Cloudy Bay,' zei hij korzelig, terwijl hij me een glas in de hand duwde. 'Ik wilde de hele fles in mijn eentje opzuipen om mijn verdriet te verdrinken, en toen dacht ik, kan mij het schelen, jij kunt er niets aan doen dat Larry me kwaad heeft gemaakt.'

Het was geen witte vlag, maar een aanbod tot wapenstilstand heb ik altijd kunnen herkennen. Ik reageerde erop door met mijn glas tegen het zijne te klinken en te glimlachen terwijl ik me afvroeg of Sam gebruik had gemaakt van de gelegenheid die ik hem geboden had uit te zoeken wie Danny Slater was en waarom hij hier was. Had hij dat niet gedaan, dan kon die wapenstilstand wel eens van korte duur zijn. Zijn schoonvader en vrouw mochten dan geheimen voor hem hebben... maar zijn zonen?

Het leek of hij mijn gedachten had gelezen. 'Wie was die jongen met dat donkere haar waarmee je praatte?' vroeg hij met een knikje in Danny's richting. 'Ik zag je vanuit het raam. Hij leek een hoop te vertellen te hebben.'

'Hij heet Danny Slater,' zei ik. 'Hij werkt in de beeldentuin van Portland.'

'Familie van Derek Slater?'

'Zijn zoon,' zei ik kalm. 'Herinner je je Derek nog?'

'Nee. Ik heb je rugzak doorgekeken.' Hij kromde zijn schouders als een bokser die zich op de verdediging voorbereidt. 'En ga daar niet over zeuren want als je niet wilde dat ik keek, had je hem niet op bed moeten laten liggen.'

'Eigen schuld,' gaf ik toe. Ik hoopte dat hij zo verstandig was geweest alles te bekijken. Onwetendheid had hem jarenlang gelukkig gehouden; gedeeltelijke onwetendheid zou aan hem knagen als een rottende worm.

'Je had gelijk over de vrouw van de eerwaarde. Ze heeft een paar nuttige foto's genomen. Die jongen lijkt sprekend op zijn vader, twintig jaar geleden.'

'Maar hij heeft ook veel van zijn moeder weg,' vond ik.

'Maureen Slater?'

Ik knikte.

'Mmm. Ik heb haar niet herkend op de foto's. Ik herkende eigenlijk niemand, behalve Julia Charles en Libby Williams. En nog een blonde vrouw die wel eens naar de pub kwam, geloof ik, maar verder' – hij schudde zijn hoofd – 'waren het allemaal vreemden voor me.'

Ik vroeg me af hoeveel hij van de correspondentie had gelezen en hoeveel hij dacht dat ik achtergehouden had. Als hij de waarheid wist, zou hij kapot zijn.

Hij keek afwezig de zee van hoofden voor het huis af, op zoek naar Luke en Tom. 'De jongens hebben een heel dossier bij elkaar gesprokkeld over Graham Road. Hoe lang zijn ze er al mee bezig?'

'Vanaf jouw hartaanval.'

Hij glimlachte een beetje. 'Ervan uitgaande dat je naar huis zou gaan, of ik het zou overleven of niet?'

'Zoiets ja.'

Hij wachtte even voor hij zijn volgende vraag stelde, alsof hij overwoog of het wel verstandig was dat te doen. Hij wist net zo goed als ik dat je beter niet alle bruggen achter je kunt verbranden, maar zijn behoefte aan geruststelling was sterker dan zijn voorzichtigheid. 'Heb je hun verteld dat ik je heb laten zitten?'

'Nee. Ik heb hun gezegd dat Annie vermoord was en dat ik probeer voor elkaar te krijgen dat ze het onderzoek heropenen. Meer niet.'

Hij tuurde in zijn wijnglas. Zijn mond trok vreemd, alsof hij iets wilde zeggen dat ongewoon was. Maar uiteindelijk was het enige wat hij zei: 'Dank je.'

Verklaring van mevrouw M. Ranelagh uit 1979 aangaande vermeende poging tot aanranding door Derek Slater, Graham Road 32, Richmond

PROCES-VERBAAL

Datum: 25.01.79
Tijd: 10.32
Dienstdoend agent: hoofdagent Drury, politie Richmond
Getuige: mevrouw M. Ranelagh, Graham Road 5, Richmond, Surrey
Incident: vermeende poging tot aanranding van mevrouw Ranelagh, omstreeks 15.00, op 24.01.79

Mevrouw Ranelagh verklaart: Ik ging gistermiddag boodschappen doen omdat er geen eten meer in huis was en ik drie dagen lang niets gegeten had. Ik dacht dat het wel kon, omdat het nog licht was. Toen ik terugkwam en de hoek van Graham Road omsloeg, kwam er een man achter me aan die me het achterom van de even huizen in duwde. Ik kon niet schreeuwen omdat hij een hand over mijn mond legde en mijn armen in een houdgreep tegen mijn lichaam drukte, en daarna sloeg hij me met mijn gezicht tegen een schutting. Met behulp van zijn lichaamsgewicht hield hij me in die positie. Het ging allemaal heel snel en ik kon niets doen om los te komen. Ik kon zijn gezicht niet zien omdat hij achter me stond, maar zijn adem rook naar drank en zijn kleren stonken. Ik droeg een broek en ik voelde dat er iets tussen mijn dijen geduwd werd. Ik dacht dat het zijn penis was. Hij hield zijn gezicht tegen mijn wang aan gedrukt en fluisterde 'slet' en 'kreng' en 'trut' in mijn oor. Hij zei ook dat hij me 'echt een beurt zou geven' als ik mijn 'smerige nikkervriendenbek' niet hield. Hij was heel sterk en ik was bang want ik dacht dat hij me wilde verkrachten. Ik denk dat hij wilde dat ik dat dacht. Voor hij me losliet, dwong hij me op mijn knieën te gaan zitten en duwde hij mijn gezicht in de modder onder aan de schutting. Hij zei dat als ik aan de politie zou vertellen wat er gebeurd was, 'ik er de volgende keer niet zo makkelijk vanaf zou komen'. Ik hief mijn hoofd en zag hem de hoek omslaan naar de grote weg. Hij droeg een donker jasje, spijkerbroek en sportschoenen. Het was Derek Slater, die naast Annie woonde. Ik ken hem van gezicht, hoewel ik nooit een woord met hem gewisseld heb. Tegen de tijd dat ik terug durfde te gaan naar Graham Road, was hij verdwenen. Ik zag verder niemand en ik ben meteen naar huis gegaan.

MEMO

Aan: inspecteur Hathaway
Van: hoofdagent Drury
Datum: 29.01.79
Onderwerp: advies inzake waarschuwing voor mevrouw Ranelagh wegens verspillen van politietijd

---

Meneer,

- Zoals u weet heeft mevrouw Ranelagh een aantal beschuldigingen geuit jegens Derek Slater, waaronder: 1) lastigvallen van en moord op Ann Butts; 2) het midden in de nacht plegen van scheldtelefoontjes naar mevrouw Ranelaghs huis; 3) pogingen om mevrouw Ranelagh in haar eigen huis gevangen te houden door bij haar voordeur rond te hangen. Geen enkele van deze beschuldigingen blijft na onderzoek overeind. 1) de uitspraak na het gerechtelijk onderzoek naar de dood van Ann Butts was eenduidig en ondubbelzinnig; 2) de familie Slater heeft geen telefoon, evenmin kunnen zij het nieuwe geheime nummer van de familie Ranelagh kennen; 3) mevrouw Charles van Graham Road nr. 3, naaste buur en vriendin van mevrouw Ranelagh, zegt Derek Slater in hun stuk van de straat niet gezien te hebben.
- Er bestaat geen enkel bewijs dat bovengenoemd incident plaatsvond, behalve mevrouw Ranelaghs verklaring. De kleren die ze gisteren beweert gedragen te hebben zijn schoon en heel – met andere woorden, geen moddersporen op de knieën van haar broek, of sporen van sperma tussen de dijen. Ondanks de agressieve manier waarop ze in een 'houdgreep' gehouden is, en 'tegen een schutting geslagen', zijn haar gezicht en armen ongeschonden. (NB: Ze heeft 24 uur gewacht voor ze het incident meldde en beweert dat ze zich schoongemaakt heeft.)
- Mevrouw Ranelagh heeft toegegeven dat haar man bij haar weggegaan is. Ze is duidelijk van streek door het vertrek van meneer Ranelagh. Ze zegt dat ze hem gisterenavond gebeld heeft om hem op de hoogte te brengen van die zogenaamde aanranding en ze was van slag omdat hij zei dat ze loog. 'Hij zei dat ik het verzonnen heb om hem jaloers te maken. Soms denk ik wel eens dat sex het enige is waar hij aan denkt.'

(NB: Mevrouw Ranelagh is ernstig afgevallen en lijkt aan anorexie te lijden – daarnaast is haar gedrag onberekenbaar, soms houdt ze midden in het gesprek op om te luisteren of ze ratten hoort.)

- Ik heb meneer Ranelagh telefonisch gesproken. Hij beweert dat zijn vrouw 'genoeg heeft van het leraarschap en zich wentelt in haar kwartiertje roem'. Volgens hem kan op het ogenblik aan niets wat ze zegt geloof gehecht worden.
- Ik heb Derek Slater ondervraagd en hij ontkent zelfs maar in de buurt te zijn geweest van Graham Road om 15.00 uur op 24.01.79. Hij zegt dat hij tot de vroege avond bij de races in Kempton Park was en hij heeft een afgescheurd kaartje dat dit staaft. Hij heeft de namen en telefoonnummers opgegeven van drie vrienden die er ook waren; een van hen bevestigt zijn alibi, de twee anderen moeten nog nagetrokken worden.

<u>Wat te doen?</u> Mijn inschatting is dat mevrouw Ranelagh bezig is met een vendetta jegens Derek Slater omdat ze hem verantwoordelijk houdt voor de dood van Ann Butts. Ik zie deze vendetta als: a) een verzinsel, b) paranoïde, c) nauw verbonden met shock en/of de mislukking van haar huwelijk. <u>Ik adviseer een officiële waarschuwing wegens verspilling van politietijd.</u>

9

De volgende morgen overzagen we het slagveld op het terras met pijnlijke hoofden en gemengde gevoelens. De jongens genoten nog na van het succes van de vorige avond terwijl Sam en ik somber voor ons uit keken, toen ik hen in herinnering bracht dat mijn ouders om twaalf uur zouden komen. Luke en Tom, die allebei middagdienst hadden bij de Tesco, namen het nieuws luchtig op. De lunch lukt niet, zeiden ze opgewekt, maar als we laat konden eten, dan zouden ze hun best doen het te halen. Sam daarentegen stortte in alsof hij de verkiezingen verloren had.

'Het staat al eeuwen op de kalender,' zei ik weinig medelevend terwijl ik hem een kop zwarte koffie gaf toen hij in een stoel neerplofte. 'Dus je hoeft mij niet de schuld te geven als jezelf de moeite niet neemt erop te kijken.'

'Ik voel me niet lekker.'

De jongens waren ogenblikkelijk een en al bezorgdheid, bang dat 'me niet lekker voelen' te maken had met Sams hartaanval, in plaats van met te veel drank de vorige avond. Ze tuttelden om hem heen, klopten hem bemoedigend op zijn schouder alsof dat op de een of andere manier een nieuw infarct zou kunnen tegengaan. Sam keek me opeens nogal schalks aan, alsof hij een uitweg zag uit een nachtmerrieweekend, dus trakteerde ik hem op de Ranelagh-blik.

'Als je het maar uit je hoofd laat,' waarschuwde ik terwijl ik mijn kater koesterde. 'Je kent mijn moeder. Die laat zich door niets tegenhouden. En denk maar niet dat je naar je bed kunt verdwijnen. Het is jouw taak haar te bezweren tot de jongens terug zijn.'

'God!' Hij kreunde theatraal en liet zijn hoofd in zijn handen zakken. 'Ze *vermoordt* me. Ik heb haar minstens tien keer gezegd dat we bij toeval naar Dorchester zijn gekomen.'

Luke en Tom keken hem nieuwsgierig aan, zich verbazend over deze plotselinge ommekeer in hun vaders gewoonlijk dan wel niet erg enthousiaste, maar in ieder geval tolerante houding tegenover zijn schoonmoeder.

'Wat is er?' vroeg Luke.

'Niets,' zei ik. 'Je vader ziet problemen die er niet zijn.'

'Wij zouden ons ziek kunnen melden,' zei Tom behulpzaam. 'Ik ben best dol op oma.'

'Dat komt omdat je haar nog nooit vuur hebt zien spugen,' mompelde Sam. 'Ze is nog enger dan je moeder als ze kwaad is' – weer een ondeugende blik naar mij – 'waarschijnlijk omdat ze zoveel omvangrijker is.'

Ik gaf Tom een zwarte vuilniszak om de troep op het terras op te ruimen. 'Je vader stelt zich aan. Oma is gek op hem. Hij hoeft maar te glimlachen en ze is als was in zijn handen.'

Natuurlijk pakte het anders uit. Mijn vader had zijn eigen raad opgevolgd – *kies van twee kwaden het minste* – en een tijdschriftartikel over een racistische moord in zijn weekendtas gestopt, dat door mijn moeder werd opgedolven en gelezen nadat ze geheel zelfstandig had besloten de kleren opnieuw in te pakken in één grote koffer. Vader bezwoer me dat het een ongelukje was, maar ik geloofde hem net zomin als hij geloofd zou hebben dat Sam mijn dossier 'per ongeluk' had gelezen. Achteraf zei ik tegen hem dat het een geluk was dat ik zijn waarschuwingsbrief ter harte had genomen, omdat we anders een herhaling zouden hebben gekregen van het moeder/schoonzoonverbond van twintig jaar geleden, maar mijn vader lachte alleen maar en zei dat Sam niet het soort man was dat twee keer dezelfde fout maakte.

Het gewraakte artikel was geschreven naar aanleiding van een officieel onderzoek naar de Londense moord in 1993 op een jonge, middle-class zwarte man die Stephen Lawrence heette. Het onderzoek – dat pas in 1999 werd ingesteld – had de politie schuldig verklaard aan 'geïnstitutionaliseerd racisme' vanwege het prullig uitgevoerde, matte onderzoek naar de moord op Stephen. Die moord was gepleegd door een groep jonge blanke racisten, allen bij de politie bekend, die hun veroordeling ontliepen vanwege de cultuur van onverschilligheid die bij justitie heerste met betrekking tot de dood van zwarte mensen. Mijn moeder zou nog gedacht kunnen hebben dat het zomaar een artikel was, als mijn vader niet de moeite had genomen een alinea aan te strepen en er in de kantlijn een aantekening voor mij bij te zetten. *M. Aantal goede opmerkingen hier. Stel voor dat je contact opneemt met de journalist over: politieapathie en gewelddadig optreden tegen zwarte verdachten. NB: Bloedrivierrede, 1968 – moord op Annie Butts, 1978.*

De alinea luidde als volgt :

> Als iets als 'geïnstitutionaliseerd' wordt omschreven, wil dat per definitie zeggen dat het om een diepgewortelde traditie gaat, en dit wijst erop dat de moord op Stephen Lawrence niet het enige onderzoek is dat verklungeld is door een voornamelijk blanke politiemacht, al lange tijd doordrenkt van apathie en onverschilligheid jegens zwarte slachtoffers. In de 31 jaar die verstreken zijn sinds MP Enoch Powell een rassenoorlog voorspelde in zijn beruchte 'Bloedrivier'-rede, is er weinig gedaan door politie en regering om de kwestie van racistisch getinte aanvallen op Afro-Caribcn cn Aziaten aan te pakken. Sterker nog, velen in deze groeperingen wijzen op het grote aantal zwarten dat in voorarrest of tijdens hun arrestatie gestorven is, en stellen dat ze soms het slechtst behandeld worden door juist diegenen wier plicht het is hen te beschermen.

Mijn moeder voelde aan haar theewater dat er sprake was van een samenzwering en stelde zich ten doel dat te bewijzen door er mijn vader het hele eind van Devon naar Dorchester over door te zagen. Tegen de tijd dat ze bij ons huis waren aangekomen, had ze zichzelf opgewerkt tot een regelrechte staat van razernij, die verergerd werd door mijn vaders koppige weigering iets terug te zeggen. Hij hoopte denk ik dat haar goede manieren het zouden winnen als ze de boerderij eenmaal bereikt hadden, maar hij was vergeten hoe ze genoot van een confrontatie, vooral als het om haar dochter ging. Ze nam, enigszins terecht, aan dat Sam van even weinig wist als zij en ik kreeg, volkomen voorspelbaar, de volle laag van haar morele verontwaardiging over me heen.

Ze zette me vast in de keuken. 'Ik kan niet tegen dat bedrog,' zei ze. 'Je hele leven al zeg je het een en doe je het ander. Ik zou het niet zo erg vinden als je niet anderen bij je leugens betrok... Ik weet nog heel goed dat jij en dat afschuwelijke vriendinnetje van je, die Hazel Wright, zwoeren dat jullie die nacht bij haar geslapen hadden, terwijl jullie in werkelijkheid dronken en uitgeteld op de slaapkamervloer van een of andere jongen lagen.' Ze balde haar vuisten. 'Je hebt het ons *beloofd*,' zei ze woedend. 'Een nieuw begin, zei je. Geen beschuldigingen meer over en weer. Niet meer je gezin meeslepen in je vreselijke waandenkbeelden. En wat doe je? Bij de eerste de beste gelegenheid breek je je belofte en dan krijg je je vader nog zover dat hij je helpt.'

Ik zette wat glazen op een blad. 'Houdt pappa nog steeds van pink gin?' vroeg ik haar terwijl ik in de provisiekast op zoek ging naar de angostura.

'Hoor je me wel?'

'Nee.' Ik verhief mijn stem richting openslaande deuren die regelrecht van de plavuizen van de keuken toegang gaven tot de flagstones van het terras. 'Sam, vraag eens of pap angostura in zijn gin wil?'

'Jazeker,' riep hij terug. 'Hulp nodig?'

'Nog niet,' antwoordde ik en ik pakte een citroen van de fruitschaal en sneed hem doormidden.

'Ik praat wel met Sam, als je me blijft negeren,' waarschuwde mijn moeder. 'Ik heb je vader al precies verteld wat ik ervan vind. Joost mag weten waar hij mee bezig dacht te zijn, je zo aan te moedigen.'

Ik keek even naar haar en wenste dat ik niet zoveel van haar gelaatstrekken geërfd had. Ze was een knappe vrouw, hoewel ze zelden glimlachte uit angst voor rimpels, maar ik had twintig jaar mijn uiterste best gedaan om de gelijkenis tussen ons uit te wissen – afvallen, haar verven, mondhoeken voortdurend in de opwaartse stand dwingen. Maar het was slechts uiterlijke schijn. Iedere keer dat ik haar zag, zag ik mezelf over dertig jaar, en dan werd mijn glimlach nog wat vaster, nam ik me nog heiliger voor nooit meteen klaar te staan met mijn oordeel. Het maakte dat ik me soms afvroeg wie ik werkelijk was, en of ik nog iets anders in me had dan de kinderlijke wens te bewijzen dat ik een beter mens was dan zij. Ik herinner me nog dat mijn vader me eens gezegd heeft – alsof dat iets was dat inderdaad gezegd moest worden – dat mijn moeder echt wel van me hield en dat ik toen antwoordde: 'Natuurlijk houdt ze van me, maar alleen als ik het met haar eens ben, anders niet.'

'Jij bent haar grote trots,' zei hij eenvoudig. 'Als je haar ideeën afwijst, wijs je haar af.'

Ik legde een van de citroenhelften op zijn zij en sneed in het sappige vruchtvlees. 'Je ziet eruit alsof je hierop gezogen hebt,' mompelde ik, 'en als de klok slaat blijf je eeuwig zo zuur kijken.'

Haar mondhoeken trokken nog verder naar beneden. 'Dat is helemaal niet grappig.'

'Toen je het tegen mij zei, vond je het wel grappig.'

Het bleef even stil.

'Jij hebt een naar trekje in je,' zei ze toen. 'Je vindt het niet erg iemand te kwetsen, als je je gelijk maar haalt. Ik heb me vaak afgevraagd van wie je dat hebt. Jij kunt niet vergeven. Je kan op de fouten van een ander zitten broeden, dat hebben je vader en ik nooit gedaan.'

Ik lachte oprecht geamuseerd. 'Mijn god, en dat van iemand die me net weer Hazel Wright voor de voeten heeft geworpen. Ik was dertien, mam, en Hazel en ik hadden allebei twee shandies op toen we in slaap vielen op het bed van Bobby Simpkin.' Ik schudde mijn hoofd. 'Je bleef er maar over dooremmeren. Ik weet niet wat je dacht dat we gedaan hadden, maar vanaf dat moment heb ik constant naar jouw zedenpreken moeten luisteren over dat een nette man geen afgelikte boterham zou willen.'

'Daar heb je het weer,' snauwde ze. 'Je geeft altijd een ander de schuld, nooit jezelf.'

Ik haalde mijn schouders op. 'Ik wilde alleen maar zeggen dat dat nare trekje, als dat al bestaat, van jou afkomstig is.'

'Heb ik ooit een belofte gebroken? Lieg ik?'

Misschien niet, dacht ik, maar ik had een paar leugentjes om bestwil en wat gebroken beloftes geprefereerd boven het pijnlijke besef dat ze liever had gehad dat ik een zoon was geweest. 'De enige belofte die ik ooit gedaan heb,' bracht ik haar in herinnering, 'was de naam Annie Butts nooit meer in jouw bijzijn of dat van Sam te noemen, en dat jij het feit dat ik me aan die belofte heb gehouden als bedrog betitelt, daar kan ik toch niets aan doen?'

'Maar hoe heb je je vader er dan bij betrokken?'

'Waarbij?'

'Bij waar je mee bezig bent… de reden waarom je ervoor hebt gekozen hier te gaan zitten ondanks als die moeite die ik gedaan heb om een huis in Devon voor je te regelen.'

'Ik had het pappa toch niet beloofd,' zei ik. 'En als ik dat wel gedaan had, had hij het niet geaccepteerd. Hij heeft me al voor ons vertrek uit Engeland aangeboden te helpen en sindsdien is hij een rots in de branding geweest. Hij heeft trouwens de advertentie voor dit huis in de *Sunday Times* gezien en hij heeft me in Kaapstad gebeld om voor te stellen het voor de zomer te huren.'

Weer een stilte. Nogal lang dit keer. Ze wilde me vragen 'waarom?' – net zoals Sam dat gisteravond gedaan had – maar ze vond het te gênant om toe te geven hoe ze buiten ons leven en onze plannen had gestaan. In plaats daarvan deed ze gekwetst. 'Ik hoop dat je Sams zonen niet ook nog tegen hem hebt opgezet,' zei ze. 'Dat zou werkelijk onvergeeflijk zijn.'

'Ik heb niemand tegen hem opgezet,' zei ik terwijl ik de kastjes afschuimde op zoek naar een kan.

'Lieve hemel,' zei ze scherp. 'Doe toch niet zo naïef. Toen je je vader overhaalde jouw partij te kiezen tegen je echtgenoot, heb je ze in feite tegen elkaar opgezet.'

'Het ging helemaal niet om iemands partij kiezen,' zei ik terwijl ik een glazen karaf tevoorschijn haalde. 'Het was een kwestie van research. Bovendien heb jij Sams partij gekozen, tegen mij, dus vond pappa het niet meer dan redelijk dat ten minste een van mijn ouders het evenwicht herstelde.'

'Ik heb het voor je eigen bestwil gedaan. Je gedroeg je als een verwend kind.'

'Wat grappig,' zei ik lachend. 'Dat is precies wat pappa over Sam zei.'

'Onzin. Je vader en Sam konden het prima met elkaar vinden tot jij ervoor koos je huwelijk in gevaar te brengen met die ellendige negerin.' Ze zweeg. 'Je vader heeft alle zeilen bijgezet om hun relatie weer te herstellen, en daarom is het zo onaardig dat je hem hebt overgehaald om zo achter Sams rug om te handelen.'

Ik hield mijn hoofd schuin om naar het gebrom van een ontspannen gesprek buiten te luisteren. 'Het gaat heel goed, zo te horen, dus laten we hopen dat je zorgen voorbarig zijn.'

'Maar voor hoe lang nog? Je bent toch niet vergeten hoe van slag Sam was na de dood van die vrouw? Wat heeft je er in godsnaam toe gebracht die hele ellendige zaak weer op te rakelen zo vlak na zijn hartaanval? Wil je dat hij er nog een krijgt?'

Ik vulde de karaf met water en zette hem op het blad. 'Tot nu toe schijnt het hem weinig te doen,' zei ik zachtzinnig, 'maar vraag het hem anders zelf, als je mij niet gelooft.' Ik nam het blad op. 'Nu hebben we geloof ik alles. Neem jij de citroen mee?'

We praatten over alle mogelijke onderwerpen behalve Annie Butts, maar toch voelden we haar aanwezigheid voortdurend – mijn vader die de blik van mijn moeder ontweek, Sam die zich zo duidelijk ongemakkelijk voelde steeds als Dorchester ter sprake kwam, mijn moeders vreselijke pogingen tot flirt om haar mannen weer onder de duim te krijgen. Toen het duidelijk werd dat ik wat haar betrof te veel was, verdween ik naar binnen om de lunch klaar te maken. Tien minuten later barstte er een gigantische ruzie los op het terras. Ik ving er niet meer dan flarden van op, maar het ging er zo gloeiend aan toe, vooral tussen mijn ouders, dat hun steeds hardere stemmen tot in de keuken te horen waren.

Het siert me niet, maar ik genoot van iedere minuut. Echt. Dit was mijn eerste kleine genoegdoening, en ik juichte in stilte toen mijn vader tegen mijn moeder zei dat het jammer was dat haar leventje zo onbeduidend was dat haar enige vreugde lag in het stoken in haar gezin.

De stilte die op mijn terugkeer op het terras met schalen salade volgde, duurde eeuwen. Ik weet nog dat ik dacht dat er ontzettend veel wespen waren die zomer. Ik zag ze in hun zwart-gele streeppakjes om de zoete glazen zoemen, en vroeg me af of er een nest in de buurt zou zitten dat we zouden moeten vernietigen. Ik weet ook nog dat ik dacht dat wespen minder schadelijk waren dan mensen en dat een wespensteek een bagatel was vergeleken met het gif van lang onderdrukte wrok.

'Waarom blijft je vader bij haar?' vroeg Sam me die avond in bed.

'Als hij eenmaal ergens voor gekozen heeft, dan houdt hij vol.'

'Is dat de enige reden waarom ze nog samen zijn? Vanwege je vaders plichtgevoel?'

Ik schudde mijn hoofd.

'Wat is er dan nog meer?'

'Liefde,' zei ik. 'Het is een heel aanhankelijke man en hij laat nooit iemand in de steek.'

'Zo vader zo dochter dus?'

Ik draaide me om om hem aan te kijken. 'Zie je mij zo?'

'Natuurlijk. Hoe zou ik je anders moeten zien?'

Brief van dokter Joseph Elias, psychiater verbonden aan het Koningin Victoria-ziekenhuis in Hongkong

KONINGIN VICTORIA-ZIEKENHUIS,
HONGKONG

AFDELING PSYCHIATRIE

Mevrouw M. Ranelagh
Greenhough Lane 12
Pokfulam

14 februari 1980

Geachte mevrouw Ranelagh,

Dank voor uw brief van 3 juli. Jammer dat u het gevoel hebt dat een vervolgconsult geen zin heeft, vooral omdat uw verwijzing naar 'een nieuwe rust' suggereert dat ons vorige gesprek van waarde is geweest. Maar, zoals u terecht opmerkt, u bent niet verplicht nog meer sessies bij te wonen.

Ik heb lang nagedacht over de vraag die u aan het einde van ons gesprek stelde. Waarom zou uw echtgenoot zijn straf ontlopen voor het feit dat hij u verkracht heeft? Ik geef u een oude wijsheid door die ik als kind in het concentratiekamp van Auschwitz hoorde toen ik een rabbijn vroeg of de Duitsers ooit vergeven zou worden wat ze de joden aandeden. Ze zullen zichzelf nooit vergeven, zei hij. Dat is hun toekomst en tevens hun straf.

Maar had u niet moeten vragen of het rechtvaardig was dat Sam uw straf ontliep? En bent u zelf zo schuldeloos, mevrouw Ranelagh, dat u vindt dat u het recht hebt uw echtgenoot te veroordelen?

Ik wens u alle goeds,

Hoogachtend,

J. Elias

Dr. J. Elias

Brief van Betty Hepinstall in antwoord op een verzoek om informatie over dierenmishandeling in het Verenigd Koninkrijk – gedateerd 1998

Hospitaal The Cheshire Cat
Cheadle Hulme, Cheshire, UK

Mevrouw M. Ranelagh
'Jacaranda'
Hightor Road
Kaapstad
Zuid-Afrika

3 december 1998

Geachte mevrouw Ranelagh,

In antwoord op uw gedetailleerde vragenlijst over kattenmishandeling in het Verenigd Koninkrijk, sluit ik een kopie in van een folder die we verleden jaar hebben uitgegeven om mensen te enthousiasmeren voor een sponsorbingoavond. Het is treurige lectuur, dat zult u wel merken, maar ik excuseer me niet voor de inhoud. Ons werk kost veel geld en tijd en het zou volkomen overbodig zijn als weerloze dieren niet die verschrikkelijke wreedheden werden aangedaan.

Ik geloof direct dat iemand superlijm in een kattenbek stopt en zijn lippen met leukoplast of tape afplakt om te voorkomen dat hij eet of jammert. Door de jaren heen hebben we katten meegemaakt wier poten in snelcement waren gedoopt zodat ze niet meer konden lopen; katten met verlamde achterpoten omdat hun ruggengraat gebroken was; katten wier tanden en nagels er met combinatietangen uitgetrokken zijn; katten die blind gemaakt zijn met gloeiende poken; katten met elastiekjes die zo strak om hun lippen zijn gebonden dat het vlees van hun bekjes over de elastiekjes gegroeid is. En dat allemaal, kennelijk, met maar één doel: om ze te verhinderen vogels en muizen te vangen.

Ik wilde dat ik u kon zeggen dat iemand die een dergelijke wraakoefening tegen katten uitoefent, makkelijk herkenbaar is, maar helaas is dat niet zo. Er zijn sterke aanwijzingen – grotendeels uit gedragswetenschappelijke studies in de VS en het Verenigd Koninkrijk – dat wreedheid jegens dieren in de vroege jeugd tot sociopathisch gedrag in de volwassenheid leidt. Maar wreedheid komt veel meer bij volwassenen dan bij kinderen voor, en dit soort wreedheid is meestal het resultaat van een obsessieve afkeer van bepaalde dieren of een onbedwingbaar opvliegend karakter – meestal drankgerelateerd, dat uithaalt naar alles wat als ergerniswekkend wordt ervaren.

Helaas kan ik niet uitsluiten dat juffrouw Butts, hoewel ze haar eigen katten liefdevol behandelde, zwerfkatten die haar huis binnendrongen aan wreedheden heeft onderworpen. Ik kan alleen vergelijkingen met menselijke betrekkingen maken en mensen staan erom bekend dat ze niet bereid zijn dezelfde naastenliefde jegens vreemden aan de dag te leggen die ze jegens vrienden en familie vertonen.

Met vriendelijke groet,

Betty Hepinstall

Betty Hepinstall

10

De volgende morgen reed ik mijn moeder naar Kimmeridge Bay op het schiereiland Purbeck. Het was een prachtige zomerochtend met witte flardjes wolk aan de hemel en we gingen lopend het pad langs de klif op naar de Clay Tower aan de oostkant van de baai. Leeuweriken zongen in de lucht boven ons en af en toe werden we gepasseerd door een wandelaar die ons toeknikte of even bleef staan om naar de bizarre folly achter ons te kijken die door iemand die allang gestorven was, was gebouwd als standvastige wachter om de aanrollende oceaan in bedwang te houden. Mijn moeder en ik spraken met de voorbijgangers maar niet met elkaar en in de stiltes daartussen staarden we vastbesloten naar het Kanaal en naar de toren, om niets te hoeven zeggen uit angst dat we weer ruzie zouden krijgen, opgesloten als we waren in een wederzijds elkaar niet kennen, ondanks gedeelde genen en ervaringen.

Uiteindelijk vertelde ik haar van de vrouw van de dominee die naar een klif reed als de druk van het leven haar te veel werd en haar frustraties dan uitschreeuwde. Ik stelde mijn moeder voor het eens te proberen. Ze wilde niet. Dat was niets voor haar, zei ze. En ze begreep ook niet waarom de vrouw van een dominee zoiets ordinairs wilde doen. Wat voor vrouw was dat?

'Een excentriekelinge,' mompelde ik en ik keek naar de zeemeeuwen die moeiteloos als stukjes tissue over de zee scheerden. 'Broodmager... vindt het vreselijk dat ze met een dominee getrouwd is... lust wel een borrel... zou wel *lap dancer* willen zijn... ziet eruit als een gier.'

'Vandaar,' zei mijn moeder.

'Wat?'

'Dat geschreeuw. Magere mensen zijn altijd veel meer gespannen dan dikke.'

Het klonk aannemelijk, maar veel van wat mijn moeder zei klonk aannemelijk. Of het waar was of niet, was een ander verhaal. Ik hield het erop dat het een hatelijkheidje was omdat zij mollig was en ik slank, maar deze ene keer hapte ik niet. 'Ik vraag me af of het werkt,' zei ik achteloos. 'Ik schreeuw altijd in stilte, en die kreten blijven dagenlang om mijn hoofd cirkelen tot ze moe worden en een natuurlijke dood sterven.'

'Het is een aanwensel om überhaupt te schreeuwen. Je moet leren je problemen in rust op te lossen in plaats van er een hele toestand van te maken.' Ik zuchtte vermoeid en dacht bij mezelf dat dat nu exact was wat ik gedaan had, en ze wierp een achterdochtige blik op me. 'Heb je me daarom hiernaartoe gebracht, zodat je tegen me kunt schreeuwen?'

'Niet tegen *jou*,' verbeterde ik haar. 'Tegen de wind.'

'Dan zet je jezelf alleen maar voor gek,' zei ze. 'Er komt straks vast iemand aanlopen op het verkeerde moment.'

'Misschien gaat het daar juist om,' prevelde ik nadenkend. 'Een dubbele hit. In één shot zowel fysieke als mentale adrenaline.' Ik keek naar een bootje vol duikers in duikpakken, dat de baai uit tufte op weg naar het westen. 'Zou jij het gênant vinden?'

'Welnee.' Ze liet haar achterste op een richel in de rotswand zakken. 'Als ik me twintig jaar geleden al niet geneerde, toen jij je als een gekkin gedroeg, waarom zou ik het dan nu wel doen?'

Haar geheugen was niet best, dacht ik. Ik liet me op de grond zakken en ging in kleermakerszit voor haar zitten. Ze had zich kapotgegeneerd. Ik richtte mijn aandacht op een kluitje Engels gras dat zich dapper vasthield in een rotsspleet. 'Ik was niet gek, ma, ik was uitgeput. We werden nachtenlang wakker gehouden door de telefoon die constant overging en zelfs toen we een ander nummer hadden genomen, hield het niet op. Als we de hoorn eraf legden, dan werd er modder tegen onze ramen gegooid of werd er op de voordeur getimmerd. We hadden *allebei* last van slaapgebrek, we gedroegen ons *allebei* als zombies en toch heb je om wat voor reden dan ook besloten alles te geloven wat Sam tegen je zei en alles wat ik zei als leugens te beschouwen.'

Ze tuurde naar de horizon in de verte waar het blauw van de zee het blauw van de lucht ontmoette en ik moest eraan denken dat ze me eens had gezegd dat het verschil tussen een vrouw en een dame was dat een vrouw zomaar wat zei en dat een dame altijd nadacht voor ze haar mond opendeed. 'Jij zat aan een stuk door te krijsen over ratten in het toilet beneden,' zei ze uiteindelijk. 'Wil je soms beweren dat dat niet zo was? Je hebt liters bleekwater door de wc gegooid om ze te doden en toen werd je hysterisch omdat je dacht dat ze naar de woonkamer verhuisd waren.'

'Ik ontken niet dat ik wat rare dingen gezegd heb, maar het waren geen leugens. Ik hoorde steeds die krabbende geluiden en het enige waar ik aan kon denken, waren ratten.'

'Sam hoorde ze niet.'

'Jawel,' sprak ik haar tegen. 'Als hij jou heeft gezegd dat hij niets hoorde, dan loog hij.'

'Maar waarom zou hij erom liegen?'

Ik dacht aan toen. 'Om een heleboel ingewikkelde redenen... grotendeels denk ik omdat hij toen niet erg dol op me was en het gevoel had dat alles mijn schuld was. Hij zei dat ik die geluiden zelf maakte om aandacht te trekken en hij wilde absoluut niet langer toegeven aan mijn kinderachtige gedrag.'

Ze fronste haar wenkbrauwen. 'Ik weet nog dat hij zei dat hij een rattenvanger gebeld had om je ervan te overtuigen dat die ratten alleen in je verbeelding bestonden.'

Ik schudde mijn hoofd. 'Ik heb die rattenvanger gebeld, om precies de tegenovergestelde reden. Ik wilde bewijzen dat er wel degelijk ratten waren.'

'En waren ze er?'

'Nee. De man zei dat niets op een knaagdierenplaag wees: geen nesten, geen aanwijzingen dat ze aan het eten knaagden, geen uitwerpselen. Hij zei ook dat als wij last van ratten hadden, onze buren ook zouden klagen.' Ik streek met mijn vinger over het Engels gras en zag de roze bloemhoofdjes trillen. 'De volgende dag belde Sam jou om je te zeggen dat ik knettergek was en dat hij wilde scheiden.'

Ze zei een tijdje niets, en ik hief mijn hoofd om haar aan te kijken. Haar gezicht stond verbijsterd. 'Nou, dan begrijp ik er niets van. Als jij en Sam het allebei hoorden maar het waren geen ratten en jij was het ook niet, wat was het dan wel?'

'Ik denk dat het misschien katten waren,' zei ik.

'Mijn hemel nog aan toe,' zei ze nijdig. 'Hoe kunnen er nu katten in jullie huis hebben gezeten zonder dat jullie dat hebben gemerkt?'

'Niet *in*,' zei ik, '*onder*. Ik kwam er pas na een hele tijd op omdat ik geen notie had van hoe huizen gebouwd worden. Ik kon nog geen stekker verwisselen toen ik trouwde, laat staan dat ik inzicht had in het belang van ondergrondse ventilatie.'

Haar mond vertrok onmiddellijk tot een streep. 'Ik neem aan dat dat een steek onder water is aan het adres van je vader en mij.'

'Nee,' zei ik en ik zuchtte inwendig. 'Het is gewoon een feit.'

'En wat heeft het met katten te maken?'

'Huizen hebben gaten in hun muren onder het niveau van de

begane grond om onder de vloerplanken te ventileren. Dan rot het hout niet. Ze zijn meestal van gaatsteen gemaakt, maar de huizen in Graham Road dateren uit 1880 en toen gebruikten ze gietijzeren roosters en maakten er iets moois van. Voor hij wegging zei de rattenvanger dat er aan de achterkant van ons huis een ontbrak. Dat gebeurde constant, zei hij want er was veel vraag naar in het restauratiewezen. Het was geen probleem omdat iemand een ijzeren schoenenschraper in het gat had geduwd, maar hij raadde ons aan het een keer te laten vervangen als we later geen problemen wilden. Hij noemde het steeds het ventilatierooster en ik dacht dat hij het over de afzuiger in de badkamer boven had omdat dat de enige ventilatie was die ik kende.'

Ik zweeg en ze maakte een ongeduldig handgebaar, alsof ze wilde zeggen: ga door.

'Ik was toen niet erg alert – het enige wat ik wilde was bevestiging van het bestaan van de ratten – dus het ging het ene oor in het andere uit omdat de ventilatie boven het prima deed, wat er dan ook aan ontbrak. En toen, op een goede dag in Sidney, zag ik de Jack Russell van onze buurman een gat in een bloembed naast ons huis graven. Via dat gat verdween hij in de kruipruimte onder ons huis en toen besefte ik dat de rattenvanger het waarschijnlijk over ondergrondse ventilatie had gehad. Hij had me gezegd dat er een gat in onze achtermuur zat, waarschijnlijk een groot gat als er een smeedijzeren rooster uit weggehakt was.'

'En daarom denk je dat er katten naar binnen zijn gekomen?'

'Ja.'

'Maar je zei toch dat de rattenvanger gezegd had dat het geen probleem was omdat er een schoenenschraper in geduwd was?'

'Ja.'

'Maar hoe zijn ze dan binnengekomen?'

'Ik denk dat iemand ze via het achterom naar de achterkant van ons huis heeft gedragen, ze naar binnen heeft geduwd en daarna het gat afgesloten.'

Ze snoof ongelovig. 'Dat is ridicuul. De rattenvanger had ze heus wel gehoord. Ze hadden zich gek gejammerd. En waarom katten? Waarom geen honden? Je zei dat het een Jack Russell was die in Sidney de kruipruimte in ging.'

'Omdat Annies huis vol katten zat.'

'Dit is echt belachelijk van je. De vrouw was toen al weken dood, ze kunnen onmogelijk van haar zijn geweest.'

'Dat zeg ik ook helemaal niet,' zei ik. 'Katten zijn in dit geval waarschijnlijker dan honden, dat is alles. Ik denk dat ze onder onze vloer zijn geduwd om te sterven omdat we geen handig kattenluikje in de achterdeur hadden. Als dat er had gezeten, had ik ze waarschijnlijk stervend in mijn keuken aangetroffen. Ik heb het gasbedrijf een paar maal gebeld omdat ik dacht dat ik gas rook, maar ze zeiden steeds dat er niets aan de hand was. Een van die mannen zei dat het naar dode muizen rook, maar ik zei dat dat niet kon omdat we geen muizen hadden.'

Ik voelde haar ongeloof zwaar op mijn gebogen hoofd neerdalen. 'Als er een dood beest onder je huis lag, had je dat geweten. Lijken stinken verschrikkelijk.'

'Alleen als het warm is. Dit gebeurde allemaal in de winter – een bijzonder koude winter – en we hadden overal vaste vloerbedekking.'

'Maar –' ze brak haar zin af om haar gedachten te ordenen. 'Waarom heb je ze niet gehoord? Katers maken verschrikkelijke herrie als ze janken.'

'Dat hangt ervan af wat er met ze gedaan is.' Ik schudde mijn hoofd. 'Bovendien denk ik dat ze snel aan onderkoeling gestorven moeten zijn.'

Weer bleef het een tijdje stil. 'Maar hoe kun je een kat in godsnaam verhinderen te jammeren?'

Ik trok mijn schouders op terwijl ik dacht aan het afgrijselijke onderzoek dat ik over dit onderwerp gedaan had. 'Ik denk... dat ze superlijm in hun bekken en ogen hebben gekregen, en dat er leukoplast om hun bekken is gewikkeld zodat ze niet konden zien, eten, drinken, of schreeuwen. En toen zijn ze onder ons huis geduwd om zich een weg naar buiten te krabben met het enige wat ze nog hadden... hun nagels.'

Mijn moeder hield vol afschuw haar adem in, hoewel niet duidelijk was of die afschuw zich op mij richtte omdat ik het zei, of op datgene wat ik gezegd had. 'Maar wie zou nou zoiets doen?'

Ik haalde een kopie van het politierapport waarin het bezoek aan het huis van Annie de dag na haar dood beschreven werd, uit mijn zak en gaf het aan haar. 'Dezelfde mensen die ter ere van Annie katten hebben gemarteld,' zei ik. 'Het enige verschil is dat ze die arme stakkers bij haar door het kattenluik hebben geduwd, zodat ze kon zien wat er met ze gebeurde.'

Ze keek naar het rapport, maar las het niet. 'Maar waarom? Wat had het voor zin?'

'Wat je maar wil. Soms denk ik dat ze het deden om haar angst aan te jagen, soms denk ik dat het voor de lol gedaan is.' Ik draaide mijn gezicht in de richting waar de wind vandaan kwam. 'Ik zou me ergens gevleid moeten voelen. Ik denk dat ze aannamen dat ik slimmer was dan Annie en dat ik er zelf wel achter zou komen dat er dieren onder verschrikkelijke omstandigheden onder mijn huis stierven. En het feit dat ik niet slimmer was en er niet achter kwam... dat moet een teleurstelling zijn geweest.'

Mijn moeder had me al een keer 'Waarom?' gevraagd, op de terugrit naar huis vroeg ze het honderdmaal. Waarom was Annie niet naar de politie gegaan? Waarom had Annie de dierenbescherming niet gebeld? Waarom had iemand gedacht dat hij mij op dezelfde manier kon kwellen als hij Annie had gedaan? Waarom waren ze niet bang geweest dat ik naar de politie zou gaan? Waarom *was* ik niet naar de politie gegaan? Waarom zou iemand mijn vermoedens omtrent de dood van Annie willen versterken? Waarom het risico lopen dat Sam erbij betrokken zou raken? Waarom het risico lopen dat de rattenvanger erbij betrokken zou raken? Waarom had ik tijdens het gerechtelijk onderzoek niets gedaan aan de bevindingen van de dierenbescherming? Waarom...? Waarom...? Waarom...?

Begon ze eindelijk te snappen hoe verraden ik me had gevoeld toen ze me toen niet geloofde? En was het cynisme van me als ik ervan overtuigd was dat alleen mijn vaders onvermoeibare steun aan mij haar zo beschaamd had gemaakt dat ze me nu in ieder geval iets vroeg?

Hoe dan ook, ik kon haar vragen amper beantwoorden, behalve dan door te zeggen dat niemand een vrouw die gek is gelooft. Maar waarom zou je ervan uitgaan dat er rede achter zat, vroeg ik uiteindelijk, want iemand die katten martelt is toch duidelijk gestoord? Het was gedaan uit plezier om pijn te doen, niet omdat het mogelijk was te voorspellen hoe 'gekke Annie' of ik erop zouden reageren als er mishandelde dieren bij ons werden achtergelaten.

CURRAN HOUSE
Whitehay Road
Torquay
Devon

Maandag

Lieverd,

Even een briefje om jou en Sam te bedanken voor het weekeinde. Het was heerlijk de jongens weer te zien, ook al vind ik dat je ze toch echt naar de kapper moet sturen. Je vader en ik vonden het huis allebei heel leuk, ondanks de vervallen toestand waarin het verkeert, en denken dat het verstandig zou zijn als jullie er een bod op uitbrachten. Sam weet op het moment duidelijk niet wat hij met zijn leven aan moet (het buitenleven past ook niet echt bij hem, vind je niet?) en een renovatieproject zou hem bezighouden. Je kunt het later altijd nog verkopen als hij erin slaagt een baan te vinden.

Wat betreft waar we het gisteren over hadden: ik heb even met onze plaatselijke inspecteur van de dierenbescherming gesproken. Hij zei mij dat verhalen als die van jou niet ongewoon zijn en dat wreedheid jegens katten veel vaker voorkomt dan de mensen beseffen. Hij heeft me een paar afgrijselijke voorbeelden gegeven – katten die in zakken worden gebonden en als voetbal gebruikt, nagels die er met combinatietangen uitgetrokken worden, katten die ondergedompeld worden in benzine en dan in brand gestoken. En kennelijk is een favoriete sport om ze als oefendoel voor luchtgeweren en kruisbogen te gebruiken.

Hij heeft me de naam van een advocaat hier gegeven, wiens vrouw een opvangtehuis voor mishandelde dieren heeft, en raadt ons aan hem te consulteren als we een vervolging in willen stellen. Ik zei dat ik er zeker van was dat jij een idee had wie er verantwoordelijk was en, hoewel hij niet optimistisch is dat er twintig jaar na dato nog veel kans is op een succesvolle vervolging, gelooft hij toch dat het de moeite waard is het te proberen, vooral als de betreffende inspecteur van de dierenbescherming nog in leven is en een getuigenverklaring kan afleggen.

Laat me weten wat je wilt dat ik doe,

Veel liefs,

Mam

PS. Ik weet dat ze het bij het verkeerde eind heeft, maar je moet haar toch nageven dat ze in ieder geval haar best doet. Ze is op het ogenblik heel erg down omdat ze het idee heeft dat we tegen haar samengespannen hebben en ze begrijpt niet waarom. Ik heb gezegd dat het te verwachten was, wie kaatst kan de bal verwachten, maar ze wil er niet aan herinnerd worden hoe ze vroeger tegen jou heeft samengespannen. Het zou heel tactvol zijn, kind, als je de woorden 'wat heb ik je gezegd' vermijdt, hoe groot de verleiding ook mag zijn. Ik zou het niet aardig van je vinden!

Je vader

XXX

11

HET SCHIEREILAND PORTLAND WERD DOOR EEN BULDERENDE ZUIDwester geteisterd toen Sam en ik die woensdag van Chesil Beach aan kwamen rijden op zoek naar de beeldentuin. Als ik had mogen kiezen, was ik liever alleen gegaan. Er waren nog te veel dingen die uitgelegd moesten worden – mijn meer dan vluchtige belangstelling voor Danny, bijvoorbeeld – maar ik schrok ervoor terug Sam te vertellen dat zijn aanwezigheid de moeilijkheden alleen maar groter zou maken nu hij op zijn manier zijn onverschillige houding uit het verleden goed probeerde te maken, wat zich, net als bij mijn moeder, uitte in een verlate wens mee te mogen doen.

Ik had de vorige dag een halfhartige poging ondernomen te praten over de drie weken aan het eind van januari en het begin van februari '79 die ik alleen op Graham Road had doorgebracht, maar de gewoonte te zwijgen was zo diepgeworteld dat ik het na een paar minuten opgaf. Ik merkte dat ik niet over angst kon praten zonder wreed te worden, en dat ik niet wreed kon worden zonder die wreedheid op Sam te richten omdat hij me in de steek had gelaten op het moment dat ik hem ontzettend nodig had. Uiteindelijk nam ik, zoals zo vaak in mijn leven, het fatalistische standpunt in van laat komen wat er kome. Sam was volwassen. Als hij niet met de waarheid kon leven, hoe die dan ook aan hem werd geopenbaard, dan zou niets wat ik zou doen of zeggen daar verandering in kunnen brengen.

Het schiereiland Portland, een schuine plak kalksteen, zes kilometer lang en anderhalve kilometer breed, vormt een natuurlijke waterkering tussen Lyme Bay in het westen en een stuk beschut water tussen Weymouth en het schiereiland Purbeck in het oosten. De steile klippen rijzen bijna honderdvijftig meter uit zee op en alleen de meest geharde vegetatie overleeft het veranderlijke Engelse klimaat. Toen Sam en ik onze weg omhoog zochten, bedacht ik me hoe somber het er was en dat het niet vreemd was dat opeenvolgende regeringen Portland zowel als fort tegen vijandelijke invasies hadden gebruikt als als gevangenenkolonie.

In 1847 had de Admiraliteit veroordeelden die op transport naar Australië wachtten ingezet om een indrukwekkende haven op de oostkust van Portland te bouwen die onder het ministerie van Defensie ressorteerde tot de regering hem in begin jaren negentig afstootte. Op de een of andere manier leek het gepast – gezien de veroordeelden die hier hadden gezwoegd – dat het meest opvallende element die woensdag in Portland Harbour een grijs gevangenisschip was dat vier jaar eerder uit Amerika hierheen gehaald was om de chronische overbezetting van Hare Majesteits staatsgevangenissen op te vangen.

'Zit Michael Percy daar?' vroeg Sam me.

'Nee. Hij zit in de gewone gevangenis hier op het schiereiland, de Verne. Ergens aan onze linkerhand.' Ik wees naar een onregelmatig Victoriaans gebouw voor ons dat de skyline domineerde. 'En dat is de jeugdinrichting. Het is ooit gebouwd om huisvesting te bieden aan de veroordeelden die de haven bouwden.'

'Goeie God, hoeveel gevangenissen zitten hier wel niet?'

'Drie, het schip meegeteld.' Ik lachte om zijn gezichtsuitdrukking. 'Dat wil heus niet zeggen dat Dorset een centrum van criminele activiteit is, hoor,' zei ik. 'Troosteloze rotsklompen zijn gewoon geschikte bewaarplaatsen voor de mislukkelingen van de maatschappij. Denk maar aan Alcatraz.'

'Wat heeft Michael eigenlijk gedaan?'

Ik dacht aan de krantenknipsels over zijn proces die eind 1993 binnengekomen waren. 'Is in leren pak en valhelm een dorpspostkantoor binnengegaan en heeft een bejaarde vrouw met een pistool geslagen tot de postdirecteur zijn beveiligde deur openmaakte en hem de inhoud van de kassa overhandigde.'

Sam floot. 'Een klootzak dus.'

'Dat hangt ervan af hoe je het bekijkt. Wendy Stanhope zou zeggen dat het de schuld van zijn moeder is omdat ze hem niet onder de duim heeft gehouden. Ze heette Sharon Percy. Dat was die blondine die jij wel eens in de pub zag.'

Hij trok een gezicht. 'Die prostituee? Ze stroopte de hele bar af op zoek naar klanten. Ze heeft het een keer met mij en Jock proberen aan te leggen, dus heb ik haar verteld wat ik ervan vond. Jock was achteraf razend op me. Hij zei dat Libby het hem heel lastig maakte, en dat hij meteen toegehapt zou hebben als ik het niet voor hem verpest had.'

'Mmm. Nou, ik denk dat hij je zand in de ogen wilde strooien voor het geval haar toenaderingspoging je achterdochtig zou maken. Volgens Libby betaalde hij het grootste deel van '78 dertig pond per week aan Sharon. En ze deden ook niet erg hun best het geheim te houden, behalve voor mensen die ertoe deden… zoals jij en ik en zijn vrouw.' Vanuit mijn ooghoek keek ik naar hem. 'Paul en Julia Charles wisten het omdat Paul Jock op een avond uit Sharons huis zag komen.'

Hij keek me verschrikt aan. 'Dat meen je niet!'

'Jawel. Ze vroeg twintig voor recht op en neer, dertig voor fellatio en Jock is maandenlang iedere dinsdag bij haar langs geweest.' Ik trok vermaakt mijn wenkbrauw op. 'Reken zelf maar uit welke dienst ze hem bewees.'

'Shit!' Hij klonk zo geschokt, dat ik me afvroeg of het tot hem was doorgedrongen dat 'dinsdag' de dag was waarop Annie stierf, en hij zich nu de bijzonderheden van het alibi dat hij Jock had verschaft probeerde te herinneren. 'Wie heeft je het verteld?'

'Libby.'

'Wanneer?'

'Ongeveer een jaar nadat we uit Engeland vertrokken zijn. Het is allemaal voor de rechter geweest toen Jock de alimentatieregeling wilde aanvechten. Libby heeft een goede advocaat ingehuurd en die vroeg uitleg voor de wekelijkse opname van dertig pond van de gezamenlijke rekening, en bovendien wilde hij een verklaring van al die andere bankrekeningen die hij buiten Libby om geopend had. Jock heeft zijn zondes niet kunnen verbergen en de rechter heeft hem helemaal uitgekleed.' Ik wees op een bord met Tout Quarry erop. 'Hier moeten we er geloof ik af.'

Hij knipte zijn richtingaanwijzer aan. 'Waar deden ze het dan?'

'In haar huis. Sharon smokkelde haar klanten via het achterom het huis in vanwege haar goede naam… voorzover ze die had.'

'En haar kind?'

'Michael? Ik geloof dat hij er niet zo vaak was. Wendy zei dat hij voortdurend in aanraking kwam met de politie, dus ik denk dat hij meestal op straat moest rondzwerven.'

'Jezus,' zei Sam walgend terwijl hij de auto het hobbelige zandpad op stuurde dat naar de beeldentuin leidde. 'Geen wonder dat hij het slechte pad op ging.' Hij stopte en zette de motor af. 'Hoe hebben ze hem gepakt voor die overval op het postkantoor?'

'Hij heeft het drie maanden later aan zijn vrouw opgebiecht, en zij heeft hem meteen aangegeven. Ze heeft de politie het zwartleren jack gegeven dat Michael die dag droeg. Er zaten nog steeds bloedsporen rond de manchetten, en dat kwam overeen met het bloed van die vrouw.' Ik dacht even na. 'Michael heeft schuld bekend, maar daar had hij weinig aan. De rechter gaf Bridget een compliment omdat ze de politie zo dapper had bijgestaan, en beloonde haar moeite met een gevangenisstraf voor haar man van elf jaar.'

'En dat is de Bridget die op Graham Road woonde?'

'Jawel. Op nummer 27... tegenover Annie. Haar vader, Geoffrey Spalding, trok toen ze dertien was bij de moeder van Michael in, en liet haar en haar oudere zusje Rosie aan hun lot over. Ik weet niet wat er van Rosie geworden is, maar Bridget en Michael zijn ergens in 1992 getrouwd, kort nadat Michael een lange straf had uitgezeten voor inbraak en inbraak met bedreiging. Hij is ongeveer een halfjaar schoon geweest, en toen heeft hij die overval gepleegd. Alles bij elkaar genomen hebben Bridget en hij minder dan een jaar als echtpaar samengewoond.'

'En ze zijn nu gescheiden?'

'Nee. Het laatste wat ik over haar hoorde was dat ze in Bournemouth werkt en één keer in de maand naar Portland komt om Michael te bezoeken. Daarom zit hij hier... omdat niemand hem komt bezoeken, behalve zijn vrouw. Ze zei tijdens het proces dat ze nog steeds van hem hield, dat ze niemand zo vertrouwt als Michael omdat ze elkaar al sinds hun jeugd kennen, en dat de enige reden dat ze hem heeft aangegeven was dat ze bang was dat hij iemand zou gaan vermoorden. Ik vond dat wel dapper van haar,' zei ik droogjes. 'Zijn moeder is daarentegen een lafaard... Sharon dus... blijft uit zijn buurt... doet ze al jaren omdat ze zich doodschaamt. Sinds de vader van Bridget bij haar is ingetrokken en ze niet meer de hoer hoeft te spelen, is ze heel netjes geworden.'

'Wat een takkewijf,' zei Sam.

'Geen geweldige moeder in elk geval.'

Sam legde zijn armen op het stuur en keek in gedachten verzonken door de voorruit. 'Waren alle kinderen zo slecht?' vroeg hij. 'De kinderen Charles naast ons bijvoorbeeld, hoe zat het daarmee?'

'De oudste was nog maar vijf,' zei ik, 'en Julia hield ze altijd in het oog. Het waren eigenlijk alleen de kinderen Slater en Michael die verwilderden... in beide gevallen omdat hun moeders hen lieten zitten. Sharon kon het niet schelen... en Maureen werd zo mishandeld door Derek dat ze zich het grootste deel van haar tijd zat te bezatten in de slaapkamer.'

'Wist je dit allemaal al in '78?'

'Nee. Ik heb het meeste van Libby, na onze verhuizing. Ik wist dat Alan Slater bij vechtpartijen betrokken was want hij zat onder de blauwe plekken, maar ik besefte niet dat zijn vader hem sloeg. Ik heb het er een keer met de rector over gehad, maar hij zei alleen maar dat het wel goed voor Alan was om door zijn leeftijdgenoten afgerammeld te worden, omdat hijzelf zo'n vechtersbaas was. En Michael,' – ik lachte even – 'ik vond hem altijd erg rijp voor zijn leeftijd. Hij heeft een paar liefdesgedichten voor me geschreven en die op mijn tafel gelegd, met de ondertekening: De Gevangene van Zenda.'

'Hoe wist je dat ze van hem waren?'

'Ik herkende het handschrift. Het was een bijzonder intelligent kind. Als hij een andere achtergrond had gehad, had hij nu een bul van Oxford in plaats van een ellenlang strafblad. Het probleem was dat hij constant spijbelde, hij volgde maar een op de drie lessen.' Ik zuchtte. 'Als ik wat meer ervaring had gehad... of me minder door die stomme rector had laten intimideren... dan had ik hem kunnen helpen. Maar nu heb ik hem in de steek gelaten.' Ik zweeg. 'Alan ook,' voegde ik er even later aan toe.

'Wist Jock dat Michael spijbelde?'

Ik stak mijn hand uit naar de kruk van mijn portier. 'Ik denk het niet,' zei ik ruw. 'Hij betaalde om zich te laten pijpen, niet om naar verhalen over Sharons kind te luisteren.'

Pas na jaren had ik begrepen dat de gedichten van Michael meer over eenzaamheid dan over liefde gingen. Toen ik ze van hem kreeg wist ik niet wat ik ervan moest denken. Soms dacht ik dat het gewoon plagiaat was, mogelijk van songteksten, en een volgende keer bewonderde ik hem weer dat hij op zijn veertiende zo indringend kon schrijven. Maar hoe dan ook getuigde het van een ongezonde verliefdheid op mij vond ik, en ik zorgde ervoor hem zo ver mogelijk uit mijn buurt te houden, zodat hij niet lastig kon worden.

Als ik ouder was. Als ik verstandig was.
Dan zou je me met andere ogen
bekijken.
Dan zou je van me houden
Als ik knap was. Als ik sterk was.
Dan zou niemand zeggen
Dat het dom was van me te houden.

Ik vind het altijd droef te zien
Als onkruid groeit waar bloemen moesten zijn.
Dus denk ik aan bloemen als ik aan jou denk.

Ik vind het altijd droef te horen
Die verstikkende stilte in de lucht.
Dus denk ik aan muziek als ik aan jou denk.

Brief van Libby Garth – ex-vrouw van Jock Williams, voorheen woonachtig op Graham Road nr. 21, Richmond, nu woonachtig in Leicestershire

Windrush
Henchard Lane
Melton Mowbray
Leicestershire

4 december 1989

M'lief,

Gelukkig kerstfeest! Ik had jullie graag een kaart gestuurd, maar ik denk dat Sam dan helemaal over de rooie gaat. Ik vind het nog steeds pijnlijk, weet je, dat hij Jocks kant heeft gekozen zonder ooit de moeite te nemen naar mijn verhaal te luisteren. Ik weet dat jij zegt dat het niet in zijn aard ligt kwaad van iemand te denken – laat staan van een goede vriend – maar hij moet toch wel kwaad van mij denken als jij hem niet eens kunt vertellen dat wij elkaar nog steeds schrijven. Het is afgezaagd maar helaas waar dat een scheiding niet alleen de eigendommen verdeelt, maar ook de vriendenkring. Maar afgezien daarvan is het misschien beter zo als hij nog steeds niets wil horen over de dood van Annie.

Heb je ooit begrepen waarom dat zo is? Ik weet dat jij zegt dat hij de gewoonte heeft alles waar hij niet aan herinnerd wil worden te vergeten – zoals de tijd dat jij frigide was, jullie bijna-scheiding, jouw 'zenuwinzinking', de officiële waarschuwing die je van de politie hebt gekregen... en ga zo maar door... – maar Annie is nu toch geen bedreigend onderwerp meer? Hij kan haar niet vermoord hebben, want hij is niet het type dat mensen onder vrachtwagens duwt! Het moet toch Derek Slater zijn geweest? Dat was de enige man in Graham Road die er slecht genoeg voor was.

Met Jim en de meisjes gaat het prima. Op het ogenblik probeer ik Jim te weerstaan die me probeert over te halen nog een poging te wagen voor een jongetje. Ik zeg hem voortdurend dat een driejarige en een baby van negen maanden en een baan als lerares meer dan genoeg voor wie dan ook is, maar hij denkt kennelijk dat ik Superwoman ben. Hoe heb jij het in godsnaam gered zonder oppas? Het enige wat mij overeind houdt is dat ik iedere ochtend in mijn auto kan stappen om de dag met mijn alternatieve 'gezin' op school door te brengen, hoewel ik er nog steeds niet achter ben hoe ik veertien jaar oude gorilla's met twee keer zoveel testosteron als hersenen ervan moet overtuigen dat leren 'heel nuttig' is. Elke keer als ik de klas uit ga, voel ik me verkracht en leeggezogen door hun weerzinwekkende fantasieën. Heeft dat na de dood van Annie ook bijgedragen aan jouw pleinvrees? Ik weet nog dat je me zei dat je er niet tegen kon hoe Alan Slater en Michael Percy naar je keken.

Trouwens, ik sluit twee knipsels bij. Een over Michael die van kwaad tot erger vervalt – wat kun je anders verwachten van een zoon van die slet? Ja, dat is krengig, maar ik zou een heilige zijn als ik die 'geblondeerde vampier' en haar nageslacht niet haatte, gezien het feit dat ze van Jock een regelmatiger bijdrage aan hun inkomen hebben gehad, dan ik ooit gezien heb. Het tweede knipsel gaat over die politieman – hoofdagent Drury – die jij nog zo leuk vond in het begin. (Hij zag eruit als een kortgeknipte versie van Patrick Swayze in Dirty Dancing – heb je die film gezien? Hartstikke goed!) Ik was zelf vast ook op hem gevallen als het niet zo'n klootzak was gebleken. Onvergeeflijk dat hij uit de school geklapt heeft tegen Sam. Heb je er wel eens aan gedacht dat dat Sams probleem met de Annie-geschiedenis is? Het was in ieder geval een probleem voor hem de avond voor hij er voor drie weken vandoor ging. Heb je hem al vergeven dat hij je toen gedwongen heeft? Een ontzettend gore rotstreek van hem, terwijl jij aan pleinvrees en een depressie leed. Maar dat is typisch mannelijk: eerst doen, dan denken! Ik denk dat hij er inmiddels zwaar spijt van heeft, vooral als je hem ervan hebt weten te overtuigen dat Drury loog!

Maar goed, Drury heeft eervol ontslag gekregen, hoewel het stukje suggereert dat hij eruit getrapt is omdat hij een zeventienjarige Aziatische jongen heeft afgetuigd.

Kop op,
Veel liefs,

Libby

Buurtgenoot veroordeeld

Michael Percy, 25, van Graham Road, Richmond, heeft gisteren schuld bekend aan inbraak met bedreiging in een woning in Sheen Common Drive. Hij gaf toe dat hij een beitel bij zich droeg en daarmee de heer des huizes bedreigde toen hij er tot zijn verrassing achter kwam dat de bewoners thuis waren. Tien andere tenlasteleggingen wegens inbraak zijn meegewogen in het oordeel van de rechtbank. De rechter omschreef Percy als een 'onverbeterlijke crimineel' en een 'gevaarlijk man' en veroordeelde hem vervolgens tot vier jaar.

***** Richmond & Twickenham Times – 14 september 1989**

Hoofdagent verlaat politie

Hoofdagent Drury, 39, verlaat na 15 jaar de hoofdstedelijke politie in Richmond. Drury was al twee maanden met ziekteverlof, na een vechtpartij tussen hem en een groep jongeren achter de pub William of Orange. Een van de jongens, Javinda Patel, 17, liep daarbij een gebroken kaak op en moest in een ziekenhuis worden opgenomen. De rest van de bende was er al vandoor voor Drury's collega's ter plekke waren. Een zegsman van de politie: 'De heer Drury is bijzonder geschokt over het voorval en het heeft zeker bijgedragen tot zijn beslissing vervroegd uit te treden. We vinden het altijd spijtig goede collega's kwijt te raken.' Hij ontkent dat Drury de vechtpartij begonnen is.

***** Richmond & Twickenham Times – 24 november 1989**

12

TOUT QUARRY, EEN OUDE GROEVE WAAR EENS PORTLAND-STEEN MET DE hand werd uitgehakt en die nu onderdak bood aan de beeldentuin, was een wilde, prachtige plek. Een door mensenhanden gemaakte doolhof van in elkaar overlopende kloven en open plekken als amfitheaters waar struikgewas en kromme bomen groeiden tussen blokken halfopgedolven sedimentair gesteente. Het zag eruit alsof een reuzenhand in de buik van de aarde had gegrabbeld en de stenen in een chaotische wanorde had rondgestrooid.

Sam was gefascineerd door de beelden die hier en daar stonden. Ze waren *in situ* uitgehakt en gaven subtiel vorm aan het onherbergzame landschap. 'Vallend' van Antony Gormley – een cameofiguur die van een stenige klif af duikt – 'De Steen der Wijzen' van Pobert Harding – een ingewikkeld patroon van uitgehakte stenen opgesteld tussen V-vormige rotsen. Een hurkende man met zijn kin op zijn knieën. Voetstappen. Een tulp, die uit de rots gehakt was en in spiegelbeeld op de grond lag. 'Mag iedereen het proberen?' vroeg hij terwijl hij een fossiel in een stuk steen bekeek en probeerde vast te stellen of het een echte ammoniet was of een nagemaakte.

'Ik denk dat je gevraagd moet worden.'

'Jammer,' zei hij teleurgesteld. 'Ik had graag mijn sporen voor het nageslacht achtergelaten.'

Ik lachte. 'Dat is waarschijnlijk de reden dat mensen zoals jij niet mogen. Jij zou er na een tijdje genoeg van krijgen en "Sam was hier, 1999" uithakken. De hele plek zou ontheiligd worden met graffiti.'

We hoorden de beeldhouwworkshop voor we hem zagen. Een aanhoudend rat-tat-tat van hamers op beitels, overstemd door het gefluit van de wind door een plastic zeil dat boven de hoofden van de beeldhouwers was gespannen. Het zag er bijzonder vlijtig uit: alle aanwezigen waren er met een doel, ze wilden driedimensionaal leren werken. Witte schilfers steen lagen op de grond en een fijn stof had zich als bakmeel aan armen, haren en kleding gehecht. Het had een

Renaissance-atelier in Italië kunnen zijn als het plastic, de spijkerbroeken en T-shirts die vrijwel iedereen droeg er niet geweest waren. Bovendien was de helft van de beeldhouwers vrouw.

De workshop werd in een beschutte geul gehouden en Danny onderscheidde zich van de rest van de groep, niet alleen omdat hij vlak bij de ingang stond, maar ook omdat zijn blok steen drie keer zo groot was als dat van de anderen. Hij was ook al een stuk verder. De meesten waren nog bezig de basisvorm aan te brengen, maar Danny had al een gebrild hoofd en het bovenste deel van een torso aan de greep van de kalksteen ontworsteld en gebruikte nu een klauwbeitel om een korrelige structuur aan te brengen op de huid van het gezicht.

Hij keek op toen we naderbij kwamen. 'Wat vindt u ervan?' vroeg hij terwijl hij een stap naar achteren deed en zijn handen langs zijn zij liet vallen, niet verrast dat we zijn werk kwamen bewonderen. Ik verbaasde me erover hoe goed ontwikkeld zijn armen en schouders waren, nu ze niet meer schuilgingen onder zijn jasje.

'Voortreffelijk,' zei Sam met die overdreven bonhomie die hij voor mannen bewaarde die hij niet zo goed kende. 'Wie is het? Kennen we hem?'

Danny kneep zijn ogen geïrriteerd samen.

'Mahatma Gandhi,' zei ik met een snelle blik op de tekeningen en foto's die naast hem op de grond lagen. Dat had in wezen niet gehoeven, want de gelijkenis was er wel degelijk, ook al was die meer op gevoel dan werkelijkheid gebaseerd. 'Een ambitieus onderwerp.'

Dat beviel hem al evenmin. 'Echt een schooljuffrouw,' zei hij op vernietigende toon, met een blik op het zeil waaronder de docenten advies en hulp aan de andere studenten boden. 'Dat zeggen zij ook steeds.'

Ik keek nieuwsgierig naar hem. 'Waarom vat je het niet als een compliment op?'

Hij haalde zijn schouders op. 'Ik weet heus wel of iets kleinerend bedoeld is.'

'Je bent veel te gevoelig,' zei ik. 'In mijn geval was het juist als aanmoediging bedoeld. Je bent duidelijk de ster hier... je steekt met kop en schouders boven de rest uit... en als je niet blind bent of oerdom, dan moet je dat zelf ook weten.'

'Doe ik ook.'

'Hou dan op met dat geklaag en laat zien dat je een ambitieus project aankunt.' Ik streek met mijn vinger langs de meer dan levensgrote bril die met een hoek van vijfenveertig graden van de gerimpelde stenen wangen afstond. 'Hoe heb je dit in godsnaam gemaakt?'

'Voorzichtig,' zei hij, eerder welgemeend dan om grappig te zijn.
Ik glimlachte. 'Was je niet bang dat je hem eraf zou tikken?'
'Dat ben ik nog steeds.'
'Er staat een bronzen beeld van Gandhi in Ladysmith in Zuid-Afrika. Een gedenkteken voor de ambulanceafdeling van het leger die hij hier tijdens de Boerenoorlog oprichtte. Het is het enige andere beeld dat ik ooit van hem gezien heb.'
'En als u hem vergelijkt?'
'Met deze?'
Hij knikte. Ik zou zijn vraag als arrogant kunnen hebben opgevat, als de spieren in zijn schouders niet zo gespannen waren geweest en zijn frons minder kwaad. Hij maakte zich weer op zichzelf te verdedigen, dacht ik.
'Het is een heel professionele levensgrote afbeelding in brons van een klein mannetje dat zijn plicht voor het Imperium vervulde nadat hij Engels staatsburger was geworden,' zei ik. 'Maar dat is dan ook alles. Ik kreeg geen idee van zijn grootheid, van het buitengewone effect dat zijn nederigheid op de wereld had, van zijn innerlijke kracht.' Ik raakte het ruwe, kalkstenen gezicht aan. 'Gandhi was een reus zonder pretenties. Ik zie hem liever meer dan levensgroot en uit ruwe steen gehouwen dan realistisch klein en gladgepolijst in brons.'
Zijn frons verdween. 'Wilt u hem kopen?'
Ik schudde spijtig mijn hoofd.
'Waarom niet? U zei net dat u hem mooi vindt.'
'Maar waar moet ik hem neerzetten?'
'In uw tuin.'
'We hebben geen tuin. We huren de boerderij alleen voor de zomer. Daarna...' ik haalde mijn schouders op. 'Dat weten we nog niet... Als we geluk hebben, kunnen we ons wellicht een schoenendoos permitteren met een zakdoek als tuintje en een paar rozenstruiken... en eerlijk gezegd zou een buste van Mahatma Gandhi daar middenin uiterst misplaatst zijn.'
'Ik dacht dat u steenrijk was,' zij hij teleurgesteld.
'Helaas niet.'
Hij haalde zijn sigaretten tevoorschijn. 'U houdt gewoon de schijn op.'
'Zoiets ja.'
'Ach, nu ja,' zei hij berustend terwijl hij zijn hoofd boog om zijn aansteker tegen de wind af te schermen. 'Misschien geef ik hem u wel cadeau.' Hij blies de rook door zijn neus uit. 'Het kost me kapitalen om hem naar Londen te vervoeren, en je hebt grote kans dat zijn bril

er onderweg afbreekt. U kunt een verzameling beginnen... zet hem naast de Quetzalcóatl... maak de Slaters om nog wat anders beroemd dan om drugs, inbraak en vrouwenmishandeling.'

Ik stelde voor dat we Danny op een lunch zouden trakteren in de Sailor's Rest in Weymouth, maar Sam was er niet voor. 'Je eet er goed,' zei hij, 'maar de waard is een klootzak.'

'Ik denk dat je hem wel kent,' zei ik tegen Danny toen we terugliepen naar de auto. 'Het is de politieman die ervoor gezorgd heeft dat Alan achter de tralies kwam. Ik dacht dat je het wel leuk zou vinden hem eens in een andere omgeving te zien.' Ik onderbrak de stilte die op deze opmerking volgde door op het wrak van een vikingschip te wijzen dat creatief op wat rotsen aan onze linkerhand was geworpen. 'Mooi gebruik van het materiaal,' mompelde ik.

'Hoe heet hij?' vroeg Danny.

'James Drury. Hij was hoofdagent in Richmond tot ze hem hebben gedwongen ontslag te nemen. Toen heeft hij een cursus pubmanagement gevolgd voor Radley's Brewery. Hij is begonnen in Guildford en in '95 heeft hij de Sailor's Rest gekregen.'

Danny bekeek me met begrijpelijke achterdocht. 'Hoe weet u dat hij degene is die Alan gepakt heeft?'

'Een buurvrouw uit Graham Road heeft het me verteld,' legde ik uit. 'Libby Williams.' Hij schudde zijn hoofd. 'Zij wist dat alles wat meneer Drury deed mij interesseerde, vooral als het om een ex-leerling van me ging.' Ik stak mijn arm gezellig door de arm van Sam om de klap van deze onthullingen wat te verzachten. 'Ik heb hem een paar keer ontmoet voor we naar het buitenland gingen. Waarschijnlijk de meest corrupte persoon die ik ooit ben tegengekomen... een dief, een leugenaar, een bullebak... en een racist. Helemaal het verkeerde type om een politie-uniform te dragen.'

Een vreugdeloos lachje ontsnapte aan Danny. 'Hij heeft Alan er in ieder geval ingeluisd. Goed, ik zeg niet dat mijn broer een heilige was, maar hij was geen pusher. Een gebruiker misschien, maar geen pusher.'

'Hoe is het gegaan?'

'Ik weet de bijzonderheden niet precies... Ik was toen nog klein... maar ma zei dat Drury hem er een keer in een pub heeft ingeluisd, dat hij honderdtwintig gram hasj in zijn zak heeft gestopt terwijl hij hem handboeien aandeed. Een echte klootzak. Als hij je op het ene niet kon pakken, dan pakte hij je op iets anders.'

'Wat had Alan dan wél gedaan?'

Danny balde zijn handen tot vuisten en stootte zijn knokkels tegen elkaar. 'Altijd maar vechten, vooral als hij dronken was. Heeft het op een avond met het hele politiekorps aan de stok gekregen en ze er goed van langs gegeven, ook al was hij nog maar vijftien.' Bij de herinnering speelde een glimlachje om zijn lippen. 'Hij heeft er vijfduizend pond smartengeld voor gekregen.'

'Wat een grap!' zei Sam.

'Niet echt. Al was heel wat erger gewond dan die russen. Drie gebroken ribben... overal afdrukken van hun laarzen, zo hadden ze hem geschopt... inwendige bloedingen... erger dan je kunt verzinnen... Maar het echte probleem was...' – Danny liet met een welgemikte trap een steen door de lucht vliegen – 'vanaf dat moment had Drury het op de kinderen Slater voorzien. Hij heeft ons allemaal wel eens opgepakt...' – hij wreef zijn arm bij de herinnering – 'en als hij de kans kreeg, ranselde hij ons af.'

'Maar waar is Alan dan voor veroordeeld?' vroeg ik nieuwsgierig. 'Bezit of geweldpleging jegens de politie?'

Danny fronste zijn wenkbrauwen. 'Ik denk voor dealen,' zei hij vaag. 'Maar het was hoe dan ook een opzetje. Ze vonden dat hij een slechte invloed op de rest van ons had, dus heeft Drury hem achter slot en grendel gezet tot hij afgekoeld was. Daarna is hij altijd op het rechte pad gebleven... dus het heeft kennelijk wel geholpen.'

Ik vroeg me af of dit allemaal waar was, of dat het een verhaal was dat de Slaters zelf verzonnen hadden om aan de buitenwereld op te dissen.

Sam wendde zich verbaasd tot mij. 'En die Drury was die man die naar jou stond te staren?'

Ik knikte. 'Ik denk dat hij probeerde te bedenken wie ik was.'

'Nu, daar is hij dan nu wel achter. Ik heb met m'n creditcard betaald.'

'Ja,' knikte ik. 'Daarom zijn we daar ook naartoe gegaan.'

Hij keek de andere kant op terwijl hij de stukjes van zijn persoonlijke legpuzzel aan elkaar probeerde te leggen. 'Wat wil je nu?' vroeg hij toen we bijna bij de auto waren. 'Gaan we naar die misdadiger toe en spreken we hem aan? Of gedragen we ons beschaafd, maar hooghartig?'

'Dat hebben we de vorige keer al gedaan,' bracht ik hem in herinnering.

'*Jij* misschien,' snauwde hij geërgerd, terwijl hij het sleuteltje in het slot stak. 'Maar *ik* wist bij god niet wie het was. Ik zag alleen maar een lul van middelbare leeftijd die naar mijn vrouw stond te koekeloeren.' Over het dak keek hij ons fronsend aan. 'Als je over die diefstal met hem wilt praten, bereik je niets. Larry zei dat hij niet de minste belangstelling had toen Sheila erover begon. Hij werd alleen maar ongelofelijk onbeschoft en heeft haar op de rand van een zenuwinzinking gebracht.'

Ik keek even snel naar Danny en zag alleen nieuwsgierigheid in zijn ogen. 'Ik wil hem een beetje van slag brengen,' zei ik. 'Ik wil dat hij zich afvraagt wat drie ex-bewoners van Graham Road in zijn pub doen.'

Sam was duidelijk niet onder de indruk en schudde zijn hoofd. 'Ja, maar waarom? Wat denk je daarmee te bereiken? Waarom zou jij meer succes hebben dan Sheila? En ik heb geen zin in een schreeuwpartij en plein public.'

Danny deed zijn mond al open voor ik antwoord kon geven, nadat hij zijn handen in zijn zakken had gestoken om wat zich daar ook bevond te beschermen. *Hasj?* Vroeg ik me af. 'Ik heb de afgelopen tien jaar mijn best gedaan zoveel mogelijk afstand tussen meneer Drury en mij te scheppen,' mompelde hij, 'en ik zou het prettiger vinden als hij dacht dat ik niet meer bestond.'

Ik haalde zogenaamd onverschillig mijn schouders op. 'Goed... dan gaan we ergens anders naartoe. Ik was toch altijd al van plan in mijn eentje op hem af te gaan. Mij maakt hij niet bang... niet zoveel als hij graag zou willen, tenminste...'

Ik loog natuurlijk.

Sam nam zoals ik al hoopte de handschoen op, hoewel met tegenzin omdat hij duidelijk dacht dat ik van plan was een scène te schoppen, terwijl Danny mompelde dat het niets met angst te maken had, en alles met gezond verstand. Hij vroeg me of we van plan waren hem daarna naar de beeldentuin terug te brengen en toen ik zei dat we dat zouden doen, klaarde hij zichtbaar op en stopte iets tussen de kussens van de achterbank voor we de auto verlieten.

Toen we bij de Sailor's Rest waren, koos Sam een tafeltje bij de kademuur uit. Hij bekeek de andere klanten oplettend om te zien of hij iemand herkende. 'Probeer in ieder geval niet te hard te praten,' mopperde hij geïrriteerd. 'Je gaat altijd zo schreeuwen als je het over Annie hebt.'

'Nu niet meer,' zei ik en toen wendde ik me tot Danny en vroeg of hij met me meeging naar binnen. 'Sam kan op ons tafeltje passen,' zei ik, 'terwijl wij wat te drinken halen.'

'U bedoelt dat u het konijntje aan de fret wil laten zien,' merkte hij mistroostig op toen ik hem voorging over de keien naar de voordeur van de pub.

Ik glimlachte, ik vond hem opeens erg aardig. 'Konijn*tjes*,' zei ik. 'We zitten in hetzelfde schuitje... maar met z'n allen ben je sterker... dat kan elk konijntje je vertellen.'

'En wie is die Annie dan wel waar u van gaat schreeuwen?' vroeg hij toen we op de drempel stilstonden om onze ogen te laten wennen aan de overgang van de stralende zonneschijn buiten naar de onderwereldse duisternis binnen.

'Annie Butts,' zei ik. 'Ze woonde naast jullie op Graham Road toen Sam en ik er nog waren. Je moeder weet het vast nog wel. Het was een zwarte dame die kort voor wij vertrokken door een vrachtwagen aangereden is. Haar dood was een van de redenen waarom meneer Drury en ik het aan de stok kregen.'

Hij schudde zijn hoofd. 'Nooit van gehoord.'

Ik geloofde hem. Hij leek geen herinneringen aan zijn vroege jeugd te hebben – misschien omdat ze te pijnlijk waren en hij ervoor gekozen had ze te verdringen, net als ik had gedaan met mijn onrustbarender herinneringen – en ik was dankbaar voor die onwetendheid. Dat ontlastte mijn geweten in ieder geval weer een beetje. 'Waarom zou je ook,' zei ik. 'Iedere dag gaat er wel iemand dood, maar meestal herinnert alleen hun familie hen nog maar.'

Hij keek naar de bar waar Drury stond. 'Maar waarom heeft u het dan over haar met Drury aan de stok gekregen?'

Een goede vraag. 'Dat weet ik niet,' zei ik naar waarheid. 'Ik heb dat nooit begrepen. Maar eens kom ik er wel achter... als er tenminste een verklaring voor is.'

'Zijn we daarom hier?' vroeg hij, onbewust de woorden herhalend die mijn moeder drie dagen geleden uitgesproken had. Ergens was dat een compliment. Ze dachten allebei dat ik wist wat ik deed.

Correspondentie van Michael Percy, zoon van Sharon – veroordeeld wegens gewapende overval – zit zijn straf uit in de Verne-gevangenis op Portland – voorheen woonachtig op Graham Road nr. 28 – gedateerd 1999

Bij beantwoording van deze brief, gelieve u op de envelop te vermelden:

Nummer: V50934 **Naam:** Michael Percy
Afdeling: B2

Afdeling B2
Gevangenis de Verne
Portland
Dorset
DT5 1EQ

Aan: Mevrouw M. Ranelagh
'Jacaranda'
Hightor Road
Kaapstad
Zuid-Afrika

1 februari 1999

Beste mevrouw Ranelagh,

U hoeft zich niet druk te maken over die postzegels. Er zitten een hele hoop buitenlanders in de Verne – drugssmokkelaars en zo die bij vliegvelden worden gearresteerd – dus mogen we postzegels inwisselen voor luchtpostbrieven. En dat kan prima, want ik heb niemand anders dan Bridget om aan te schrijven.

U kunt zich wel voorstellen dat het leven hier binnen nogal triest is, maar het is mijn eigen schuld. Iedere gevangene is in wezen een vrijwilliger. U zegt dat u in de kranten hebt gelezen wat ik gedaan heb en dat uw vader me via een vriend die in het gevangeniswezen zit, heeft opgespoord. Ik ben er blij om. U bent altijd mijn lievelingsjuf geweest, hoewel u misschien niet met me wilt blijven schrijven als ik u vertel dat alles wat over me gezegd is, klopt. Ik schaam me er nu voor, maar het is nogal hypocriet om achteraf te zeggen dat het je spijt, vindt u niet? De rechter zei dat ik gevaarlijk was omdat ik geen geweten heb, maar ik denk dat het probleem is dat ik niet vooruit kan denken. Ik ben nooit in staat geweest van tevoren te zien waar ik spijt van zou kunnen krijgen – zo eenvoudig ligt het.

U vraagt wat ik me van de zwarte vrouw herinner die op Graham Road naast ons woonde. Heel wat! Ze maakte mijn moeder knettergek met haar gescheld door de muren heen over 'hoeren', 'trutten, 'vuil' en dergelijke. Ma heeft een keer vanuit een bovenraam een emmer water over haar heen gegooid toen ze haar over onze schutting zag gluren, en ouwe Annie krijste het uit omdat ze dacht dat het pis was. Het is waarschijnlijk gemeen om het nu te zeggen – omdat ze dood is en zo – maar het was toen nogal geestig.

Het zou handiger zijn als u een lijstje maakt van de dingen die u wilt weten. Ik vond haar in ieder geval niet aardig. Ze heeft Alan Slaters hand er een keer bijna afgehakt toen ze hem in haar huis betrapte – kwam hem met een vleesbijl achterna en miste hem op een paar centimeter. Hij is daarna nog dagen van streek geweest. Oké, hij had niet van haar moeten gappen, maar het is toch wel een beetje heavy om een kind met een bijl achterna te zitten omdat hij een waardeloos houten beeldje uit haar zitkamer had gepikt.

Maar goed, u moet me een lijstje sturen van wat u weten wilt. Ze maakte niet alleen mijn moeder en de moeder van Alan gek. Ze had bijna de hele straat op stang gejaagd. Ik weet nog dat ze altijd achter een vrouw aan liep als die boodschappen ging doen en dan riep ze haar 'vuile slet' na. Die werd toch kwaad! Ik heb haar een keer naar gekke Annie zien uithalen met haar boodschappentas en toen duikelde ze de goot in. Dat was ook nogal geestig. Dat stomme mens vond zichzelf heel wat.

Ik denk dat u wilt weten wie gekke Annie vermoord heeft, maar dat kan ik u niet vertellen. Ik weet nog dat mijn moeder stomverbaasd was toen ze hoorde dat ze dood was, dus het enige wat ik erover kan zeggen is dat zij en ik het niet gedaan hebben. Ik denk dat het gewoon die vrachtwagen was, zoals de politie al zei. Het spijt me als ik u daarmee teleurstel.

Uw vriend,

Michael Percy

Bij beantwoording van deze brief, gelieve u op de envelop te vermelden:

Nummer: V50934 **Naam:** Michael Percy
Afdeling: B2

Afdeling B2
Gevangenis de Verne
Portland
Dorset
DT5 1EQ

Aan: Mevrouw M. Ranelagh
'Jacaranda'
Hightor Road
Kaapstad
Zuid-Afrika

23 februari 1999

Beste mevrouw Ranelagh,

U bent degene wie de lof voor mijn handschrift toekomt. Ik weet nog hoe u ons mooi heeft leren schrijven en dat u dan zei dat als we netjes konden schrijven, we altijd een baan zouden vinden. Voor mij heeft het niet zo uitgepakt, maar dat kwam alleen omdat ik er de zin niet van inzag me uit te sloven voor een paar rotcenten als ik in een kwartiertje veel meer kon verdienen door een winkel of postkantoor te overvallen. Maar ik heb het altijd prettig gevonden netjes te schrijven, dus daar hebt u tenminste succes mee gehad! Ik ben ook nog steeds niet op m'n mondje gevallen! En dat is ook uw verdienste! U zei dat een goede woordenschat altijd een goede indruk achterlaat.

Ik zal u nog wel eens over mij en Bridget vertellen – ik zit hier vanwege haar. Echt iets voor mij om het enige meisje in de wereld te trouwen dat haar man liever verlinkt en op komt zoeken in de gevangenis dan dat ze af moet wachten tot hij iemand vermoordt! U kent haar misschien nog wel. Ze woonde bij ons aan de overkant in Graham Road en had blond haar tot haar billen tot ze het afknipte en als offer bij u in de brievenbus gooide. Ze is nog steeds beeldschoon en ze wil me niet laten zitten, ook al zeg ik haar steeds dat ze jong genoeg is om een ander te zoeken en kinderen te krijgen. Het goede nieuws is dat ik, als ik me blijf gedragen, volgend jaar vrijkom.

Goed, ter zake. De antwoorden op uw vragen luiden:

1. Ik weet niet hoe de vrouw heette die door Annie 'vuile slet' werd genoemd, maar ik denk dat haar man een van ma's klanten was, hoewel ik nooit zo lang in de buurt bleef dat ik hem goed heb kunnen bekijken. Het waren wat mij betreft allemaal schlemielen.
2. Iedereen gapte van Annie. Alan en zijn zusjes waren denk ik het ergst, maar de rest van ons deed het ook. De meisjes zetten ons er steeds toe op. Ze had hopen prulletjes in haar laden en kasten waar ze gek op waren. Ze liet haar achterdeur vaak openstaan voor de katten, dus hield een van ons haar bij de voordeur bezig terwijl een ander achterom naar binnen sloop; een makkie. Toen ze eenmaal een kattenluikje had en de deur afsloot was het zo makkelijk niet meer, maar het haakje van haar wc-raampje was kapot en kleine Danny Slater was mager genoeg om daardoorheen te glippen. Een heel slim mannetje, niet ouder dan vier, maar hij sloop de keuken in, klom op een stoel en schoof de grendel terug. Alan had hem zelfs geleerd hem achteraf weer dicht te schuiven, en via de pleebril weer uit het raampje te klimmen. Ik heb nooit geweten of Annie wist dat er spullen verdwenen – we legden alles altijd weer zo neer dat het niet meteen opviel – maar Alan zei dat ze een man had laten komen om alles in haar huis te inventariseren dus ik neem aan dat ze erachter is gekomen. En nadat ze met die hakbijl achter Alan aan is gegaan, zijn we ermee gestopt. Nu ze ons in de gaten had, leek het ons linke soep. Ik geloof dat dat zo'n twee maanden voor haar dood was.
3. Waarom deden we het? Om de spanning denk ik. Eerlijk gezegd denk ik niet dat we onszelf die vraag ooit gesteld hebben. Ik weet alleen maar dat de adrenaline door je heen suisde als je door het huis van gekke Annie sloop, vooral omdat er zoveel in stond. We deden het niet om het geld omdat we dachten dat het meeste toch troep was – dat houten beeldje bijvoorbeeld – hoewel Alans moeder Bridget eens een ring heeft afgepakt omdat ze dacht dat hij waardevol was. Ze heeft hem verpatst om wodka van te kopen, dus ik neem aan dat dat inderdaad zo was.
4. Het enige wat ik me nog van de avond van het ongeluk kan herinneren, is dat ik tegen middernacht thuiskwam en dat ma me vertelde dat ik alle pret was misgelopen. Die gekke trut van hiernaast is door een vrachtwagen overreden, zei ze. Ik weet niet meer wat ik die avond deed. Hetzelfde als gewoonlijk denk ik: gokken in de speelhal.

5. Het enige wat ik me nog van de volgende dag kan herinneren is dat ma en ik versteld stonden over het aantal katten dat uit dat huis kwam, want we wisten niet dat Annie er zoveel had.

Als je het zo allemaal overleest, klinkt het niet zo best, maar ik hoop dat u niet al te erg geschokt bent. Het probleem is dat de waarheid altijd erger klinkt als je hem ronduit spreekt. Dan vergeet je dat alles twee kanten heeft. Ik bedoel, we waren als de dood voor haar omdat ze gek was en Alans moeder zei steeds dat ze aan voodoo deed met kippen. Nu klinkt dat natuurlijk krankzinnig maar toen – god, we vonden onszelf helden dat we daar naar binnen durfden. Alan dacht dat ze ons met één blik in kikkers of zo kon veranderen!

Ik hoop dat u hier wat aan hebt,
Uw vriend,

Michael

13

Ik weet niet of ik kan zeggen dat ik wraak op Drury wilde omdat ik hem haatte. Voor haat moet je een reden hebben. Een diepgewortelde antipathie waardoor je een rood waas voor ogen krijgt iedere keer als je een naam hoort, is niet genoeg. Dokter Elias had me een paar keer gevraagd waarom ik de moeite nam zoveel energie in een man te steken die ik maar een paar weken had gekend, maar ik kon me er zelf niet toe brengen die vraag te beantwoorden, uit angst paranoïde te klinken.

Hij was weinig veranderd in twintig jaar, behalve dat zijn haar grijzer was en zijn ogen donkerder en ondoordringbaarder. Hij was even oud als Sam, maar hij was altijd al stoerder, sterker en aantrekkelijker geweest. Het was het type waar vrouwen steevast op vallen om dat later steevast weer te betreuren omdat zijn imago van keiharde kerel – een armzalige dekmantel voor vrouwenhaat – niets meer dan de realiteit blijkt te zijn.

Hij bekeek ons met een lachje toen we naar de bar toe liepen. 'Mevrouw Ranelagh.' Hij knikte spottend in Danny's richting. 'Je haalt wel het onderste uit de kan, met hem, niet? Wat is-ie? Een speeltje of een bodyguard?'

Mijn mond was droog en ik likte hem met mijn tong aan de binnenkant. 'Morele ondersteuning,' antwoordde ik.

Zijn glimlach verbreedde zich. 'Waarom heb je die nodig?'

'Omdat jij dit niet leuk zult vinden,' zei ik terwijl ik wat foto's uit mijn zak haalde en ze op de bar legde.

Hij stak zijn hand uit om er een op te pakken maar Danny was hem voor. 'Is dat de zwarte vrouw waarover u het had?' vroeg hij.

'Ja.'

'Ze ziet eruit alsof ze met een honkbalknuppel is geslagen,' zei hij en hij legde hem weer terug op de bar.

'Ja, vind je ook niet?' Ik plantte mijn wijsvinger op de bovenste foto en schoof hem opzij om de andere vijf die eronder lagen te voorschijn te waaieren. Het waren geen prettige plaatjes. Op alle foto's stond dode Annie, met een gekneusd, ingeslagen gezicht en een verkleurde rechterarm. Het bloed was onder de huid doorgelopen en vormde een hematoom van schouder tot pols. 'Meneer Drury was van mening dat al deze verwondingen veroorzaakt waren door een enkele klap van een vrachtwagen die langsreed, waarna ze binnen het halfuur overleed... maar ik heb nog niemand gevonden die het met hem eens is. Deze foto's zijn tijdens de autopsie in 1978 gemaakt. Ik heb ze door twee pathologen-anatomen, onafhankelijk van elkaar, laten bekijken en ze zeggen allebei dat de plekken op haar arm op ernstig letsel wijzen, een aantal uren voor haar dood toegebracht.'

'En dat wil zeggen?'

'Dat Annie vermoord is.'

De irritatie aan de andere kant van de bar steeg opeens en ik vroeg me af waarom Drury eigenlijk gedacht had dat ik hier was. De wens een oude vriendschap nieuw leven in te blazen? Wellust?

'Mijn god,' gromde hij. 'Geef je het nooit op? Net of je naar een gebarsten grammofoonplaat luistert. Heb je niets beters te doen dan een martelaar maken van een ellendige zwarte die niet tegen drank kon?' Hij pakte de bovenste foto van het stapeltje en draaide hem om om te kijken of er een stempel achterop zat. 'Hoe kom je hier verdomme aan?'

'Agent Quentin heeft ze me toegestuurd.'

'Andrew?' Ik knikte. 'Die is al zeven jaar dood,' zei hij smalend. 'Kreeg een auto-ongeluk toen hij een paar kilometer achter een joyrider aan racete.'

'Weet ik. Hij heeft ze me kort na ons vertrek uit Engeland gestuurd. Ik had hem geschreven en om afdrukken gevraagd omdat ik wist dat hij niet gelukkig was met de uitkomst van het gerechtelijk onderzoek.'

Drury knorde geërgerd. 'Wat wist hij ervan? Die jongen was nog niet eens droog achter zijn oren. Had een of andere halfbakken cursus psychologie gevolgd en dacht daarom dat hij het beter wist dan een rijkspatholoog-anatoom en een hoofdagent die al tien jaar straatdienst achter de kiezen had.'

'Maar hij had wel gelijk,' zei ik. 'Het duurt een tijdje voor dit soort blauwe plekken...' – ik tikte tegen een van de foto's – 'zichtbaar wordt. Bovendien wijst het op meer dan één contact. Als haar arm op verschillende plekken geraakt was, ontstaan er op meerdere plekken onderhuidse bloedingen en dat verklaart waarom de huid van schouder tot pols donker is gekleurd.'

'Een foto bewijst niets. Ze was zwart. Je ziet helemaal niet wat een blauwe plek was en wat niet.'

'Het zijn kleurenfoto's,' zei ik zachtzinnig. 'Alleen een blinde ziet de blauwe plekken niet.'

Hij schudde kwaad zijn hoofd. 'Wat maakt het ook uit? De man die het post-mortem heeft gedaan heeft gezegd dat haar verwondingen door een schampbotsing met een vrachtwagen zijn veroorzaakt. En dat is geaccepteerd door de rechtbank.'

'Maar niet een kwartier of een halfuur voor ik haar vond. Twee of drie uur, *dat zou kunnen*. En dat wil zeggen dat de mensen die iemand over straat zagen wankelen waarschijnlijk naar iemand keken met ernstig hoofdletsel.'

Hij keek onwillekeurig weer even naar de foto's, alsof ze hem tegelijkertijd aantrokken en afstootten. 'Stel dat dat zo is, dan kun je het ze niet kwalijk nemen dat ze dachten dat ze dronken was.'

'Dat doe ik ook niet.'

'Maar wat wil je hier verdomme dan mee?'

Ik likte weer langs de binnenkant van mijn mond. 'Ik laat de zaak heropenen,' zei ik. 'Ik ga een onderzoek laten instellen naar jouw aanpak. Ik wil dat men zich af gaat vragen hoe het komt dat een groentje van een politieagent met een halfbakken psychologieopleiding kon zien dat er iets niet klopte... en jij niet. Ik wil weten waarom hij, toen hij dat tegen jou zei, door jou van de zaak werd afgehaald.'

Hij scheurde de foto's doormidden en gooide de stukken over de bar zodat ze op de grond dwarrelden. 'Probleem opgelost. Als dat alles is wat je in twintig jaar boven tafel hebt gekregen, dan heb je je tijd verknoeid.'

Danny bukte zich om de stukken op te rapen. 'Trek het u niet aan,' zei hij, terwijl hij ze aan me teruggaf. 'Het is een bullebak. Dat is de enige manier die hij kent om mensen de baas te blijven. Hij doet er alles aan om van onderwerp te veranderen, liever dan dat hij uitlegt waarom hij helemaal niets heeft gedaan aan die arme zwarte vrouw die in elkaar geslagen is.'

Drury bleef hem aankijken tot hij zijn ogen neersloeg. 'Wat weet jij ervan af, snotaap? Jij was nog in de luiers.' Hij maakte een gebaar met zijn kin naar mij. 'En je wedt op het verkeerde paard als je op haar wedt. Ze wilde jouw vader laten opsluiten... ze heeft jouw vader van moord beschuldigd. Niemand anders.'

Het bleef lang stil.

Danny wierp me een onzekere blik toe. 'Is dat waar?'

'Nee,' zei ik naar waarheid. 'Meneer Drury heeft me gevraagd of ik iemand kende die iets tegen Annie had, dus toen heb ik de namen van je moeder, je vader en Sharon Percy gegeven. Ik heb nooit beweerd dat zij haar vermoord zouden hebben. Dat heeft meneer Drury ervan gemaakt.'

Drury lachte. 'Je bent er altijd al goed in geweest de waarheid geweld aan te doen.'

'Echt? Ik dacht dat dat jouw specialiteit was.'

Hij keek me even aan, op zoek naar zwakke plekken in mijn pantser, sloeg toen zijn armen over elkaar en wendde zich tot Danny. 'Je moet je maar eens afvragen waarom ze je hiernaartoe heeft meegenomen en waarom ze wilde dat jij die foto's zag. Ze wil jou gebruiken om je familie te pakken te nemen, liefst door jou eerst tegen ze op te zetten. Daar is ze goed in... mensen manipuleren.'

Danny trok zijn schouders ongelukkig op, alsof zijn ergste angsten bevestigd werden en de stem van mijn zoon echode onplezierig in mijn hoofd. *Ik zou razend zijn als mij zoiets geflikt werd...*

'Je vader had een alibi van vijf uur tot middernacht,' zei ik tegen Danny. 'En meneer Drury heeft hem dat verschaft. Hij weet net zo goed als ik dat Derek Annie nooit vermoord kan hebben.'

'Maar waarom ben ik dan hier?'

'Omdat meneer Drury over mij gelogen heeft tegen je ouders. Hij heeft hun verteld dat ik dingen zei die ik helemaal niet gezegd heb... en ik heb jou nodig om aan je moeder en broer door te geven dat ik ze alleen maar van racisme heb beschuldigd. En dat was zo, Danny. Het *waren* racisten – waarschijnlijk zijn ze dat nog steeds – en ze schaamden zich er niet voor.'

Ik legde mijn hand even op zijn schouder bij wijze van verontschuldiging omdat het wreed was hem met het racisme van zijn familie te confronteren nu hij zo vaak in zijn e-mails aan Luke had gezegd dat hij vond dat de blanken niet in Zuid-Afrika thuishoorden. 'Maar ik heb geen ruzie met de Slaters,' zei ik tegen Drury, 'maar met *jou*.' Ik verschoof de fotosnippers met mijn vingertop. 'Want toen ik jou en je collega's van hetzelfde beschuldigde, schrokken jullie daar zo van dat jullie ieder bewijsstuk gemanipuleerd hebben om de theorie te ondersteunen dat Annie omgekomen was bij een verkeersongeluk. En ik wil graag weten waarom jullie dat deden.'

Verbeeldde ik het me dat ik even de angst zag oplichten in zijn koude reptielenogen of was het echt zo? 'We hoefden niets te manipuleren,' zei hij scherp. 'We hebben de uitspraak van de coroner gevolgd... dood door ongeval nadat ze tegen een vrachtwagen aan was gelopen, zo'n kwartier à een halfuur voor jij haar vond.'

'Maar jullie wisten toch niet wat de uitspraak zou worden toen jullie aan het onderzoek begonnen?'

'Nee, nou en?'

'Dan kun je dat niet als rechtvaardiging aanvoeren voor het feit dat je geweigerd hebt onderzoek te doen. Het enige bewijsmateriaal dat je hebt voorgelegd was een beschrijving van Annies huis na haar dood, maar het verhinderde je niet de conclusie te trekken dat ze een dronkelap was, dat ze dieren mishandelde en dat ze geestelijk onvolwaardig was en zichzelf verwaarloosde. Ik weet nog precies wat je zei. Je zei dat gezien de talloze problemen van "gekke Annie", het enige wat jou nog verbaasde was dat ze nog zo lang geleefd had.'

'Een standpunt dat iedereen deelde, behalve jij.'

'Haar huisarts deelde het niet.'

Hij keek over mijn schouder naar de deur. 'Je man wel,' zei hij zachtjes. 'Hij en meneer Williams hebben gezegd dat ze Annie lam voor jullie huis hadden gezien toen ze anderhalf uur voor jou thuiskwamen. En ze lieten ook doorschemeren dat dat niet ongewoon was.'

Ik volgde zijn blik en zag Sam onzeker in de deuropening staan. We waren te lang weggebleven, dacht ik. Uiteindelijk verloor iedereen zijn geduld, zelfs iemand die schuldig was... 'Ze logen,' zei ik effen.

'Dat zei je al in '78.'

'Het is de waarheid.'

'Waarom zouden ze liegen? Als er iemand achter je zou moeten staan, dan was dat toch de man met wie je getrouwd was.'

Zo had ik er eens ook over gedacht, maar alleen omdat ik toen dacht dat de waarheid eenvoudig was. 'Hij probeerde zijn vriend te dekken,' zei ik bedachtzaam. 'Die twee mensen die ik die avond onder de straatlantaarn zag, waren Jock Williams en Sharon Percy. Ik denk dat Jock bang was dat ik hem gezien had... hij wilde niet dat zijn vrouw erachter kwam dat hij iets had met een prostituee... dus verzonnen Sam en hij dat verhaaltje dat ze naar ons huis waren geweest om een pilsje te drinken.'

Drury keek weer even naar de deur, maar Sam was verdwenen. 'Waarom heb je me dit niet twintig jaar geleden verteld?'

'Dat heb ik gedaan. Ik heb Jocks naam genoemd, dat ik dacht dat hij het was.'

'Maar daar gaat het nu net om,' zei hij sarcastisch. 'Je *dacht* het alleen maar... en je hebt niet verteld dat hij met Sharon Percy was.'

'Toen wist ik nog niet dat zij het was.'

Hij schudde zijn hoofd geringschattend. 'Sharon had een alibi en meneer Williams viel af toen je man hem het zijne gaf.'

'Maar je hebt hem nooit ondervraagd,' zei ik. 'Je hebt gewoon Sam geloofd en mij niet. Waarom? Was het woord van een vrouw minder waard dan dat van een man?'

Hij leunde met zijn handen op de bar en bracht zijn gezicht vlak voor het mijne. 'Je was kierewiet. Niets wat je zei was geloofwaardig. Daar was iedereen het over eens... zelfs je man en je moeder. En zij konden het weten, want zij zaten met je opgescheept.'

Als ik op dat moment een geweer had gehad, had ik hem doodgeschoten. *Beng, midden tussen zijn ogen.* Hoe durfde hij het over mijn familie te hebben terwijl hij degene was die ervoor gezorgd had dat ze me niet geloofden? Maar haat is een futiele emotie die de hatende meer kwaad doet dan de gehate. Ja, dan was hij dood geweest... maar ik ook... verloren voor alles wat ik belangrijk vond. Misschien verried mijn gezicht meer dan ik besefte, want hij ging opeens weer rechtop staan.

'Sam en Jock hebben hun verhaal zo in elkaar gestoken dat het klopte met wat jij Jocks vrouw de volgende ochtend verteld had,' zei ik effen. 'Jij hebt Libby Williams, en ieder ander die het maar horen wilde, gezegd dat Annie een uur voor ze stierf door de straat wankelde, en je hebt ook het tijdstip genoemd waarop ze uiterlijk volgens jou tegen die vrachtwagen aan gelopen moest zijn. Het enige wat Jock en Sam deden was die informatie recyclen om jou te geven wat je hebben wilde: een domme dronken negerin die vanaf kwart voor acht rondwaggelde en het feit dat er niets van waar was, kon je geen ene malle moer schelen.'

'Maar waarom zouden je man en Jock Williams zo'n verhaal verzinnen?'

Ik haalde mijn schouders op. 'Het was voor iedereen makkelijker als het een ongeluk was geweest. Voor de politie ook. Het betekende dat de kwestie racisme erbuiten bleef.'

Hij staarde me even aan, zijn wenkbrauwen in zo te zien oprechte verbazing gefronst. 'Wanneer heeft je man je dit verteld?'

'Een halfjaar nadat we uit Engeland zijn weggegaan.'

Na het debacle met de politieman in Hongkong. Sam was zich te buiten gegaan aan whisky terwijl hij door de kamer stampte en mij de les las over mijn gedrag. Het grootste gedeelte – over hoe mijn 'gekte' ingreep in zijn carrière en sociale leven – gleed gewoon van me af. Maar niet alles, vooral niet toen hij om drie uur 's ochtends medelijden met zichzelf begon te krijgen. Hij miste Engeland... en dat was mijn schuld. Wat had mij er in godsnaam toe bewogen om tegen de politie over moord te gaan emmeren? Hij had toch niet halverwege van koers kunnen veranderen... niet terwijl die stakkerd van een Jock geen kant op kon. De halve straat had dat stomme wijf zien rondzwerven als een beer met koppijn. Hij had het alleen maar beaamd.

Ik verbeeldde me dat ik Drury's hersenen hoorde kraken.

'Maar meteen toen ik zijn getuigenverklaring aan je had voorgelezen, zei je al dat je man loog. Hoe wist je dat als hij dat pas een halfjaar later toegaf?'

'Er zaten geen bierblikjes in de vuilnisbak,' zei ik.

Danny nam een slok Radley's van de tap en wierp een wantrouwige blik over tafel op Sam terwijl hij het schuim van zijn lippen veegde. 'Waarom herkende u meneer Drury niet toen uw vrouw u mee hiernaartoe nam?' vroeg hij. 'Ik heb hem in geen jaren gezien, maar hij is niet erg veranderd.'

Sam ging direct in de verdediging. 'Ik ben hem maar een paar keer tegengekomen. Voorzover ik me herinner, was ik meer geïnteresseerd in wat hij te zeggen had, dan in hoe hij eruitzag.'

'Sam is niet zo goed in gezichten onthouden,' voerde ik als excuus aan.

Danny deed alsof hij het niet hoorde. 'En toen u uw verklaring aflegde? Hij moet u toch vragen gesteld hebben. Heeft u hem toen niet aangekeken?'

'Ik heb die verklaring niet bij Drury afgelegd, maar bij een gewone agent. En nee, ze stelden geen vragen. Ik moest gewoon opschrijven waar ik was en wat ik daar deed.' Hij keek me even aan. 'En daarmee eindigde mijn betrokkenheid. Ik hoefde niet eens op de zitting te verschijnen.'

Danny was niet onder de indruk. 'Ja, maar je laat je gezin niet in de steek als ze het moeilijk hebben,' zei hij. 'Je had erbij moeten zijn toen je vrouw ondervraagd werd. Jezus! Ik zou mijn vrouw niet in d'r eentje door de mangel laten halen door Drury.'

Sam nam zijn glas op in beide handen, maar dronk niet. 'Dat is een heel ander geval. Mijn vrouw stond nergens voor terecht, zij was juist degene die wilde dat er een rechtszaak kwam.'

'En gelijk had ze. Die arme zwarte vrouw zag eruit alsof ze in elkaar is getremd. En het maakt hoe dan ook niet uit. Uw vrouw hoort bij u. U had achter haar moeten staan, zo gaat dat.'

Sam begroef zijn gezicht in zijn handen en ik moest een gevoel van medelijden onderdrukken. We konden er per slot van rekening niet omheen dat mijn echtgenoot deel uitmaakte van het probleem... en niet van de oplossing.

'Zo simpel lag het niet,' mompelde hij ongelukkig.

'Natuurlijk wel,' zei Danny scherp. 'Neem dat van mij aan. Ik weet er alles van. Als gezin moet je elkaar steunen. Alleen ratten verlaten het zinkende schip.'

Brief van de moeder van Danny, Maureen Slater – gedateerd 1999

Graham Road 32
Richmond

2 augustus

Beste mevrouw Ranelagh,

De reden waarom ik ermee instem u te zien is omdat Danny u aardig vindt en omdat u jaren geleden zo aardig bent geweest Alan niet aan te geven toen u hem op diefstal betrapte. Hij is nu een prima kerel – getrouwd, kinderen – en ik denk dat u blij bent dat u hem die kans gegeven hebt. Ook waardeer ik het dat u me die keer in het ziekenhuis bent komen opzoeken. Ik weet wel dat ik toen gezegd heb dat ik van de trap was gevallen, maar ik denk dat u toen wel wist dat ik die verwondingen aan Derek te danken had.

U zegt dat er sinds 1978 een hoop veranderd is, en dat is zo. Er is hier bijna niemand meer die zich Annie nog herinnert. Ik denk nog steeds niet dat ze vermoord is, maar zoals u al zegt, het kan waarschijnlijk geen kwaad er nu over te praten. Derek is twintig jaar geleden vertrokken, en ik heb hem nooit meer gezien.

Aanstaande maandag rond twaalven is prima.

Groeten,

Maureen Slater

Brief aan James Drury – gedateerd 1999

Leavenham Farm
Leavenham
Bij Dorchester
Dorset DT2 XXY

Donderdag, 5 augustus 1999

Geachte meneer Drury,

Naar aanleiding van ons gesprek gisteren, sluit ik hierbij een brief in die ik in 1985 gekregen heb van een collega van dokter Benjamin Hanley, de patholoog-anatoom die het post-mortem op Ann Butts heeft uitgevoerd. Gezien uw vertrouwen in de bevindingen van dokter Hanley, zult u ervan opkijken. De naam van de collega was dokter Anthony Deverill en hij heeft met Hanley samengewerkt van 1979 tot Hanleys vervroegd pensioen op medische gronden in 1982.

Hoogachtend,

M. Ranelagh

PS: Na de onderzoeken waarnaar in punt 3 van Anthony Deverills brief verwezen wordt, zijn beide zaken, waarvan voorheen werd aangenomen dat het om moord ging, terugverwezen naar het hof van beroep. De veroordelingen van twee onschuldige mannen zijn ingetrokken. Het bewijsmateriaal dat door dokter Hanley was geleverd werd als 'onbetrouwbaar' aangemerkt en de dood van de veronderstelde 'slachtoffers' werd vervolgens toegeschreven aan 'natuurlijke oorzaken'.

PPS: Ik heb een aantal setjes van de post-mortemfoto's.

Dr Anthony Deverill, Patholoog-anatoom
Avenue Road 25
Chiswick
Londen W4

Mevrouw M. Ranelagh
Postbus 103
Langley
Sydney
Australië

6 februari 1985

Geachte mevrouw Ranelagh,

Dank voor uw brief van 10 januari met de ingesloten post-mortemfoto's van juffrouw Ann Butts en het rapport van professor James Webber. Zoals u zo terecht opmerkt, heb ik professor Webber verscheidene keren mogen ontmoeten en ik heb veel achting voor zijn beoordelingsvermogen. Na eigen bestudering van de foto's heb ik geen enkele reden het oneens te zijn met zijn uitgebreid toegelichte vaststelling dat juffrouw Butts de verwondingen aan haar gezicht en arm een aantal uren voor haar dood heeft opgelopen.

U vroeg speciaal naar informatie over mijn voorganger, dokter Benjamin Hanley, die het post-mortem in november '78 heeft verricht. U zegt dat zowel u als uw vader gedurende een aantal jaren tevergeefs heeft geprobeerd contact met hem op te nemen, en dat de enige reactie die u ooit hebt gekregen is dat zijn secretaresse telefonisch in 1982 aan uw vader heeft toegegeven dat het dossier van het post-mortem op juffrouw Butts 'ontbrak'. Helaas lijkt een zoektocht in het archief deze bewering te staven, en het enige bewijs dat dokter Hanley ooit een post-mortem op juffrouw Butts heeft uitgevoerd is een aantekening achter zijn naam op het rooster van 15-11-'78: '10.30 Butts. Post-mortem aangevraagd door hoofdagent Drury, Richmond.'

Het zal u wellicht interesseren dat het dossier van juffrouw Butts niet het enige is dat we niet hebben kunnen vinden. Van de 103 notities achter Hanleys naam op de roosters van '78, '79 en '81 'ontbreken' 9 bijbehorende dossiers.

Wat uw andere vragen betreft:

1. Zoals u al weet is dokter Hanley in 1982 om medische redenen vervroegd met pensioen gegaan en is hij anderhalf jaar later aan een lever-

kwaal gestorven. Die vervroegde uittreding hing echter samen met een achteruitgang in zijn werk en prestaties gedurende het laatste jaar en niet met een gediagnostiseerde kwaal, aangezien hij weigerde een dokter te raadplegen. Dit komt vaker voor bij pathologen-anatomen die de hele dag met de dood in aanraking komen en hun eigen vooruitzichten heel goed kunnen inschatten. Om het simpel te zeggen: dokter Hanley was een chronisch alcoholist die steeds minder in staat was zijn werk naar behoren te doen. Het kaartje 'medische redenen' is aan zijn vertrek gehangen om zijn pensioen niet in gevaar te brengen, maar de cirrose die zijn dood veroorzaakt heeft is pas kort voor zijn dood aan het licht gekomen, toen hij werd opgenomen in een ziekenhuis. Deze feiten zijn algemeen bekend en ik schend geen beroepsgeheim door ze aan u door te geven.

2. Ik was tweeënhalf jaar dokter Hanleys collega – van september '79 tot zijn pensionering in maart '82, en ik moet helaas zeggen dat ik vanaf het begin ernstig aan zijn competentie heb getwijfeld. Ik kan uiteraard geen commentaar geven op een post-mortem dat a) plaatsvond voor ik erbij was en waarvan b) geen dossier meer aanwezig is, maar het is mijn weloverwogen mening dat het alcoholgebruik van dokter Hanley zijn beoordelingsvermogen in november '78 aangetast zal hebben.
3. Ik weet geen bijzonderheden over de relatie van dokter Hanley met hoofdagent Drury van de politie van Richmond en ook kan ik uw standpunt niet onderschrijven dat: 'dokter Hanley aanwijzingen van hoofdagent Drury heeft opgevolgd en een rapport heeft geschreven dat de Richmondse politie goed uitkwam'. Ik heb echter wel bij verscheidene gelegenheden mijn zorg uitgesproken over het feit dat dokter Hanley de onafhankelijkheid van onze afdeling in gevaar bracht door post-mortemrapporten te schrijven die het politiestandpunt napraatten. Twee incidenten worden inmiddels onderzocht. Ik kan ter verdediging van dokter Hanley aanvoeren dat ik niet denk dat er boos opzet achter zijn handelen school; het gaat om een eenvoudige vaststelling dat hij de eisen die zijn baan aan hem stelde niet langer aankon en daar een bereidheid tegenover stelde om te veel waarde te hechten aan de 'ingevingen' van bepaalde politiemensen. Ik zou zeggen dat dat over het algemeen geen reden tot zorg is – de meeste sterfgevallen die wij onderzoeken zijn 'natuurlijk' – maar het is duidelijk dat het problemen opleverde als de feiten niet eenduidig waren.
4. Ik kan met absolute zekerheid stellen dat dokter Hanley geen racistische motieven had als hij in het geval van juffrouw Butts aanwijzingen over het hoofd heeft gezien die op moord wezen. Ik ben zelf zwart en hij

heeft nooit van vooroordelen jegens mij blijkgegeven. Het was een vriendelijke man die geen belangstelling voor politiek had en duidelijk moeite had met zijn werk, vooral als hij de borstkassen van vrouwen of kinderen moest openen, iets dat hij steeds meer als een 'onnodige verminking' beschouwde.

5. Nu er geen dossier aanwezig is, kan ik u helaas niet meer van dienst zijn dan door de interpretatie van professor Webber van de foto's te ondersteunen. Zoals ik hierboven al opmerkte, ontbreken er negen dossiers en er bestaan aanwijzingen dat dokter Hanley ze zelf vernietigd heeft voor hij de afdeling verliet. Omdat hij al zo'n lange staat van dienst had, kreeg hij een 'opzegtermijn' van drie maanden en wij denken nu dat hij die tijd gebruikt heeft om alle dossiers waarvan hij dacht dat er aanvechtbare conclusies in stonden, te verwijderen. Treurig genoeg is hij kennelijk ernstig in de war geraakt over de rol van de 'onderzoeker' in de samenleving en daarom zette hij vraagtekens achter de waarde van 'rechtvaardige rechters'. Er bestaan hier echter geen bewijzen voor en dit soort speculaties kan niet in een rechtszaak gebruikt worden.

Tot slot: ik geef graag mijn toestemming om deze brief te gebruiken als ondersteunend bewijs dat de prestaties van dokter Hanley en de eisen die hij aan zijn werk stelde gedurende de jaren dat ik zijn collega was achteruit zijn gegaan, wat allemaal al publiekelijk bekend is. Verder kan ik u alleen maar aanraden zoveel mogelijk bewijsmateriaal te verzamelen, uit alle mogelijke bronnen, om een sluitende, dwingende reden te geven voor heropening van het onderzoek naar de dood van juffrouw Butts.

Hopelijk heb ik u hiermee geholpen.

Veel succes,

A Deverill

Dr. Anthony Deverill

14

IK NAM DE VOLGENDE MAANDAG IN MIJN EENTJE DE TREIN NAAR Londen. Dat gaf ruzie omdat ik Sam niet wilde vertellen waar ik heen ging of wat ik van plan was, en hij reed nijdig weg nadat hij me om acht uur 's ochtends bij station Dorchester-Zuid had afgezet. Sinds Danny's opmerking over 'ratten die het zinkende schip verlaten' was hij gedeprimeerd – *zo was het niet... ik had tijd nodig om de dingen op een rijtje te zetten... Jock zat me voortdurend in mijn nek te hijgen... probeerde me over te halen jou die rottige tranquillizers te laten slikken... zei dat je hulp nodig had... dat je over de rooie was... hij zei... hij zei...* – en zijn humeur was niet verbeterd toen ik zuur opmerkte dat als Jock zo'n goeroe was, hij tegen hem moest zeuren en niet tegen mij.

Ik heb zijn gangen niet nagegaan, dus toen ik maandagmorgen vertrok, had ik geen idee of hij mijn raad opgevolgd had of niet. Het leek me onwaarschijnlijk. Sam was er het type niet naar om een slapende hond onnodig te prikkelen, vooral niet omdat hij altijd bang was gebeten te worden.

Graham Road was onherkenbaar veranderd, zoals ik het die augustusochtend aantrof. Het was een straat met eenrichtingsverkeer geworden en verkeersdrempels halverwege. Er mocht alleen nog maar door vergunninghouders geparkeerd worden en vrachtwagens werden geweerd. De huizen zagen er beter uit dan in mijn herinnering, de stoepen waren breder, het zonlicht helderder en meer diffuus. De straat had in mijn herinnering al zo lang als een donkere, lugubere plek voortgeleefd, dat ik me nu afvroeg wat er nog meer door mijn geest vergiftigd was, de afgelopen twintig jaar. Of was mijn geheugen wel goed, maar had Annies dood werkelijk iets bereikt?

Ik keek in het voorbijgaan naar nummer 5. Het zag er tot mijn schaamte bijna chic uit. Iemand had er de liefde en zorg over uitgestort die wij het huis hadden moeten geven. Bloembakken maakten de voorgevel tot een kleurenzee, een nieuwe gebeitste houten deur had de plaats ingenomen van de oude blauwe, en het piepkleine voortuintje, amper een meter diep, kon nu bogen op een bakstenen muurtje, bakken met rode petunia's en een halve cirkel kortgeknipt groen gras naast het pad naar de deur. En ons huis was niet het enige. Hier en daar gaven slordige tuintjes en bladderend verfwerk nog blijk van bewoners die niet wilden of konden conformeren, maar grotendeels was de straat in de vaart der volkeren opgestuwd en illustreerde de bewering van Jock dat de huizenprijzen torenhoog gestegen waren.

Ik denk dat een van de oorzaken de verkoop was van de woningen die vroeger van de gemeente waren en die twintig jaar geleden met hun uniforme gele deuren zo pover bij de rest hadden afgestoken. Nu waren ze niet meer te onderscheiden van de huizen die toen al eigendom van de bewoners waren en ik vroeg me af hoeveel er nog in het bezit waren van de voormalige huurders die ze voor een prikje gekocht hadden. Als je Wendy Stanhope mocht geloven, hadden de meesten het huis binnen een jaar doorverkocht en zo een winst van honderd procent opgestreken, maar de verstandigen waren gebleven en hadden hun investering zien groeien.

Ik stak de straat over en bleef even bij het hekje van Sharon Pierce staan. Haar huis was bijna net zo fraai als het onze, met rolgordijnen voor de ramen en een pol pampagras in de voortuin, maar ik kon me bijna niet voorstellen dat ze niet meteen toen ze een winstje kon halen toegehapt had. Ik wist dat ze het huis gekocht had, want de brieven van Libby hadden maandenlang bol gestaan van tirades over hoe de dertig wekelijkse ponden van Jock Sharons slaapkamer gefinancierd hadden, maar ik vond het nieuwe, ingetogen cachet van nummer 28 moeilijk te rijmen met het onnozele blondje op de foto van Wendy.

Ik keek door het raam naar binnen – meer uit nieuwsgierigheid dan omdat ik iets verwachtte te zien – en was even van mijn stuk gebracht toen haar meelwitte gezicht met de vuurrode lippen en zwaar opgemaakte ogen achter het glas opdook. Ik moest aan Libby's bijnaam voor haar denken, 'de geblondeerde vampier', maar ze zag er die ochtend eerder zielig dan bloedbelust uit. Een vrouw op leeftijd die de verwoestingen die de tijd had aangericht probeerde weg te schilderen. Was Geoffrey Spalding er nog? Of was zijn verliefdheid tegelijk met haar sex-appeal verdwenen? Ik voelde een krankzinnige aandrang om mijn hand in een groet op te steken, maar besefte toen dat we elkaar nooit gesproken hadden, en dat als ze me twintig jaar geleden al gekend zou hebben, ze me nu in ieder geval niet meer zou herkennen.

Ik keek amper naar het huis van Annie toen ik doorliep naar nummer 32. Zelfs toen ik de maanden na haar dood voor het dichtgetimmerde huis had gestaan, had haar geest me nooit bezocht en ik verwachtte zeker niet dat hij me nu lastig zou komen vallen.

Uiteindelijk waren de enige geesten die hier nog rondhingen, eenzame moeders...

Maureen Slater deed de deur al open voor ik aan kon bellen, en stak een piepklein handje naar buiten om me naar binnen te trekken. 'Ik wil niet dat iemand je ziet,' zei ze.

'Ze weten toch niet wie ik ben.'

'Ze zullen het raden. Iedereen kletst.'

Ik vroeg me af wat dat ertoe deed als er niemand meer over was die zich Annie nog herinnerde en kwam tot de conclusie dat ze met 'iedereen' Sharon bedoelde. Ik nam aan dat het onproductief zou zijn als ik zou zeggen dat ik al gezien was en volgde haar door de gang naar de keuken, waarbij ik een glimp opving van de twee kamers beneden toen ik langs de openstaande deuren liep.

De zitkamer zag eruit alsof hij amper gebruikt werd, maar de eetkamer was in een makkelijk hol veranderd met heldergekleurde zitzakken her en der op de vloer, een grote bank met kussens langs een van de muren en een breedbeeld-tv in de hoek. Die stond al aan, met een koffietijdprogramma, en het kreukelige dekbed op de bank en de bedompte rooklucht die in het vertrek hing deden vermoeden dat Maureen de hele nacht gekeken had, of al vroeg begonnen was. Ze sloot de deur toen we erlangs liepen om het geluid te dempen.

Hoewel het huis van Maureen het laatste van de rij was, was het precies zo ingedeeld als het onze, en als elk tweede huis in de rij: huis- en eetkamer aan de rechterhand met een gang die langs de trap links naar de keuken achterin leidde. De woningen waren in spiegelbeeld gebouwd zodat aan één kant gang aan gang grensde, en aan de andere zitkamer aan zitkamer. En boven grensden óf de slaapkamers óf de trapgaten aan elkaar. De keukens waren aan de achterkant van het huis aangebouwd en deelden een muur met de buren aan de gangkant. Omdat de huizen geen van alle volgens de moderne eisen van geluidsisolatie waren gebouwd, was het onvermijdelijk dat we onze buren allemaal beter leerden kennen dan we eigenlijk wilden.

Dat was in wezen Sams voortdurende klacht geweest, dat we te weinig 'herrie-onderzoek' hadden gedaan voor we nummer 5 kochten. Aan de gangkant, nummer 7 – de kant die als geluidsbuffer fungeerde, woonde een echtpaar op leeftijd dat amper meer deed dan fluisteren, zelfs in de keuken. Aan de woonkamerkant, nummer 3 – de kant die fungeerde als een geweldige klankkast met een dunne, meetrillende muur ertussen – zaten de kinderen Charles wier nachtelijk gehuil ons wakker hield. Op een dag had Sam in een vlaag van optimisme beide stellen uitgenodigd voor een drankje en voorgesteld dat zij van huis zouden ruilen zodat iedereen rust had, maar Paul Charles nam aanstoot aan een paar dingen die Sam beweerde door de muur heen gehoord te hebben en stelde zich vanaf die dag vijandig tegenover hem op.

Ik had me vaak afgevraagd of er iets dergelijks bij Annie had gespeeld, hoewel geluidsoverlast niet voorkwam in het rijtje klachten over haar. Het was waarschijnlijker dat zij er zelf slachtoffer van was geweest en in stilte had geleden terwijl haar leven vergald werd. Michael Percy en Alan Slater hadden er plezier in gehad haar in het openbaar te treiteren, en ik kon me niet voorstellen dat ze die sport niet in huis hadden voortgezet door beledigingen door de muren te schreeuwen.

'Danny heeft me gisteravond gebeld,' zei Maureen terwijl ze in de keuken een stoel bijschoof en mij erop duwde. 'Je hebt zo te horen een verovering gemaakt.' Er klonk iets van een Midlands-accent in haar stem door, maar of ze daar was geboren of dat ze het van haar ouders had, wist ik niet.

Het irriteerde me, zoals alles aan haar me irriteerde, en ik moest een glimlach op mijn gezicht plakken om mijn afkeer van haar te verbergen. Wat Wendy Stanhope ook gezegd mocht hebben over de vreselijke behandeling die ze van haar man ontving, ik had altijd gevonden dat Maureen Slater iets boosaardigs had, misschien omdat ik haar verantwoordelijk hield voor de haatcampagne tegen Annie. Ik ben ervan overtuigd dat ze wist hoe ik over haar dacht, maar voorlopig was ze bereid net als ik te doen alsof we elkaar aardig vonden.

'Dat is wederzijds,' verzekerde ik haar. 'Danny is een aardige jongen.'

Ze hield zich bezig met kopjes en schoteltjes. Ik had haar jarenlang vele malen geschreven, op zoek naar antwoorden, maar het enige antwoord dat ik ooit gekregen had was dat van een week geleden, toen ze erin toestemde me te ontmoeten. Ik nam aan dat het door mijn contact met Danny kwam dat ze van gedachten veranderd was, en ik vroeg me af in hoeverre ze vermoedde dat ik hem opzettelijk had opgezocht en in hoeverre ze zich zorgen maakte over wat hij me verteld had. Er was tenslotte heel veel waarvan ze niet zou willen dat ik het wist.

'Dan ben je de enige die dat vindt,' zei ze terwijl ze de waterkoker liet vollopen. 'Sinds zijn tiende is het al mis met Danny... vechten... auto's jatten... toen hij twaalf was spoot hij al.' Ze zweeg, wachtte tot ik iets zei. Toen ik dat niet deed ging ze een beetje stekelig verder: 'Niet het soort dat de gemiddelde moeder in de buurt van haar tieners wil. Hij zei dat hij uit is geweest met jouw jongens.'

'Klopt. Ze hebben een paar keer in Portland met hem afgesproken.'

'Je weet dat hij hasj rookt?'

'Ja.'

'Hij biedt het je kinderen waarschijnlijk ook aan,' zei ze een beetje boosaardig, alsof ze het een leuke gedachte vond.

'Dan is hij de eerste niet, en hij zal de laatste ook niet zijn.'

Ze keek me achterdochtig aan. 'Daar doe je nogal ontspannen over. Je moet veel vertrouwen in je kinderen hebben.'

Ik glimlachte nietszeggend. 'Ik zou me meer zorgen maken als Danny nog aan de heroïne was.'

'Uitgesloten.' Ze deed de stekker van de waterkoker in het stopcontact. 'Het enige goeie dat meneer Drury ooit voor me gedaan heeft... hij heeft die kleine rat een keer betrapt en hem de stuipen op het lijf gejaagd... die zal geen spuit meer aanraken.'

'Hoe heeft hij dat voor elkaar gekregen?'

'Hij heeft hem laten kiezen: direct straf of ondertoezichtstelling door de kinderrechter. Danny koos voor meteen straf.' Ze lachte. 'Ik denk dat hij dacht dat Drury hem een pak rammel zou geven... hij hield geen rekening met sadisme.' De gedachte leek haar te amuseren.

'Wat deed hij dan?'

'Hij heeft de naald afgebroken en hem met een stel handboeien in Danny's arm gedrukt. En toen zei hij dat als hij naar een dokter zou gaan om hem eruit te laten halen, er zoveel vragen gesteld zouden worden dat hij binnen de kortste keren in een jeugdinrichting zou zitten. Twee dagen later pas heeft Danny de moed bij elkaar geraapt om diep genoeg in zijn arm te snijden om de naald er met een pincet uit te kunnen trekken. Hij heeft nooit meer naar een spuit kunnen kijken zonder kotsmisselijk te worden.'

'Typisch meneer Drury,' prevelde ik. 'Hard, maar effectief. Heb je hem aangegeven?'

'Ik zou daar gek zijn!' Ze schepte koffie in de kopjes. 'Ik was hem trouwens dankbaar. Het laatste wat ik wilde was dat een van mijn kinderen aan een overdosis zou overlijden.'

Er viel een stilte terwijl we wachtten tot het water kookte. Ik had geen idee wat voor achtergrond ze had, maar de trap na die Drury Danny gegeven had – 'hoe gaat het met die slons van een moeder van je, nog steeds aan de fles?' – leek me onaangenaam toepasselijk. Mijn moeder zou zeggen dat het opvoeding – of een gebrek daaraan – was, een wetenschapper zou zeggen dat het in de genen zat – ik zou zeggen dat het aan een gebrekkige schoolopleiding en een laag zelfbeeld lag. Als ze al ergens om gaf, dacht ik, dan waren het de cheques van haar uitkering en of ze daar genoeg rookwaar en drank voor kon kopen om de week door te komen.

In de vensterbank stonden nog steeds lege flessen, de getuigen van haar drankverslaving waar ze niet vanaf had kunnen komen. Een ongeopende fles wodka stond naast het peper-en-zoutstel op tafel als een onverdiende beloning. Maar als ze die dag al dronken was of stoned van de prozac, het viel niet op. Soms deden de scherpe, monsterende blikken die ze me toewierp me zelfs denken aan Wendy Stanhope, hoewel hier geen vriendelijkheid in te bespeuren viel, alleen achterdocht.

'Bedankt,' zei ik toen ze een kop koffie voor me neerzette. Uit gewoonte had ze er melk en suiker in gedaan, waar ik een hekel aan heb, maar ik nam enthousiast een slokje terwijl zij tegenover me ging zitten en een sigaret opstak.

'Wil jij?' vroeg ze.

Ik schudde mijn hoofd. 'Ik ben er godzijdank nooit aan verslaafd geraakt. Anders rookte ik nu drie pakjes per dag.'

'Hoe kan je dat nou weten?'

'Ik raak makkelijk verslaafd. Als ik ergens aan begin, kan ik er niet meer mee ophouden.'

'Zoals die toestand met Annie?'

'Ja.'

Maureen schudde verwonderd haar hoofd. 'Je had haar echt niet aardig gevonden, hoor. Daarom is dit allemaal zo... stom. Als iemand anders haar gevonden had, was er niets aan de hand geweest, dan was ze stilletjes begraven en hadden wij door kunnen gaan met ons leven.' Ze zweeg en nam nadenkend een trekje. 'Dat geldt ook voor jou,' voegde ze eraan toe terwijl ze door de rook heen naar me keek.

'Tot nu toe gaat het met mij heel goed.'

Ze tikte de as op haar schoteltje af. 'Maar je kunt het niet laten rusten, en dat is ongezond.'

Ik had haar kunnen zeggen dat de obsessie met Annie niet het ergste was, maar ik wilde geen slapende honden wakker maken. In plaats daarvan vroeg ik haar: 'Waarom zou ik haar niet aardig gevonden hebben?'

'Omdat ze *jou* niet aardig gevonden had. Ze hield niet van blanken... we waren wat haar betreft allemaal "blank vuil". Dat zong ze altijd door de keukenmuur als Derek schreeuwde. Blank vuil... blank vuil... dat ging zo minutenlang door. Hij werd er knettergek van.'

'Had hij daarom zo'n hekel aan haar?'

Ze knikte.

'Misschien vond hij het vervelend de waarheid te horen,' zei ik droogjes.

Achterdocht kroop in haar ogen. 'We hebben nooit beweerd dat we beter waren dan we waren.'

De zogenaamd vriendschappelijke sfeer die er geheerst had, leek snel op te lossen. 'Jullie stonden bekend als "het gezin uit de hel", Maureen. Als jij en Derek niet tegen elkaar schreeuwden, dan haalden je kinderen wel rottigheid op straat uit. Ik heb nog nooit een stel mensen meegemaakt dat in zo korte tijd zo duidelijk liet weten dat ze er waren. De favoriete tijdsbesteding van Alan was karatetrappen tegen andermans tuinhekjes te trainen. Dat van Annie had hij binnen een maand nadat jullie hier geplaatst waren gesloopt... dat van ons binnen drie maanden.'

Ze reageerde direct verontwaardigd. 'Hij was niet de enige. Michael Percy was net zo erg.'

'Klopt.'

'Maar Alan kreeg altijd de schuld.'

Ik schudde mijn hoofd, dat was ik niet met haar eens. 'Michael gaf het eerlijk toe als hij iets gedaan had, jouw zoon niet. Alan ging er meteen vandoor als er problemen waren en dan liet hij Michael ervoor opdraaien.'

'Omdat hij wist dat zijn vader hem een aframmeling zou geven als hij gepakt werd.'

'Maar Michael mocht wel afgerammeld worden?'

Haar mond werd een streep. 'Dat gebeurde toch niet. Wie moest dat doen? Sharon? Dan had hij haar een dreun verkocht. Een nare jongen, die Michael... had een slechte invloed op alle kinderen hier. Hij heeft mijn jongen op het slechte pad gebracht... niet andersom.'

Ik vroeg me af of Sharon dat ook vond, en of het haar iets kon schelen. 'Ik heb eens gezien dat een man hem met zijn hoofd tegen een bakstenen muur aan heeft gesmeten,' zei ik terloops. 'Het gebeurde allemaal heel snel en ik was er te ver vandaan om in te grijpen. Het arme kind was nog maar veertien – en hij was niet erg groot voor zijn leeftijd – dus hij zakte in elkaar als een zak meel.'

'Eigen schuld,' zei Maureen mokkend. 'Niet zo lang geleden nog heeft hij bijna iemand vermoord... daar heeft hij elf jaar voor gekregen. Zo'n soort jongen was het. Het maakt me ziek dat wij altijd de schuld kregen terwijl hij en die slet van een moeder van hem degenen waren die de problemen gaven, hier in de straat.' Een sluwe blik kroop in haar ogen. 'Annie had ze door. Ze noemde Sharon een "hoer" en Michael een "hoerenzoon".'

'Heeft ze haar wel eens "blank vuil" genoemd?'

'Nee... "hoer"... "temeie"... "kut". Steeds als ze een klant had riep Annie dat keihard. Hartstikke komisch.'

Eens, wist ik nog, waren zij en Sharon de beste maatjes geweest en ik vroeg me af wat er gebeurd was dat ze ruzie gekregen hadden. Vast iets met geld, dacht ik, want dat was de enige passie die ze deelden. 'Dus alleen de Slaters waren "blank tuig",' zei ik zachtjes.

Maureen bestudeerde het uiteinde van haar sigaret. 'Je mag denken wat je wil,' zei ze.

'Weet je wie die man was die Michael in elkaar heeft geslagen?' vroeg ik.

Ze haalde onverschillig haar schouders op.

'Jouw man,' zei ik. 'Hij was dronken en agressief en hij had Michael en Alan betrapt toen ze autoportieren uitprobeerden om te zien of er eentje van het slot was. Alan nam de benen maar Michael bleef en hield er een bloedend gezicht aan over. Ik wilde Derek aangeven, maar Michael zei dat hij dat op jou af zou reageren. "Meneer Slater is een echte klootzak," zei hij. "Iedere keer als zijn kinderen hem dwarszitten, slaat hij zijn vrouw."' Ik keek hoe ze zou reageren, maar het deed haar zo te zien niets. 'Dus heb ik Derek de dans laten ontspringen en Michael met mij mee naar huis genomen in plaats van naar het politiebureau. Pas na drie uur hield zijn neus op te bloeden.'

Ze drukte haar sigaret uit en ontweek mijn blik. 'Daar kun je mij niet de schuld van geven. Meestal wist ik niet eens waar Derek was, laat staan dat ik wist wat hij uitspookte.'

Het klonk alsof ze zich wilde gaan verdedigen.

'Ik geef jou de schuld ook niet.'

'Jawel. Net als de rest. Het is de schuld van Maureen dat haar kinderen onhandelbaar zijn... het is de schuld van Maureen dat ze zo'n klootzak getrouwd heeft. Goed, misschien is dat wel zo, en misschien ook niet. Maar wie heeft zich verdomme ooit om mij bekommerd? Hè?'

'De dominee en zijn vrouw?'

Even vlamde de woede in haar ogen op. 'Die hadden meer belangstelling voor die nikker dan voor mij.'

Ik keek van haar weg om mijn woede te verbergen terwijl ik terugdacht aan de woorden van Wendy Stanhope: '*Het arme mens vluchtte altijd naar ons...*' 'Maar je kon daar toch altijd terecht als Derek gewelddadig was?'

'Dat deden ze uit plichtsgevoel, niet omdat ze me aardig vonden.' Dat vrat aan haar, dacht ik. 'De dominee klopte een keer per week bij Annie aan. Dat deed hij nooit voor mij. Ik moest hulp gaan halen.'

'Misschien vond hij dat Annie het zwaarder had.'

'Niet zwaarder dan wij. Je had haar eens naar ons moeten horen vloeken en schelden door de muur.'

'Je zei dat ze dat alleen deed als jullie herrie maakten.'

'Niet altijd. Soms wist je niet wie er nu begonnen was, zij of wij. Een ontzettende vuilbek. Als ze het niet over "blank vuil" had, dan was het wel "bleekscheten" of "uitschot". We werden er knettergek van.'

'Daar kon ze niets aan doen,' zei ik. 'Ze had een neuro-psychiatrische aandoening die het syndroom van Tourette heet. Een symptoom daarvan is *coprolalie*, dat is dat je dwangmatig obsceniteiten uit. Haar moeder had er veel meer last van dan Annie, maar misschien kreeg Annie het als ze gestresst was.'

'Dan had ze in het gekkenhuis moeten zitten.'

Dacht ze dat nu echt? vroeg ik me af. Of was het iets dat ze als een mantra steeds herhaalde als excuus voor wat ze gedaan had? 'Het was een heel wat praktischer oplossing geweest als de gemeente jullie overgeplaatst had,' opperde ik. 'Ik begrijp eerlijk gezegd niet dat ze dat niet gedaan hebben. Jullie leefden van de steun, er zaten meer sociaal werksters op jullie gezin dan op wie dan ook, en toch werd er altijd druk op Annie uitgeoefend om te verhuizen, nooit op jullie. Ik heb dat altijd al erg onrechtvaardig gevonden, gezien het feit dat het huis van haar was en ze ervoor betaalde, terwijl jullie helemaal niets betaalden.'

'Daar konden wij niets aan doen. Derek had geen werk. Hadden we dan moeten verhongeren?'

Ik wilde me niet op een zijspoor laten zetten. 'Waarom heeft de gemeente jullie kant eigenlijk gekozen, Maureen? Ze moeten toch

hebben geweten dat Annie niet met haar buren kon opschieten?'
'Waarom? Ze klaagde nooit.'
'Ze noemde jullie toch "blank vuil"? Is dat geen klagen?'
Ze stak een nieuwe sigaret op en schudde haar hoofd om mijn domheid. 'Ik bedoel dat ze nooit bij de gemeente klaagde.'
Ik moest mijn best doen om mijn mond niet open te laten vallen. Ik had allerlei complottheorieën verzonnen om te verklaren waarom de Slaters en de Percy's een terreurcampagne tegen Annie op gang hadden kunnen zetten, maar het was nooit in mijn hoofd opgekomen dat de verklaring zo eenvoudig was. 'Wil je zeggen dat ze ondanks alle klachten die jij en Sharon over haar indienden, zelf nooit over jullie geklaagd heeft?'
Maureen knikte.
'Waarom niet?'
Ze gaf geen antwoord, en het bleef weer lang stil. Ze had haar haar in een strakke paardenstaart zitten en streek steeds met haar hand over haar kruin alsof ze controleerde of het elastiekje nog wel op zijn plaats zat. Ze leek bij zichzelf te overleggen of ze er twintig jaar na dato nog wat aan had om de waarheid te vertellen, hoewel ik dacht dat het enige wat ze echt wilde – en wat in feite de enige reden was dat we dit gesprek überhaupt voerden – was erachter komen hoeveel ik wist en wat ik van plan was eraan te doen.
'Ze was te bang voor Derek,' gaf ze plotseling toe.
'Om een officiële klacht in te dienen?'
'Ja.'
'Wat had hij dan gedaan?'
Weer een stilte, langer deze keer, voor ze gegeneerd haar schouders ophaalde. 'Hij heeft een van haar katten vermoord en gezegd dat hij de rest ook zou vermoorden als ze ooit over ons zou klagen. Het zat namelijk zo' – ze bewoog ongemakkelijk haar schouders, wetend dat er geen excuus bestond voor het gedrag van haar man en het feit dat zij eraan meegewerkt had – 'we hadden in drie jaar al drie keer moeten verhuizen, en we wilden niet nog eens. En we wilden absoluut niet ergens meer huur betalen.'
'Nee,' zei ik langzaam. 'Dat zal wel niet.'
'Het was maar een kat.'
'Mm.' Ik zweeg even en keek de gang in. 'Een koopje, zou ik zo zeggen... een kat voor een huis.'
'Dat vind jij dus ook.'
'O nee.' Ik lachte kort. 'Laat het maar uit je hoofd mij met een sadist op één lijn te stellen. Als Derek met mij getrouwd was geweest,

dan had hij geen kat aangeraakt. Ik had zijn hersens met een moker ingeslagen als hij maar een vinger naar mijn kinderen had uitgestoken. Waarom was je zo'n lafaard? Waarom heb je niet van je af gebeten?'

Ze keek nog boosaardiger. 'Je weet niet waarover je praat. Jij weet niet hoe het is om iedere dag doodsbang te zijn. Wat zou hij mij en de kinderen hebben aangedaan als ik geprobeerd had hem tegen te houden?'

'Waarom ben je niet naar de politie gegaan?'

Ze schudde minachtend haar hoofd alsof de vraag het niet waard was beantwoord te worden, en, moest ik eerlijk toegeven, dat was waarschijnlijk ook zo. Geweld binnen het gezin had in 1978 een lage prioriteit. Net als het treiteren van zwarte mensen.

'Hoe heeft hij die kat vermoord?' vroeg ik, om terug te komen op de dingen die me interesseerden.

'Gewurgd,' zei ze kortaf. 'Ze kwamen steeds bij ons de tuin in, en hij had haar al eens gewaarschuwd dat hij dat niet pikte. Hij heeft de dode kat met een briefje aan zijn bandje over de schutting gegooid, zodat de boodschap zou overkomen.'

'Wat stond er in dat briefje?'

'Dat weet ik echt niet. Dat hij de volgende tegen de schutting zou spijkeren, zoiets. Hij heeft het me later pas verteld.' Ze keek me door haar wimpers sluw aan terwijl ze nog iets verzon om zichzelf vrij te pleiten. 'Ik hou van katten. Ik had hem heus wel tegengehouden. De kinderen vlogen erop af toen we hier kwamen wonen... en daarna vroegen ze steeds waar de oranje gebleven was.'

'En wanneer is dit gebeurd?'

'Ongeveer twee maanden voor ze stierf.'

'September '78?'

'Zoiets.'

Ik dacht terug aan de brief van John Hewlett aan Sheila Arnold: *'Bij mijn eerste bezoek in maart 1978 heb ik twee aanbevelingen gedaan – 1) dat ze een kattenluikje in de keukendeur aanbracht zodat de katten vrij toegang tot de tuin zouden hebben...'* 'Dus nadat je de inspecteur van de dierenbescherming op haar af had gestuurd?'

Maureen tikte met het gloeiende puntje van haar sigaret tegen haar schoteltje en keek toe hoe een krulletje as zich op de rand afzette. 'Dat weet ik niet meer.'

'De eerste keer kwam hij in maart. Hij heeft haar gezegd een kattenluikje in de achterdeur te maken, omdat jij en Sharon steeds over de stank die uit het huis kwam klaagden.'

Ze haalde onverschillig haar schouders op.
'Was je niet bang dat ze hem de volgende keer Dereks briefje zou laten zien?'
'Dat had ze nooit gedurfd. Ze was bijna net zo bang voor de dierenbescherming als voor Derek.'
'Hoe liet ze haar katten uit voor ze een kattenluikje had?'
'Ze liet ze niet uit. Daarom stonk het er zo.'
'Dat is niet waar,' zei ik botweg. 'Je zei net nog dat je kinderen op de katten afvlogen toen jullie hier kwamen wonen. Hoe kon dat dan als ze er niet uit konden voor het luikje gemaakt was?'
Er sloop iets koppigs in haar stem. 'Misschien deed ze de achterdeur niet altijd goed dicht.'
'Wel of niet? Dat moet je toch geweten hebben. Jouw keuken grensde aan de hare.'
'Hij stond meestal open.' Haar ogen ontmoetten de mijne en toen keek ze weg om haar doortrapte blik te verbergen. 'Daarom dachten we dat ze kippen hield. De stank die naar buiten kwam was walgelijk.'
'Jezus Maureen,' zei ik vermoeid. 'Jullie waren de enigen die stonken. Ik weet niet of je Alan wel eens waste of hem schone kleren gaf, maar niemand wilde op school naast hem zitten. Die stakkerd. Als er hoofdluis heerste, keken we eerst bij hem... en hij had ze altijd. Als er gymspullen weg waren, keken we eerst in zijn kastje... en daar lagen ze dan. De gymleraar heeft hem eens gevraagd wat hem scheelde, en hij zei dat hij van dingen hield die schoon roken.'
'Ik kon er niets aan doen.' Haar stem sloeg over in een irritante jengeltoon. 'We hadden geen wasmachine.'
'Wij ook niet. Ik ging naar de wasserette om de hoek.'
'Jij had geen kinderen.'
'Twee machines nemen net zoveel tijd als een.'
'De tassen waren te zwaar... Ik kon Danny niet alleen laten... en ik had er trouwens het geld niet voor. Derek gaf alles aan drank uit.'
Ik keek naar de wodkafles op tafel. 'Hij was de enige niet.' Toen ze iets wilde zeggen, snoerde ik haar de mond. 'Waarom waste je dan niet op de hand in de badkuip? Je had geen baan. Je had de hele dag om aan je kinderen te besteden. Het minste wat je had kunnen doen was ze schoon houden.'
'Ik heb mijn best gedaan.'
Ik had dit al zo lang willen zeggen, dat de eerlijkheid het won van de voorzichtigheid. 'Dan moet je je schamen,' zei ik botweg. 'Ik heb vrouwen in Afrika het beter zien doen en die hadden niet meer dan

een tobbe koud water. Je hebt niets voor je kinderen gedaan en de enige reden dat Danny een leuke jongen is geworden, is dat ergens iemand tijd in hem gestoken heeft. Ik denk dat het de vrouw van Alan was' – ik kon aan haar gezichtsuitdrukking zien dat ik het bij het rechte eind had – 'want jij was het in ieder geval niet. Jij was meestal stomdronken... net als je man.'

Het deed haar verrassend weinig, alsof ze die beschuldigingen al honderd keer eerder gehoord had. 'Je doet wat je kunt om je hoofd boven water te houden,' zei ze. 'En het was niet altijd zo. Sommige dagen ging het beter dan andere. Je zou zelf eens moeten meemaken dat je gezicht zo nu dan tegen de muur aan wordt geslagen. Kijken hoe jij dat vindt.'

Brief van Ann Butts aan gemeenteraadslid J.M. Davies, Richmond – gedateerd 1978

Graham Road 30
Richmond
Surrey

12 juni 1978

Geachte meneer Davies,
Ik heb uw naam en adres van een folder die bij mij in de bus is gegooid. U zei dat ik moest schrijven als ik een probleem had. Ik denk dat er iets aan Morin gedaan moet worden. Ze huilt omdat haar man haar slaat. Ik heb geprobeerd er iets tegen te doen maar het is een nare man die het leuk vindt kinderen en dieren pijn te doen.
Ik maak me erg bezorgd.

Hoogachtend,
Ann Butts (juffrouw)

Doorslag van het antwoord van raadslid J.M. Davies

'Pendlebury'
Duke's Avenue
Richmond
Surrey

01-940-0000

20 juni 1978

Geachte juffrouw Butts,

Dank voor uw brief van 12 juni 1978. Wat u me vertelt, verontrust me zeer, maar ik kan weinig doen als ik niet wat meer informatie krijg. U hebt me de achternaam van Morin niet gegeven, noch de naam van haar man en ook hebt u niet verteld waar ze woont. U begrijpt ongetwijfeld dat het lastig wordt voor mij om de kwestie bij de betreffende instanties aan te kaarten als ik niet over die gegevens beschik.

Als u wilt dat ik deze zaak verder uitzoek, schrijf me dan nogmaals of bel me op bovenvermeld nummer. U kunt ook een van mijn 'spreekuren' bezoeken, op het hierboven vermelde adres, zodat u uw zorgen persoonlijk met me kunt bespreken. Iedere eerste zaterdag van de maand tussen 9 en 12 uur is er een spreekuur. Een afspraak is niet nodig.

Hoogachtend,

(Update: geen reactie ontvangen, dus daarom niets ondernomen. Mogelijk is een wonderlijk telefoontje op 3 juli om 23.00 uur waarin constant werd verwezen naar 'blank vuil' van juffrouw Butts geweest, maar de belster was bijzonder incoherent. Vermoed dat eerste brief kwaadsprekerij was. J.M.D.)

15

IK KEEK NAAR MIJN KOFFIE. 'HOE VERHINDERDE ZE HAAR KATTEN IN jullie tuin te komen nadat Derek de oranje kat had gedood? Toen had ze allang een kattenluikje.'

'Ze zette er een plank voor zodat ze er niet door konden, en dan liet ze ze een voor een uit om hun behoefte te doen. Het was komisch om naar haar te kijken. Ze rende met haar armen zwaaiend op en neer om ze van onze schutting weg te jagen. Ze had er heel wat kilo's mee kunnen kwijtraken, zeiden wij altijd, als ze zich niet altijd zo volpropte. Je had haar moeten horen... ontzettend veel lawaai maakte ze bij het eten. Schrok, schrok, schrok. We werden er gewoon misselijk van.'

Mijn gezichtsuitdrukking verried waarschijnlijk meer dan ik wilde, want ze sloeg ogenblikkelijk haar ogen neer. Wat een nare vrouw is het toch, dacht ik en wat heeft ze met haar vuilspuiterij haar gezin geschaad.

'Je vroeg er zelf naar,' mompelde ze. 'Je moet mij er niet op aankijken als de antwoorden je niet aanstaan.'

Ik greep mijn woede bij de slippen en trok hem weer naar binnen. 'Hoe weet je dat ze een plank gebruikte?'

'De kinderen klommen 's avonds vaak over de schutting en duwden dan het luikje open zodat de plank op de vloer viel.'

'Dat moet haar bang gemaakt hebben.'

'Klopt. Ze jammerde zich een ongeluk.'

'Waarom maakte ze de plank niet aan de deur vast?'

'Omdat ze niet wilde dat de dierenbescherming zou weten dat ze het luikje blokkeerde. Ze liet de inspecteur op de stoep staan terwijl zij rondhobbelde op zoek naar een plek om die stomme plank te verstoppen.'

'Belden jij en Sharon daarom de dierenbescherming steeds op? Zodat ze haar zouden betrappen?'

Ze blies een ringetje rook in mijn richting en stak de punt van haar sigaret er toen doorheen. 'Misschien.'

Ik duwde tegen mijn koffiekopje en zag de koffie over de rand klotsen. 'Dan zat ze volkomen klem. Aan de ene kant dreigde Derek haar katten af te maken als ze los rondliepen, en aan de andere kant dreigde de dierenbescherming haar als ze niet los rondliepen?'

Ze begon weer over haar haar te strijken.

'Wat moest ze dan?'

'Weggaan,' zei ze nuchter. 'En die katten meenemen.'

'Omdat ze zwart was?'

'Waarom niet? We wilden geen roetmop als buur.' Toen ze mijn gezichtsuitdrukking zag, krabbelde ze haastig terug. 'Het was mijn idee niet, hoor. Ik had het anders aangepakt. Maar Derek wilde van haar af, hij had iets met nik...' – ze corrigeerde zichzelf – 'met zwarten... hij verafschuwde ze. Hoe dan ook, ze heeft haar kans gehad. De sociaal werksters hebben haar gezegd dat ze maar hoefde te kikken en dat ze ons dan zouden overplaatsen... maar ze heeft nee gezegd, dat ze tevreden was met de situatie.'

'Ze had geen keus. Derek wist waar ze woonde. Haar katten zouden nooit veilig zijn.'

'Klopt. Op het laatst was ze zo bang voor hem dat we dachten dat ze voor kerst wel vertrokken zou zijn. En dan stapt die stomme koe onder een vrachtwagen,' eindigde ze armzalig, 'en komt de politie erachter dat ze zelf katten afmaakte.'

Ik liet mijn kin op mijn handen rusten en keek haar onderzoekend aan. 'Ze waren al half dood toen ze door haar luikje werden geduwd,' zei ik. 'Iemand heeft kennelijk gedacht dat het grappig zou zijn om zwerfkatten te vangen, hun bekken dicht te plakken met superlijm en plakband zodat ze of de hongerdood moesten sterven of de haren van hun kop afgetrokken kregen als Annie ze probeerde te redden. Ik denk dat ze de zwaksten gedood heeft toen de andere katten ze begonnen aan te vallen, maar dat is uit liefde gedaan, niet uit wreedheid.' Ik trakteerde haar op een scheve lach. 'Wiens idee was dat? Dat van jou, of van je man?'

Ze drukte haar sigaret plat in de asbak, vermorzelde hem met haar door nicotine gevlekte vingers. 'Dat had niks met ons te maken,' zei ze botweg, zonder verder iets te ontkennen. 'Zo waren wij niet.'

'Schei uit zeg,' zei ik sarcastisch. 'Je hebt me net gezegd dat Derek een kat gewurgd heeft en de volgende op de schutting dreigde te spijkeren. En waarom? Omdat hij zo stom als het achtereind van een varken was en vrouwen moest terroriseren om zichzelf nog wat te voelen.'

Deze wending in het gesprek beviel haar niet en ze likte haar lippen zenuwachtig af. 'Ik weet niet.'

'Wat weet je niet, dat hij ervan genoot vrouwen te terroriseren?'

Ze herstelde zich gauw. 'Ik weet alleen hoe hij de kinderen en mij behandelde. Maar hij schreeuwde meer dan dat hij wat deed. Meestal liet hij het er verder bij zitten.'

'Misschien toen Annie nog leefde,' beaamde ik, 'maar dat heeft hij na haar dood wel ingehaald. Hij was veel gewelddadiger toen hij wist dat er geen getuigen meer waren.'

Ik dacht terug aan mijn bezoek aan haar in het ziekenhuis. Het was een regenachtige middag eind november, en het water droop van me af op de vinyl vloer naast haar bed terwijl ik probeerde niet te laten merken hoe geschrokken ik was van het werk van Derek. Ze was zo onvoorstelbaar klein, zo verschrikkelijk toegetakeld en haar ogen stonden zo onvoorstelbaar angstig. Wat het verkrijgen van informatie aangaat, was het een vergeefs bezoek, want ze wantrouwde me te veel om vragen te beantwoorden. Ik luisterde naar het voorspelbare verhaal dat ze ophing dat Derek haar helemaal niet als boksbal had gebruikt, maar dat ze alleen thuis was geweest en dat ze boven aan de trap misgestapt was, waarna ze er direct op liet volgen dat ze dood was geweest als Alan er niet was geweest om een ambulance te bellen. Het was een belachelijk verhaal, omdat haar gebroken jukbeen en blauwe oog te veel gelijkenis vertoonden met het dodenmasker van Annie om te kunnen geloven dat ze beiden gewoon een ongeluk hadden gehad. Te laat was me een blik gegund op de muren van doodsbang zwijgen die gewelddadige mannen beschermen.

'Waar heb je het over?'

'Over dat Derek je twee weken na de dood van Annie het ziekenhuis in heeft geslagen. Heb je je niet afgevraagd waarom dat gebeurd is? Hij had je nog nooit eerder zo hard geslagen dat je in coma ging en afhankelijk van je kinderen was om de ambulance te bellen.' Ik maakte een hoofdbeweging naar de tussenwand. 'Je beschermster was dood. Haar huis stond leeg. Derek kon alle botten in je lijf breken, als hij dat wilde, en je dan op straat gooien en zeggen dat je door een vrachtwagen overreden was...'

Maureen verwierp mijn gedachte dat Annie haar 'beschermster' was geweest. Onzin, beweerde ze, Annie had een hekel aan haar gehad. Ik herhaalde wat ze zelf gezegd had, dat Annie iedere keer dat Derek begon te schreeuwen gejammerd had. 'Je vroeg me zonet wie er om jou gaf,' bracht ik haar in herinnering. 'Nou, dat was Annie. Ik weet dat je dit niet wilt horen, maar het is wel de waarheid.' Ik haalde twee brieven uit mijn rugzak en schoof ze over de tafel naar haar toe. 'De bovenste is een kopie van een briefje dat ze in juni '78 naar het toenmalige gemeenteraadslid J.M. Davies heeft gestuurd. Die daaronder is zijn antwoord. Ze wist niet hoe ze je naam moest spellen en omdat ze niet goed uit haar woorden kon komen toen ze erover belde, hebben ze het afgedaan als kwaadsprekerij.'

Maureen keek ongemakkelijk toen ze het krachtige handschrift van Annie las, alsof het, zelfs gekopieerd, de macht had om haar hier bij ons in de keuken op te roepen. 'Misschien was het echt kwaadsprekerij,' zei ze terwijl ze de brief opzij legde. 'Misschien probeerde ze het mij en Derek lastig te maken.'

'Jezus nog aan toe,' zei ik ongeduldig. 'Als ze dat wilde, had ze het wel beter aangepakt. Dan had ze hen bestookt met brieven, vrijwel zeker anoniem, waarin ze Derek ervan had beschuldigd dieren te doden, in plaats van pijn te doen. Zie je dan niet dat ze zich om *jou* zorgen maakte, ze zegt: "er moet iets aan Maureen gedaan worden", niet: "er moet iets aan dat blanke tuig naast me gedaan worden want ze stelen van me".'

Ze speelde nerveus met haar pakje sigaretten. 'Dan had ze gelogen.'

Ik schudde mijn hoofd. 'Alan heeft me aan het einde van het schooljaar een houten beeldje gegeven, hij zei dat hij het zelf uit een oude tafelpoot gesneden had. Ik geloofde hem toen omdat het heel primitief was, het zag eruit als het werk van een kind, maar ik ben er nu zeker van dat hij het van Annie gestolen had.'

'Dat kun je niet bewijzen.'

'Nee,' beaamde ik. 'Maar ik kan wel bewijzen dat híj het nooit gemaakt kan hebben. Ik heb het door een expert laten bekijken. Het is een beeldje van een Azteekse god, Quetzalcóatl, uit dennenhout gesneden, waarschijnlijk rond de eeuwwisseling, in een stijl die de indianen van Midden-Amerika hanteerden. De vader van Annie verzamelde kunstvoorwerpen uit Midden-Amerika in de jaren '30 en '40, dus wijst alles erop dat de Quetzalcóatl die ik heb ooit van haar was. Dan is alleen nog maar de vraag, heeft ze hem aan Alan gegeven, of heeft hij hem gepikt?'

Maureen hapte meteen. 'Ze heeft het 'm gegeven.'

'Hoe weet jij dat?'

Ze dacht even na. 'Hij heeft een keer boodschappen voor haar gedaan... zo wilde ze hem bedanken. In feite ben ik degene geweest die zei dat hij het aan jou moest geven. Hij zei maar steeds dat jij zo aardig was en dat je een keer je mond gehouden had toen je hem met zijn hand in je tas betrapte. "Voor wat hoort wat," zei ik, "en mevrouw Ranelagh zal zo'n houten beeldje meer waarderen dan jij."'

'Waarom zei hij dan dat hij het zelf gemaakt had?'

Ze keek me even aan. 'Ik denk dat hij indruk op je wilde maken.'

Ik lachte. 'Ik was meer onder de indruk geweest als hij me had verteld dat hij het verdiend had door boodschappen voor "gekke Annie" te doen. Hij riep haar "stomme nikker" na op straat. Een keer heeft ze zich grommend naar hem omgedraaid en hem bij zijn mouw gegrepen. Hij was zo bang dat hij er zonder zijn jasje vandoor ging.' Ik zweeg even. 'Ze zou hem nooit gevraagd hebben boodschappen voor haar te doen... en zelfs als ze dat wel gedaan had, dan had ze liever haar rechterhand afgehakt dan hem een van haar schatten te geven. Ze had een nog grotere hekel aan hem dan aan Derek. Die kleine rotzak gunde haar geen moment rust... stond haar altijd op te wachten...' Ik zweeg voor mijn stem van woede zou overslaan.

'Dat zijn leugens. Je verzint dingen die jou in je kraam te pas komen. Het enige wat je zegt is dat Alan veel op straat speelde. Dat wil niet zeggen dat hij Annie stond op te wachten.'

'Het was een mishandeld en verwaarloosd kind, Maureen, dat te bang was om het zijn vader betaald te zetten en dat Annie als een gemakkelijk slachtoffer zag. Hij heeft geleerd dat het zin heeft mensen te koeioneren, en die kennis heeft hij op de kwetsbaarste persoon die hij kon vinden in praktijk gebracht.' Ik lachte vreugdeloos. 'Had ik maar geweten hoe jij en Derek hem behandelden... had ik hem maar laten vervolgen toen ik die kans had... en vooral... was hij jullie maar afgenomen zodat hem wat normen en waarden waren bijgebracht op het moment dat het ertoe deed.'

'Jij was net zo verantwoordelijk als wij,' mompelde ze. 'Jij gaf hem les. Waarom heb jij er niet wat van gezegd toen hij haar voor "stomme nikker" uitschold?'

Een goede vraag. Waarom had ik dat niet gedaan? Het was toch geen excuus om te zeggen dat ik bang was voor een veertienjarige? Maar dat was wel zo. Alan was groot voor zijn leeftijd geweest, lang en breed gebouwd, met een laag IQ, en het enige wat hij begreep was agressie, dat gaf hem moed, maar maakte hem ook bang. Als Michael Percy er niet was geweest als bliksemafleider, denk ik dat Alans probleem meer in het oog was gesprongen en dat hij dan sympathie had opgewekt in plaats van afkeer en walging. Maar nu hadden de mensen hem gemeden en waren al doende blind geweest voor de wijze waarop hij en zijn bende gekke Annie terroriseerden. Tenslotte leek het een eerlijke strijd. Ze was groter dan zij, gekker dan zij, ouder, omvangrijker, duidelijk agressiever – vooral als ze gedronken had – en ze sloeg om zich heen als hun geplaag onverdraaglijk werd.

'Ik heb er twintig jaar spijt van gehad dat ik m'n mond heb gehouden,' zei ik tegen Maureen. 'Als ik wat dapperder was geweest... wat meer ervaring had gehad...' Ik lachte ongemakkelijk. 'Misschien zou ik me dan nu niet zo schuldig voelen.'

Ze haalde haar schouders op. 'Ik zou me er maar niet druk over maken. Alan had heus niet naar je geluisterd, ook al had je hem onder handen genomen. Hij trok zich alleen wat van zijn vader aan.'

'Tot hij hem te lijf ging met een honkbalknuppel.'

'Dat moest natuurlijk eens gebeuren,' zei ze onverschillig. 'Kleine kinderen worden groot. Het was trouwens Dereks eigen schuld. Hij had niet door dat Alan te groot was om afgerammeld te worden.'

Ik keek weer naar de hoeveelheid lege flessen in de vensterbank. 'Voel je je ooit schuldig, Maureen?'

'Waarom zou ik?'

Ik gaf haar een kopie van de brief van Michael Percy, waarin stond dat haar kinderen snuisterijen van Annie hadden gestolen. Het vermaakte haar eerder dan dat ze het erg vond, want, zoals ze meteen opmerkte, het viel niet te bewijzen. 'Niemand gelooft Michael,' zei ze, 'en zolang hij in de gevangenis zit, zegt hij sowieso niets tegen de politie. Hij zou van zijn leven niet als een verklikker bekend willen staan.'

'Misschien geloven ze Alan,' opperde ik.

'Die ontkent. Hij heeft nu een gezinnetje... die wil niet dat iets wat-ie als kind heeft gedaan hem nu nog wordt nagedragen. En Danny herinnert zich zijn vader niet eens meer, laat staan onze buurvrouw van twintig jaar geleden. Hij heeft me over de telefoon gevraagd hoe Annie was en waarom ik nooit iets over haar verteld heb.'

'Wat heb je geantwoord?'

'Dat het een dik takkewijf was die ons leven tot een hel heeft gemaakt en dat hij niets moest geloven van wat jij zei omdat jij net zo gestoord bent als zij was.'

Ik glimlachte naar haar terwijl ik de grote envelop onder uit mijn rugzak trok en hem op tafel voor haar neerlegde. 'Maar dit gelooft hij denk ik wel. Ik heb voor jou een kopie gemaakt. Als je het gelezen hebt, bel me dan. Mijn nummer staat op het eerste vel.'

'Wat is het?'

'Een affidavit van een juwelier uit Chiswick die een aantal stukken heeft gekocht van een vrouw die Ann Butts heette. Mijn vader en ik hebben toen Michael opperde dat jij de ring die je van Bridget had afgepakt verpatst had, ongeveer tweehonderd brieven moeten schrijven om hem te vinden. We zijn begonnen met juweliers en pandjesbazen in Richmond en zijn uitgewaaierd tot we raak schoten in Chiswick. Hij is nog steeds juwelier en houdt een registratie bij van alles wat door zijn handen gaat... compleet met naam van verkoper en koper.'

Ze liet de envelop op tafel vallen alsof hij in brand stond.

'Hij doet zijn zaken eerlijk en hij betaalt een goede prijs, dus wil hij een identiteitsbewijs en eigendomsbewijs zien zodat hij er zeker van kan zijn dat het niet om gestolen goed gaat. In het geval Ann Butts was dat een bankpasje en een bankafschrift, en een taxatie van Sotheby's van een aantal stukken, waaronder de juwelen, die ter plekke bekeken waren op Graham Road nr. 30, Richmond. Ik neem aan dat je die niet meer hebt?' vroeg ik met opgetrokken wenkbrauwen. 'Zo stom ben je toch niet?'

Ze stak haar hand uit om nog een sigaret te nemen, maar ik haalde het pakje weg en trapte het plat terwijl ik opstond.

'Wat het pas echt interessant maakt,' zei ik ten afscheid terwijl ik met mijn handen nog steeds op de tafel leunde, 'is dat het eerste stuk pas in juni '79 verkocht is, en dat de juwelier er zeker van is dat de Ann Butts waarmee hij zaken gedaan heeft, een kleine blanke vrouw was met een Birminghams accent.'

Voor een prozac-junk en een drinkster werkten haar hersens nog goed. 'Zo zijn er zoveel,' zei ze.

'Mijn telefoonnummer staat op de envelop,' zei ik. 'Bel me als je wilt ruilen. Zo niet, dan geef ik het affidavit aan de politie.'

'Wat ruilen?'

'Informatie. Ik wil weten wie Annie vermoordde, Maureen... niet wie van haar stal.'

Sharon Percy wilde haar deur niet verder opendoen dan de ketting toeliet. 'Ik wil niet met je praten,' zei ze. 'Je dacht dat ik je niet herkende, maar ik heb je bij Maureen binnen zien gaan, dus daar hoefde ik niet lang over na te denken.'

Achter haar in de gang dook een schildpadhoofd op. 'Eerst heb je ons met die ellendige brieven bestookt,' voegde Geoffrey me toe, 'en nu duik je dus in levenden lijve op. Waarom rot je niet gewoon op en laat ons met rust?'

'Dat had ik gedaan als jullie teruggeschreven hadden,' zei ik.

'Wat hadden we moeten zeggen,' gromde hij. 'We wisten niets. Nooit iets geweten ook.'

'Waarom heb je in je verklaring voor de politie dan gelogen?'

Op beide gezichten stond de paniek te lezen, maar toen werd de deur dichtgeslagen. Ik had niet anders verwacht en begon aan de wandeling naar het huis van Jock Williams, vier kilometer verderop.

Brief van Libby Garth – ex-vrouw van Jock Williams, voorheen woonachtig op Graham Road nr. 21, Richmond, nu woonachtig in Leicestershire – gedateerd 1997

Windrush
Henchard Lane
Melton Mowbray
Leicestershire

19 juni 1997

M'lief,

Even een snel briefje voor ik aan het eten voor de hongerige scharen begin. Het is ongelooflijk maar waar. Jock heeft weer een nieuwe griet in dat huis van hem geïnstalleerd. Ze worden kennelijk om de paar maanden vervangen, maar zo'n geweldige dekhengst is het heus niet. Hoe krijgt hij het voor elkaar? Ik weet wel dat hij af en toe goed geld verdient, maar dat houdt hij nooit lang vast.

Zijn nieuwe project, 'Systel', iets met mobiele telefoons, ziet er veelbelovend uit, maar als het net zo gaat als met zijn vorige projecten, dan heeft hij over een jaar weer een hele hoop geld nodig om erin te investeren. Er wordt gezegd – z'n nieuwe grietje – dat hij zo'n slechte reputatie bij geldschieters heeft dat hij nu een lening op zijn huis wil opnemen. Als dat zo is, moet hij zich na laten kijken, want als hij zich dan vertilt, heeft hij geen dak meer boven zijn hoofd. Ha! Ha!

God, wat ben ik een kreng! En waarom doe ik dit nog steeds? Ben ik misschien een voyeur manqué? Als dat zo is, is dat jouw schuld. Je had me nooit moeten aanzetten hem in de gaten te houden, want het is ontzettend verslavend met zijn liefjes te kletsen. Het heeft vast iets met troost van doen. Ik voel me beter nu ik weet dat ik niet de enige ben wier relatie met hem mislukt is.

Veel liefs,

Libby

XXX

PS. Jim klaagt dat ik zoveel tijd besteed aan congressen. Wist je al dat ik nu vakbondsvertegenwoordigster ben?

Op naar het parlement. En dat zegt een man die verwacht dat ik ieder weekeind zijn belangrijkste klanten op een driesterrenmaaltijd trakteer. Mannen! Waar zijn ze eigenlijk goed voor?

16

JOCK LIET ME EEN AANTAL MINUTEN OP DE STOEP STAAN VOOR HIJ opendeed, en ik maakte van de gelegenheid gebruik om weer op adem te komen na mijn wandeling van Graham Road naar de heel wat chiquere straat tussen Queen's Road en Richmond Hill waar hij nu woonde. De buurt was gebouwd in de tijd dat het spoorwegverkeer in opkomst was en de middenklassen erachter kwamen dat het aangenamer was een eind van hun werk in de lawaaiige stadscentra af te zitten. En de huizen, hoewel het nog steeds rijtjeshuizen waren, waren groter dan hun nederiger tegenhangers in Mortlake, met een tweede verdieping voor de bedienden. Honderd jaar geleden had ieder huis nog een ommuurde voortuin gehad met bomen en struiken voor privacy, maar sedert de opkomst van het twee-autogezin waren de muurtjes neergehaald en de tuintjes geplaveid om parkeerruimte te scheppen.

Voor Jacks deur stond een oude zwarte Mercedes met versleten leren zittingen en ik tuurde net door de voorruit, terwijl ik me afvroeg of het de zijne was, toen de deur opensprong en hij naast me kwam staan. 'Je bent een halfuur te vroeg,' zei hij geïrriteerd. 'We hadden toch twee uur afgesproken?'

Ik had verwacht dat leeftijd, scheiding en mislukte ambities een vriendelijker mens van hem gemaakt zouden hebben, maar de aanval, zag ik, was nog steeds zijn favoriete verdediging. Tot mijn verbazing vond ik het prettig hem weer te zien, alsof hij een oude vriend was, en ik hield hem mijn wang voor voor een kus. 'Hai, Jack,' zei ik. 'Hoe is het?'

Hij gaf me een klein zoentje. 'Waar is Sam?'

'Heeft hij je niet gebeld?'

'Nee.'

'Er kwam op het laatste moment iets tussen,' loog ik overtuigend spijtig. 'Dus ben ik alleen gekomen.' Eén seconde keek Jock erg opgelucht en ik deed net of ik het niet zag. 'Ik wist niet dat je iets met klassieke auto's had,' zei ik ondeugend terwijl ik op de motorkap van de Mercedes klopte. 'Vroeger wilde je altijd het nieuwste van het nieuwste. Ik weet nog hoe grof je was toen Sam en ik die tweedehands Allegro-station gekocht hadden.'

Hij maakte een wegwerpgebaar. 'De Merc heb ik erbij. De Jag staat in een garage, aan het andere eind van de straat.'

'Een Jag!' riep ik uit. 'Jemig. Sam zal groen van jaloezie zijn. Hij wil al vanaf dat ze uitkwamen een XK8.' Ik keek langs hem heen de donkere gang in waar een munttelefoon hing. 'Als ik je gestoord heb, ga gerust je gang,' zei ik. 'Ik heb geen haast.'

Hij trok de deur dicht. 'Ik moet nog wat e-mails beantwoorden.'

'Ik wacht wel.' Ik hees me met één bil op de motorkap van de Mercedes en keek omhoog naar het huis. Het was een aantrekkelijk pand met zandstenen erkers met daarin de hoge, brede ramen waarop de Victoriaanse architecten zo dol waren. Volgens Libby had het huis hem in 1979 zeventigduizend pond gekost en volgens een plaatselijke makelaar was het nu zo'n driekwart miljoen waard. 'Leuk huis,' prevelde ik toen hij geen aanstalten maakte naar binnen te gaan.

Hij knikte. 'Ik ben er erg op gesteld.'

'Wat mankeerde eraan toen je het kocht? Huurders die je er niet uit kon zetten? Verzakkingen? Boktorren?'

Hij keek verbaasd. 'Niets.'

'Dat meen je niet! Hoe kon je het betalen? Ik dacht dat je zo slecht uit die scheiding gesprongen was.'

Hij deinsde enigszins achteruit, alsof ik plotseling mijn tanden had laten zien. 'Van wie heb je dat?'

'Van Libby.'

'Ik wist niet dat jullie elkaar nog spraken.'

'Zo af en toe.'

'Nu, ze heeft het mis,' zei hij voorzichtig. 'Ze dacht dat ze me kon pakken door een dure advocaat in te huren, maar hij heeft nooit iets kunnen vinden waar ze wat aan hadden.'

Grappig, hoe je geheugen je soms bedriegt. In mijn gedachten had ik hem zo lang met een wezel vergeleken dat zijn nogal innemende gezicht me verbaasde. 'Dat was dan een primeur,' zei ik met een lachje. 'Je bent er verder nooit in geslaagd iets voor je vrouw verborgen te houden.'

'Wat heeft ze je nog meer verteld?'

'Dat je voor de scheidingspapieren goed en wel getekend waren hier al een blondje had zitten. Jong genoeg om z'n dochter te zijn, zei ze, maar oud genoeg om beter te weten.'

Een opgeluchte blik. 'Jaloerse kletspraat,' schimpte hij.

Ik lachte weer, vermaakt door zijn verwaande gezichtsuitdrukking. 'Je bent altijd een hopeloze leugenaar geweest, Jock. Vroeger irriteerde me dat... nu vind ik het grappig,... waarschijnlijk omdat ik veel meer van je zaken af weet dan Sam.'

Zijn gezicht betrok. 'Geef eens een voorbeeld.'

'Bijvoorbeeld dat je vijfhonderdduizend hebt geleend op dit huis om Systel gaande te houden en dat je dat nu niet terug kunt betalen.'

Het bleef even stil terwijl hij overwoog wat hij zou zeggen. 'Heb je dat ook van Libby?'

Ik knikte plezierig.

'Nou, ze liegt,' zei hij kortaf. 'Ze weet helemaal niets van mijn financiën. Dat wist ze twintig jaar geleden al niet, en nu al helemaal niet. Ik heb haar sinds de scheiding nooit meer gesproken.' Hij wachtte tot ik iets zou zeggen en toen ik dat niet deed, maakte hij zich nog kwader. 'Ik kan jullie voor laster laten vervolgen, als jullie dit doorkletsen. Je kunt niet zomaar iemands reputatie vernietigen omdat je iets tegen hem hebt.'

Ik kwam in de verleiding te zeggen dat dat soort overwegingen hem er twintig jaar geleden ook niet van hadden weerhouden Sam te helpen mijn reputatie te vernietigen. Maar in plaats daarvan zei ik vriendelijk: 'Ik vind het altijd prettig om gecorrigeerd te worden, Jock. Wat is er dan gelogen? Heb je geen geld geleend? Heb je dat geld niet in Systel gestopt en ben je het niet kwijtgeraakt? Kun je het wel terugbetalen?'

Hij gaf geen antwoord.

'Misschien had je wat kieskeuriger moeten zijn wat je vriendinnetjes betreft,' opperde ik. 'Volgens Libby was dat domme blondje de eerste van een hele rij die geen van allen hun mond wisten te houden.'

'Wat bedoel je daarmee?'

'Libby heeft al jaren informatie uit ze weten te peuren terwijl jij aan het werk was. Ze geloofde zelf soms niet hoe indiscreet ze waren. Ze hoefde alleen maar te zeggen dat ze onderzoek deed voor een kousenfabrikant en ze twaalf paar gratis luxekousen aanbieden in ruil voor twintig minuten vragen beantwoorden over hun levenswijze, en dan gingen de sluisdeuren open.'

Hij fronste zijn wenkbrauwen. 'Waarom zou ze zoiets doen?'

Een goede vraag, maar ik was niet van plan er antwoord op te geven. Ik moest hem uit zijn evenwicht brengen als ik ooit achter de waarheid wilde komen. 'Ze wilde weten voor hoeveel je haar hebt opgelicht bij de scheiding.'

'Dat kan geen van mijn exen haar verteld hebben,' zei hij zelfverzekerd.

'Nee,' beaamde ik, 'maar ze vroeg het ook niet zo rechtstreeks. Ze pakte het veel subtieler aan,' – ik glimlachte – 'en heel geduldig. Ze borduurde gewoon verder op wat ze al van je wist.' Ik dacht aan de lijstjes die Libby me gestuurd had met bijgewerkte informatie over Jock. 'Bent u of uw partner eigenaar van het huis? Toen u het huis kocht, lag de waarde toen onder of boven de vijftigduizend? En de tegenwoordige waarde, ligt die boven of onder de honderdduizend...? Tweehonderdduizend... etcetera? Is uw partner eigen baas? Verdient hij meer of minder dan vijftigduizend... honderdduizend etcetera? Heeft hij een hypotheek? Is die hypotheek hoger of lager dan vijftigduizend etcetera etcetera?' Ik lachte boosaardig. 'Ze kreeg nooit alleen maar ja of nee te horen. Een van je vriendinnen heeft zelfs je bankafschriften tevoorschijn gehaald om de cijfertjes correct te krijgen.'

'Dat is niet wettig.'

'Ongetwijfeld.'

'Je liegt,' zei hij zelfverzekerder dan zijn gezicht verried dat hij was. 'Waarom zou ze zoiets doen? Volkomen nonsens.'

Ik glimlachte meewarig, alsof ik het met hem eens was.

'En wat is ze te weten gekomen?'

'Dat je van een hypotheek van twintigduizend in vijftien jaar over bent gegaan op een van vijfhonderdduizend, en dat je intussen zeven vriendinnen hebt versleten. Twee van je nieuwe bedrijven zijn mislukt en het half miljoen dat je verdiende aan het bedrijf dat je vorig jaar verkocht hebt, heb je moeten gebruiken om een faillissement af te wenden. De enige reden dat je hier nog zit,' – ik knikte naar zijn voordeur – 'is dat er overwaarde op je huis zit, en dat de bank je een aflossingsvrije hypotheek heeft gegeven zolang je uitkijkt naar een baan waarbij je een salaris van zes cijfers verdient. Je slaagt daar niet echt in omdat je bijna vijftig bent en je curriculum vitae weinig indrukwekkend is. Je verzet je nu tegen de druk die de bank op je uitoefent het huis te verkopen omdat je bang bent dat je er maar tweehonderdduizend aan overhoudt als je schulden eenmaal afbetaald zijn, en dat is amper genoeg om je oude huis op Graham Road mee terug te kopen.'

Hij zag er verpletterd uit, alsof ik net zijn bestaan in stukken had gescheurd en de flarden had weggegooid. Ik voelde geen spijt. Eindelijk begon hij een beetje te begrijpen wat hij mij eens had aangedaan.

'Misschien troost het je te horen,' zei ik vriendelijk, 'dat Sam net zo zuinig met de waarheid is geweest als jij. We hebben onze slag niet geslagen in Hongkong, er staat ons geen herenhuis met acht slaapkamers te wachten en de boerderij die we nu huren staat op instorten. We zijn in wezen niet veel rijker dan jij, dus lijkt het me nogal zinloos het volgende halfuur door te brengen met indruk op elkaar te maken met onze niet-bestaande miljoenen.'

Hij zuchtte, eerder berustend dan boos dacht ik, en gebaarde naar de deur. 'Kom maar binnen, hoewel ik je moet waarschuwen dat ik me tegenwoordig tot mijn werkkamer moet beperken. De rest van het huis is verhuurd aan buitenlandse studenten, dat is de enige manier om de rekeningen nog te betalen. Ik was eigenlijk van plan jullie mee te nemen naar de pub, zodat jullie er niet achter zouden komen, maar zo is het een stuk gemakkelijker.' Hij ging me voor de gang door naar een achterkamer. 'Weet Sam hiervan?' vroeg hij terwijl hij de deur opende en me binnenliet.

'Nee, hij gelooft nog steeds alles wat jij hem vertelt.' Ik nam de kamer in me op, er was amper genoeg ruimte om je te bewegen. Hij stond boordevol dozen en stapels boeken en schilderijen hingen in rijen op alle muren. Als hier spullen van Annie waren, dan sprongen ze niet direct in het oog. 'Mijn hemel,' zei ik terwijl ik mijn rugzak losmaakte en op de vloer liet neerploffen. 'Waar komt dit allemaal vandaan? Je bent het inbrekerspad toch niet opgegaan?'

'Doe niet zo stom,' zei hij humeurig. 'Daar zitten de spullen in uit de kamers van de huurders. Als ze het niet stelen, dan maken ze het wel kapot. Je weet hoe ze zijn.'

'Nee,' zei ik. 'Ik heb nog geen kennisgemaakt.'

'Buitenlanders in het algemeen, bedoel ik.'

'Aha!' Ik proestlachte, genoot van de ironie van het geval dat Jock zijn huis nu met vreemden moest delen. 'Hebben we het over *zwarte* buitenlanders, Jock?'

'Arabieren,' zei hij knorrig. 'Dat zijn de enigen die vandaag de dag geld hebben.'

'Slaap je daarom hier?' zei ik met een blik op het bed in de hoek. 'Om je bezittingen te beschermen tegen donkere aasgieren?'

'Ha! Ha!' Hij ging op de draaistoel voor zijn bureau zitten zodat ik de leunstoel kon nemen. 'Alleen als alle kamers bezet zijn. Het is een beetje krap, maar het helpt me uit de brand.'

Hij had zijn baard laten staan, en zijn donkere haar was grijs geworden, maar het stond hem goed en ik kwam tot de conclusie dat hij floreerde bij tegenslag, want de zorgenrimpels die Sams gezicht tekenden, had hij niet. 'Je ziet er goed uit,' zei ik terwijl ik me in de stoel nestelde. 'Sam is bijna al zijn haar kwijt, een gevoelig punt voor hem. Hij zal het erg vinden te horen dat jij het jouwe nog hebt.'

'Arme stakkerd,' zei hij verrassend meelevend. 'Hij was altijd als de dood dat hij kaal zou worden... telde elke dag de haren in zijn kam.'

'Dat doet hij nog steeds.' Ik richtte mijn aandacht op de lapjeskat die opgerold op een poef in de hoek van de kamer lag. 'Ik wist niet dat je van katten hield.'

Hij volgde mijn blik. 'Deze is toevallig blijven hangen. Een van m'n exen ging ervandoor toen ik haar creditcardafrekening weigerde te betalen en heeft die arme oude Boozey in haar haast achtergelaten... Hij is meer in mij dan in mijn portemonnee geïnteresseerd, dus we kunnen het samen prima vinden.'

'Heb je op dit moment een vriendin?'

'Heeft Libby je dat dan niet verteld?' vroeg hij sarcastisch. 'Ik dacht dat ze alles wist.'

'Ze is opgehouden met bellen toen de telefoon steeds door buitenlanders werd opgenomen.'

'Was ze dan niet bang dat ik zou opnemen?'

'Dat heb je gedaan,' zei ik. 'Verscheidene keren. Ze deed dan altijd of ze een oud dametje was die haar dokter probeerde te bereiken. Jij was altijd heel geduldig... je zei haar steeds dat ze het nummer in haar boekje moest corrigeren, zodat ze niet nogmaals verkeerd zou bellen.'

'Godverdomme, was dat Libby? Ze klonk heel anders.' Hij leek onder de indruk, alsof ik net iets lovenswaardigs over een niet-bestaande dochter had gezegd in plaats van over de vrouw die hem bijna een kwart eeuw geleden de bons had gegeven.

'Ze kan heel goed een beverige stem opzetten.' Ik zweeg even. 'Mis je haar?'

Het was een vraag die hij niet had verwacht en hij streek peinzend over zijn baard terwijl hij over het antwoord nadacht. 'Soms,' gaf hij toe. 'Waar zit ze nu? Ik weet dat ze weer getrouwd is, dat heeft een van haar vriendinnen me verteld, maar ik heb er geen idee van waar ze naartoe is gegaan.'

'Melton Mowbray in Leicestershire. Ze heeft in Southampton een postkandidaatsopleiding gevolgd na jullie scheiding en nu is ze hoofd van de sectie geschiedenis op een middelbare school in Leicester. Haar man is manager op een bank, hij heet Jim Garth. Ze hebben drie dochters. De oudste is dertien en de jongste zeven.'

Zijn lippen plooiden zich tot een spijtig lachje. 'Ze zei altijd al dat ze zonder mij beter af zou zijn.'

'Ze wilde een eigen identiteit, Jock...' Ik leunde naar voren, met mijn handen tussen mijn knieën geklemd. 'Als je haar had aangemoedigd een opleiding tot lerares te volgen toen jullie nog getrouwd waren... Wie weet? Misschien waren jullie dan nu nog bij elkaar.'

Hij geloofde dat net zomin als ik. 'Weinig kans. Op het laatst spraken we zelfs niet meer met elkaar.' Hij keek me met samengeknepen ogen aan, en ik nam aan dat hij net zo'n wantrouwen jegens mij koesterde als ik jegens hem. 'Ik heb jou altijd de schuld van de scheiding gegeven, weet je dat? Libby had nergens problemen mee tot jij kwam... het enige wat ze wilde was kinderen... en toen kwam jij bij ons in de straat wonen en waren kinderen niet goed genoeg meer. Ze moest en zou opeens een carrière hebben en dat moest en zou lesgeven zijn.'

'Ik wist niet dat ze zo makkelijk beïnvloedbaar was.'

'Schei uit! Ieder idee dat zij had, dat had ze van de laatste persoon met wie ze gepraat had. Daarom is ze waarschijnlijk geschiedenislerares geworden. Je hoeft niet zo erg na te denken als je vak al eeuwenlang door andere mensen uitgekauwd is.'

'Wat een onzin, Jock. Libby wist precies wat ze van het leven wilde, en ook wat ze niet wilde.'

'Ja, nu ja... ik wist het altijd als ze bij jou was geweest. Ze was heel wat feller over haar rechten als ze een dosis Ranelagh links feminisme toegediend had gekregen.'

'Misschien maar goed dat je haar nooit aan Sharon hebt voorgesteld,' zei ik droogjes. 'Anders had je een prostituee als vrouw gehad.'

Hij keek me niet aan, ik denk omdat hij bang was voor wat ik in zijn ogen zou kunnen lezen, maar zijn nek werd rood van woede. 'Wat een waanzin.'

'Niet waanzinniger dan dat je de schuld van de scheiding op mij afschuift,' zei ik effen. 'Niets wat ik gezegd of gedaan heb kon iets aan het feit veranderen dat Libby jouw gegok meer dan beu was. Ze wilde wat vastigheid in haar leven, niet een carrousel waarin ze de ene dag iets won en de andere dag alles verloor. Het was erg genoeg toen je alleen nog maar belegde, maar toen je toegaf dat je drieduizend pond bij een pokersessie verloren had...' Ik schudde mijn hoofd. 'Wat moest ze dan? Je een schouderklopje geven?'

'Het was *mijn* geld,' zei hij verongelijkt.

'Als je won was het ook jouw geld,' zei ik, 'maar je winst deelde je niet met haar, alleen je verlies. Iedere keer dat je verloor ging Libby door een hel, en met je winsten liet je je pijpen door Sharon.'

Het begon tot hem door te dringen hoeveel Libby mij verteld had en hij zocht zijn toevlucht tot een beledigd zwijgen, dat alleen onderbroken werd door het getik van een pendule op de schoorsteenmantel. Ik deed geen poging de stilte te doorbreken. In plaats daarvan keek ik rond in de werkkamer en probeerde me wat ik zag in te prenten. Een onmogelijke opgave, dus zocht ik naar wat er niet was: silhouetten van de grootouders van Annie, een mozaïek van Quetzalcóatl, jaden voorwerpen, granaathulzen en pauwenveren...

Er hing een aardig zeegezicht in een vergulde lijst aan de muur tegenover me, een schip met volle zeilen in gevecht met een stormachtige zee, en ik kon de woorden op het kleine plaatje dat aan de onderkant van de lijst was geschroefd net lezen. *'Spaans kaperschip in zware storm voor Kingston, Jamaica, 1823'*. Ik verdiepte me in de vraag of de datum op het jaar van de storm sloeg of op het jaar waarin het schilderij gemaakt was, en pas na een poosje drong het tot me door dat Jock naar me zat te kijken.

Hij volgde mijn blik. 'Wat is er verdomme aan de hand?' vroeg hij achterdochtig. 'Heeft Libby het in haar kop gekregen dat ze meer geld van me los kan peuteren?'

Ik schudde mijn hoofd. 'Ik wilde je wat vragen over de avond dat Ann Butts stierf.'

Hij zuchtte geërgerd. 'Waarom haal je Libby er dan bij? Waarom heb je dat niet meteen gezegd?'

Een domme vraag voor iemand die altijd eerst aanviel en daarna pas vragen stelde. 'Sorry,' zei ik verontschuldigend.

Jock ging op in zijn ergernis. 'Je had telefonisch met me kunnen praten. Ik heb je vragen vroeger altijd beantwoord. Ik ben laatst zelfs nog naar de St.-Mark's gereden om de naam van de dominee voor je op te zoeken.'

'Dat was aardig van je,' beaamde ik.

'Maar wat is er dan anders dan anders?'

Ik trok een gezicht. 'Niets. Ik ben hier niet zo goed in, dat is alles. Ik was bang dat je dicht zou klappen als ik je met vragen zou overvallen over waar je die avond was en met wie.'

Hij keek verbaasd. 'Dat weet je al. Het staat in mijn verklaring. Ik was bij jullie thuis, met Sam. We hebben wat biertjes gedronken en toen ben ik naar huis gegaan.'

'Maar het was dinsdag,' bracht ik hem in herinnering, 'en Libby heeft me verteld dat dinsdag je fellatiodag was.'

'Jezus Christus,' gromde hij kwaad. Dit vond hij verschrikkelijk. 'Ik ben eerst naar Sharon geweest, nou goed? Daar kwam ik om halfacht vandaan, en toen liep ik Sam tegen het lijf en gingen we naar zijn huis voor een biertje.'

'Sam zei dat jullie elkaar op het metrostation tegen het lijf liepen.'

Hij schoof ongemakkelijk op zijn stoel heen en weer. 'Het is twintig jaar geleden. Je kunt niet verwachten dat ik alle bijzonderheden nog weet.'

'Wat had je op het metrostation te zoeken als je net van Sharon kwam? Ik dacht dat je bij haar thuis seks had.'

'Wat maakt het godverdomme uit? Annie was nog springlevend toen we langs haar liepen.'

Ik haalde mijn schouders op. 'Sam weet nog dat hij je op het station ontmoette omdat je toen net van een pokersessie terugkwam.'

Dat overviel hem. 'Een pokersessie?' herhaalde hij. 'Hoe kom je daarbij?'

'Dat zei Sam.'

'In zijn verklaring niet.'

'Nee, dat heeft hij me achteraf verteld,' loog ik. 'Hij zei dat hij je mee naar huis nam om wat te drinken omdat je in de rats zat hoe je aan Libby moest vertellen dat je er weer een fortuin doorheen gejaagd had.'

Zijn verbazing maakte plaats voor ergernis. 'Dat heb je toch niet tegen Libby gezegd?'

'Nee, ik hoorde het pas toen we al uit Engeland weg waren.'

Hij dacht even na. 'Misschien wilde Sam niet zeggen dat ik bij Sharon was geweest.'

'Wist hij dan van haar af?'

Hij knikte flauwtjes.

'Maar van wie kon hij dat dan weten, Jock? Van *jou*?' zei ik verbaasd. Hij gaf geen antwoord. 'God, ik had er wat om verwed dat je dat geheimgehouden zou hebben. Het was toch niet iets om trots op te zijn?'

Hij kneep zijn lippen samen. 'Hou erover op, ja? Dit heeft niets te maken met de dood van Annie.'

Ik schudde mijn hoofd. Het heeft er alles mee te maken, Jock. Ze is gestorven omdat ze halfdood geslagen is, een paar uur voordat ze erin slaagde zich naar ons stuk van de straat te slepen, waar ik haar vond, en toch zeg jij dat ze springlevend was toen je om kwart voor acht bij Sharon vandaan kwam.' Ik haalde de autopsiefoto's uit het voorvak van mijn rugzak en spreidde ze uit op mijn schoot. 'Kijk maar eens naar die blauwe plek. Dit komt niet door verwondingen die een kwartier tot een halfuur voor haar dood zijn toegebracht, daar is hij te groot voor.' Ik pikte er een close-up van Annies rechterarm uit. 'Dit is een klassieke foto van verwondingen opgelopen uit zelfverdediging, toegebracht uren voor de dood intrad. Waarschijnlijk heeft ze zich tot een bal opgerold om haar hoofd te beschermen. In plaats van de paar geïsoleerde plekken die je zou verwachten als een vrachtwagen haar even voor ze overleed tegen een lantaarnpaal aan had gegooid, zijn de plekken over een periode van uren opgekomen en hebben een massief hematoom veroorzaakt, van schouder tot pols.'

Hij staarde tegelijkertijd geschokt en gefascineerd naar de foto's, maar in plaats van dat hij zijn afkeer uitsprak over Annies blauwgeslagen gezicht, kwam hij met een volkomen onverwachte opmerking op de proppen. 'Ik was vergeten hoe jong ze was.'

'Jonger dan jij nu,' beaamde ik. 'En sterk, daarom duurde het zo lang voor ze bewusteloos was. Deze plekken boven aan haar dijen' – ik draaide een foto van Annies torso naar hem toe – 'wijzen op zware inwendige bloedingen doordat ze geschopt is of geslagen in haar onderbuik, waardoor het bloed in het spierweefsel van haar benen is gelopen. Dat moet gedaan zijn in wat gewoonlijk wordt omschreven als "aanval van dolle woede" en die moet bijna zeker in haar huis hebben plaatsgevonden omdat het ergens anders te veel in de gaten was gelopen.'

Hij nam de tijd om wat ik zei te verwerken. 'Ze had haar jas toch aan? Waarom zou ze thuis een jas dragen?'

Die vraag had ik mezelf vele keren gesteld omdat Annie hem onmogelijk aan had kunnen trekken *nadat* ze geslagen was. 'De enige verklaring die ik kan verzinnen is dat iemand achter haar aan mee naar binnen is gegaan toen ze thuiskwam van de pub en haar heeft aangevallen voor ze tijd had de jas uit te trekken.'

Zo langzamerhand begon hij zorgelijk te kijken. 'Dan had de politie toch aanwijzingen gevonden?' wierp hij tegen. 'Dan had er toch bloed op de muren gezeten?'

'Niet als het grotendeels inwendige bloedingen waren. Bovendien, er waren wel degelijk aanwijzingen. De politie heeft het zelf vastgelegd. Kapot meubilair, dat wijst op een vechtpartij... geen vloerbedekking, dat wijst erop dat er wel degelijk bloed was en dat de kleden verwijderd zijn... menselijke uitwerpselen in de gang, een klassieke angstreactie van indringers. Urinestank toen ik haar vond, Jock, wellicht hebben ze ook over haar heen gepist.'

Hij draaide zich om en begon met de pennen op zijn bureau te spelen. 'Walgelijk.'

'Ja.' Ik haalde vermoeid mijn schouders op. 'En als jij en Sam niet hadden gelogen dat jullie haar om kwart voor acht gezien hadden, dan had de politie het bewijsmateriaal misschien op de goede manier geïnterpreteerd in plaats van dat ze haar een zwerfster noemden.'

Hij likte zenuwachtig langs zijn lippen. 'Zegt Sam dat wij gelogen hebben?'

Ik knikte en schoof de foto's tot een keurig stapeltje op mijn schoot. 'Hij had heimwee, een avond in Hongkong, en toen gaf hij mij de schuld dat we uit Engeland weg moesten. Om een uur of drie in de ochtend kwam het er allemaal uit... dat je hem gebeld had en hem gesmeekt had voor een alibi te zorgen... hoe ik hem het leven onmogelijk had gemaakt door de politie te zeggen dat het moord was... dat de keus tussen mij of zijn beste vriend een van de moeilijkste in zijn leven was.' Ik haalde mijn schouders op. 'Daarna voelde ik nog maar weinig voor je. Je hebt me door een hel laten gaan en dat heb ik je nooit vergeven.'

'Sorry,' zei hij ongemakkelijk.

Ondanks mezelf had ik bewondering voor zijn loyaliteit. Sam verdiende het niet, maar het sprak voor hun vriendschap, die gezond was gebleven door de regelmatige uitwisseling van telefoontjes, faxen en e-mails. 'Nog eventjes, en dan wordt de zaak heropend,' zei ik hem. 'Het eerste wat ze gaan uitzoeken is waar iedereen was in de uren voor Annies dood. Ze is kort na half tien gestorven,' bracht ik hem in herinnering. 'Dus als je dertig à veertig minuten bij Sharon door hebt gebracht en om half acht bent weggegaan, dan was je in de buurt in de periode waar het om gaat.'

Hij keek even naar mijn schoot.

'En dat betekent dat je gehoord moet hebben wat er naast jullie aan de gang was,' ging ik nuchter door, 'of je kwam bij Sharon net nadat zij het gehoord had. In beide gevallen had je iets gemerkt. Je hebt geen lekkere seks met een vrouw die net gehoord heeft hoe haar buurvrouw bewusteloos is geslagen.' Ik keek nieuwsgierig naar hem. 'Maar Sharon zal hoe dan ook zeggen dat dat verhaal van jou onzin is, want volgens haar getuigenis op de zitting, was ze van zes tot kwart over negen in de pub.'

'Dit is krankzinnig,' zei hij terwijl zijn ogen afdwaalden naar de telefoon op zijn bureau. 'Wat vindt Sam ervan?'

'Niet veel... behalve dat hij volhoudt dat hij niets over jou en Sharon wist en dat hij er niets aan kan doen als jij tegen hem gelogen hebt over de reden waarom je een alibi nodig had.'

Dat hij ervan werd beschuldigd tegen Sam te hebben gelogen,

bracht hem ertoe schoon schip te maken. Of dat, of boosheid dat hij door iedereen tot zondebok gemaakt werd, deed hem zijn zelfbeheersing verliezen. 'Sam wist beter dan wie ook dat ik het lef niet had om nog een keer te kaarten,' zei hij bitter. 'Ik neem misschien risico's, maar ik ben niet helemaal gek. De eerste keer ben ik volkomen uitgekleed door een stelletje professionals, en dat liet ik me niet nog eens gebeuren.' Hij kneep in zijn neusrug. 'En Sharon, dat speelde al helemaal niet. Ik had het halve hoerendom van Londen aan Libby voorbij kunnen laten trekken, dan had het haar nog niets gedaan. Ons huwelijk was al maanden voorbij... het was alleen maar de vraag wie het eerste zijn koffers zou pakken.'

'Waarom heb je in je getuigenverklaring dan gelogen?'

Hij zag in mijn ogen dat ik het antwoord al wist. 'Moet ik het voor je uitspellen? Het was al dood en begraven voor jullie Engeland uit waren.'

'Voor Sam misschien wel, maar voor mij niet. Daarom ben ik hier. Ik heb lang moeten wachten voor ik erachter was met wie hij die avond was... en wat ze deden...'

E-mail van Libby Garth – ex-vrouw van Jock Williams, voorheen woonachtig op Graham Road nr. 21, Richmond, nu woonachtig in Leicestershire – gedateerd 1999

M.R.

Van: Libby Garth (liga@netcomuk.co)
Verzonden: 05 mei 1999 14.37
Aan: M.R.
Onderwerp: Eindelijk kom je thuis!

M'lief, wat een fantastisch nieuws. Ik dacht echt dat je voor altijd weg was. Ik denk dat het door Sams hartaanval komt – dus kennelijk heeft toch ieder nadeel zijn voordeel. Maar goed, heerlijk om je weer te zien. Misschien kun je Sam overhalen een weekend bij Jock langs te gaan terwijl jij en de jongens naar ons in Leicestershire komen? Ik denk niet dat Sam vrienden met Jim wil worden, uit angst zijn oude vriend te verraden – en Jim zal niet op zijn gemak zijn als er een achterdochtige maat van Jock hier op bezoek komt.

Over achterdocht gesproken, ben je van plan Jock aan te pakken als je terug bent? Zoals je weet ben ik er nooit achter gekomen hoe hij aan het geld voor het huis in Alveston Road is gekomen hoewel ik een studievriend van hem op een feestje ben tegengekomen die een vaag verhaal ophing dat Jocks ouders hem geholpen zouden hebben – ik citeer: 'Jock pakt het altijd slim aan. Hij heeft me wel eens verteld dat hij zijn ouders voor een klein fortuin heeft afgezet omdat ze allebei denken dat hij geen contact meer heeft met de ander en ze kunnen dat niet controleren omdat ze sinds de dood van de broer nooit meer een woord gewisseld hebben.' Kan het zijn dat het geld daarvandaan komt? Het klinkt nogal Jock-achtig, wat hij ook mag beweren over dat hij een 'self-made man' is.

Heb ik je ooit wel eens gezegd hoezeer ik onder de indruk ben van wat je bereikt hebt? Wie had kunnen denken dat dat kleine leraresje uit Graham Road in zo'n tijgerin kon veranderen? Die arme Sam moet zich wel eens afvragen wat hem overkomen is. Je zegt dat hij nog steeds niet over de avond dat Annie stierf wil praten, maar dat viel misschien te verwachten. Hoe langer jullie getrouwd zijn, hoe moeilijker het voor hem moet zijn toe te geven dat hij bereid was zijn vriend boven zijn vrouw te stellen.

Je bent verstandig genoeg om iets dat meer dan twintig jaar geleden is gebeurd in het juiste perspectief te zien. We maken tenslotte allemaal wel eens een fout en je moet het Sam nageven dat je nadien wel een beetje gek bent geweest – een klassieke posttraumatische stressreactie waarvoor je behandeld had moeten worden. Hij noch Jock noch iemand anders had reden om het politiestandpunt in twijfel te trekken dat Annie bij een ongeluk om het leven was gekomen. Ik weet wel dat jij zult zeggen dat dit de 'Nou en-test' niet doorstaat, maar ik heb toch het gevoel dat je jullie huwelijk onnodig onder druk zet als je Sam steeds blijft herinneren aan zijn 'fout'. Voor de politie hoeven ze toch alleen maar toe te geven dat ze Annie die avond niet hebben gezien?

Over de Slaters, Percy's en Spaldings: Wees voorzichtig als je ze benadert, want ze zullen ongetwijfeld zeer vijandig tegenover het beantwoorden van vragen staan. Dat soort rancunelijders staan erom bekend dat ze gewelddadig zijn – ze zitten zo laag in de pikorde dat ze niet anders kunnen – en ik wil echt niet in mijn krant lezen dat jouw lijk uit de Thames is gevist! Het brandende kruis is de angstaanjagende werkelijkheid, lieverd, niet een hersenspinsel van de KKK. Ze <u>geloven</u> in terreur omdat terreur ze status verleent. (Ze komen er waarschijnlijk op klaar want het zijn allemaal sadisten, maar dat zullen ze nooit toegeven!) Maar goed, ik vraag me af of je de Slaters niet beter aan de politie kunt overlaten, vooral nu je zoveel bewijsmateriaal verzameld hebt over hun gejat.

Tot gauw,

Veel liefs,

L

17

HET WAS EEN INGEWIKKELD VERHAAL OVER EEN AANTREKKELIJK SECRE-taresje op Sams kantoor dat hem augustus '78 in haar netten had verstrikt, terwijl ik in Hampshire op de honden van mijn ouders paste die op vakantie waren. Het was een korte verdwazing, verzekerde Jock mij, een geval van 'fatal attraction' die bijna meteen toen de verhouding begonnen was, bekoelde. Sam wilde haar toen ik terugkwam aan de dijk zetten, maar daar wilde het meisje niet van horen. Als ze ergens anders gewerkt had zou het geen probleem zijn geweest, maar Sam maakte zich zorgen dat zijn carrière eronder zou lijden als ze zich uit nijd tegen hem zou keren. Het was de tijd van seksuele intimidatie op de werkvloer, en dit was een meisje dat wist wat ze deed.

Sam hield haar een paar maanden aan het lijntje en op de avond dat ik laat thuis zou komen omdat ik een ouderavond had, deed hij een poging het uit te maken. Het was een wreed toeval dat dat dezelfde avond was waarop 'gekke Annie' overleed. Sam wist zich geen raad, zei Jock. Hij had het krankzinnige idee gehad dat als hij zijn vriendinnetje eerst chic uit eten nam en haar dan vertelde dat hij van plan was fatsoenlijk te zijn en bij zijn vrouw te blijven, het meisje dat zou slikken. In plaats daarvan ging ze volledig over de rooie... gilde en schreeuwde naar hem in het restaurant... gooide wijn over zijn pak... en dus was hij er tegen de tijd dat hij thuiskwam treurig aan toe.

'Hij liep langs Annie in de goot,' zei Jock. 'Ze lag onder de lantaarnpaal, dus hij moest haar wel zien, maar ze stonk naar de drank dus liet hij haar liggen. Hij wist dat jij ieder moment thuis kon komen en hij wilde voor alles zijn pak uittrekken, zich opknappen en net doen of hij de hele avond thuis was geweest.' Er lichtte een pretlichtje in zijn ogen op. 'En toen kwam jij een kwartier later binnenstormen om een ambulance te bellen en dan maakt die stommerd het zichzelf direct vreselijk lastig.'

Ik fronste mijn wenkbrauwen. 'Hij zat tv te kijken. Het kwam niet bij me op te vragen waar hij geweest was.'

'Je zei hem dat Annie Butts op straat lag te sterven en hij zei: "Nee, ze is hartstikke lam."'

'En?'

'Hoe had hij dat kunnen zeggen als hij haar niet gezien had?'

Ik verbeet mijn lachen. 'Wil je beweren dat jullie tegen de politie gelogen hebben vanwege een of andere stomme opmerking die hij gemaakt heeft terwijl ik via de telefoon om een ambulance schreeuwde? Al had hij me verteld dat ze op haar hoofd stond, dan had ik er nog geen aandacht aan geschonken. Ik zou het achteraf absoluut niet meer geweten hebben.'

Jock haalde zijn schouders op. 'Dat was precies wat ik zei, maar hij geloofde me niet. Hij zei dat jij een geheugen als een ijzeren pot had. Hij zei dat het een stuk makkelijker zou zijn als we het politieverhaal zouden bevestigen dat Annie om kwart voor acht ladderzat was. Wij waren tenslotte niet de enigen die dat zeiden... *Iedereen* zei het. We dachten dat het de waarheid was.'

'Er waren maar vijf anderen die beweerd hebben dat ze haar gezien hebben,' bracht ik hem in herinnering. 'Geoffrey Spalding onder anderen, die tegenover Annie op nummer 27 woonde. Dat is de man die op de zitting zei dat hij geprobeerd had Annie over te halen naar huis te gaan maar dat hij die poging gestaakt had toen ze hem begon uit te schelden. Hij schatte de tijd tussen acht en half negen. Dan had je het bejaarde echtpaar op nummer 8, meneer en mevrouw Pardoe, die om ongeveer negen uur naar bed gingen omdat ze het koud hadden en haar vanuit hun slaapkamerraam zagen, maar ze besloten er niets aan te doen omdat ze duidelijk dronken was en ze de vorige keer dat ze haar hadden geprobeerd te helpen, naar hen gespuugd had. En ten slotte een man en een vrouw in een auto die Graham Road als sluipweg gebruikten en die zeiden dat ze op de rem moesten staan toen een grote gedaante in een donkere jas plotseling scheldend voor hen opdoemde. Ze dachten dat het iemand met een kwade dronk was en reden door om een confrontatie te vermijden. Ze wisten niet precies hoe laat het was, maar dachten dat het even na negenen was.'

Hij keek naar de foto's die nog steeds op mijn schoot lagen. 'Nu heb je jezelf tegengesproken,' zei hij. 'Waarom zouden al die mensen liegen over dat ze haar gezien hadden?'

'Ik geloof ook niet dat ze logen,' zei ik langzaam. 'Behalve misschien Geoffrey Spalding, en die heeft wellicht alleen over het tijdstip gelogen. Het tijdstip was namelijk belangrijk. Een van de redenen waarom de politie dacht dat ze haar verwondingen een kwartier tot een halfuur voordat ik haar vond had opgelopen, was dat zowel de Pardoes als het echtpaar in de auto zeiden dat ze rond negenen nog rondliep. Als ze om half tien dood was, dan moest ze *ipso facto* gedurende dat halve uur door iets geraakt zijn.'

'Maar dan kun je toch niet verwachten dat iemand gelooft dat ze uren eerder doodgeslagen is?'

'Ik zei dat ze bewusteloos was geslagen, Jock, niet dat ze dood was. Er *is* een verschil... vooral als je het over iemand hebt die zo stevig gebouwd en sterk was als Annie.' Ik liet mijn vinger onderzoekend over haar celluloid gezicht glijden alsof het mij wat vertellen kon. 'Ik denk dat ze bij haar thuis bijkwam en dat ze zichzelf naar buiten heeft gesleept op zoek naar hulp. Het wonder is dat ze nog genoeg kracht had om een passerende auto aan te houden. Een arts zou waarschijnlijk zeggen dat dat onmogelijk is omdat haar schedel gebroken was, maar het is de enige verklaring waarom ze op straat was en waarom ze dronken leek.'

'Of misschien had de politie het van het begin af aan bij het rechte eind,' opperde Jock. 'Ik heb het verslag van het gerechtelijk onderzoek gelezen. Er stond dat ze een hoog alcoholpercentage in haar bloed had.'

Ik schudde mijn hoofd. 'Vijfennegentig milligram op honderd millimeter bloed, dat is vijftien milligram boven de hoeveelheid om nog te mogen rijden. Dat zijn ongeveer vier of vijf glaasjes rum... een peulenschil voor iemand die zoveel dronk als Annie. Sam en ik kunnen dat in het weekend zonder problemen aan... en jij ook, denk ik... en dan lopen we nog niet als zombies rond.' Ik schudde vermoeid mijn hoofd. 'Ze is als verkeersslachtoffer binnengebracht, dus heeft de patholoog-anatoom haar uit gewoonte als "niet tot rijden in staat" aangemerkt, wat de politie en de coroner vervolgens hebben geïnterpreteerd als "hoog alcoholpercentage". Ik moet eerlijkheidshalve toegeven dat ze getuigenverklaringen hadden die haar als "lam" omschreven en de politie heeft dozen met lege wodkaflessen in haar huis gevonden, maar als de patholoog-anatoom zijn werk goed gedaan had, dan had hij zich afgevraagd of vijfennegentig milligram genoeg was om een vrouw van bijna negentig kilo die gewend was alcohol te drinken te laten wankelen.'

'Je hebt je huiswerk goed gedaan, niet?'

'Ja.'

'Wat vindt de politie ervan?'

'Nog niets. Ik wil het bewijs helemaal rond hebben, zodat ze gedwongen zijn de zaak te heropenen, of ze dat nu willen of niet.' Ik zweeg even. 'Ik wil dat jij en Sharon toegeven dat jullie het stelletje waren waar ik die avond op Graham Road achter liep,' zei ik tegen hem.

Hij haalde zijn schouders op. 'Dat maakt mij niets uit. Maar haar misschien wel.'

'Waarom?'

'Ze heeft op de zitting gelogen. Ze was pas om kwart over negen in de William of Orange. We spraken daar meestal rond half negen af, dronken snel wat, en gingen dan via het achterom naar haar huis, maar ze werd die avond door een taxi afgezet, in een opperbest humeur en totaal niet geïnteresseerd om nog wat te verdienen. Dus ben ik met haar meegelopen langs de A316 en hebben we op de hoek van Graham Road afscheid genomen.' Hij ging door voor ik de voor de hand liggende vraag kon stellen. 'Ze zei dat ze met een andere klant in een hotel was geweest. Ik nam aan dat dat zo was omdat ze helemaal opgedirkt was en naar sigaretten stonk.' Hij schudde bij de herinnering even zijn hoofd. 'Ze gaf me in ieder geval niet de indruk dat ze van haar eigen huis kwam. Integendeel... ze zei steeds dat ze naar huis wilde omdat ze kotsmisselijk was van de champagne die ze gedronken had.'

'Maar als dinsdag *jouw* dag was, waarom zou ze dan met een ander gaan?'

'Ze was beroeps,' zei hij sarcastisch. 'Iemand had haar kennelijk meer geld geboden.'

'Heeft ze nog gezegd wie?'

'Ze heeft geen namen genoemd... zei alleen dat het een andere vaste klant was en dat ze het zich niet kon permitteren hem teleur te stellen.'

'Geoffrey Spalding was een klant van haar,' zei ik langzaam. 'Zijn vrouw lag op sterven, borstkanker, en hij wilde niet dat zij of zijn dochters wisten dat hij voor seks betaalde. Hij nam Sharon een keer per maand mee naar een hotel.' Ik lachte om zijn gezichtsuitdrukking. 'Nee, dat heeft Libby me niet verteld. Ik heb het van Sharons zoon, van Michael. Ik heb hem in de gevangenis geschreven.'

'Jezus! Nou, jij liever dan ik,' zei hij droogjes. 'Dat was vroeger een echte kleine sadist... hij trok de katten van Annie de snorren uit, gewoon voor de lol. Weet je waarvoor hij zit?' Ik knikte. 'Wees maar voorzichtig. Zijn moeder was als de dood voor hem. Hij kon ontzettend kwaad worden als je hem dwarszat.'

Ik keek naar de kat die zich slaperig zat te likken in het middagzonnetje. 'Weet je wat ik nooit begrepen heb, Jock... waarom jij of

Sharon niet gekeken hebben of Annie nog leefde. Jullie moeten haar gezien hebben. Sharon moest praktisch over haar heen stappen om de straat over te steken.'

'Maar we hebben niet gekeken, echt niet,' zei hij. 'Ik heb er Sharon achteraf naar gevraagd en toen werd ze lijkbleek... smeekte me mijn mond dicht te houden, ze wilde erbuiten blijven.'

Er leek weinig meer te zeggen, maar ik had de energie niet om op te staan. De rit naar huis was weinig aanlokkelijk en ik wilde eigenlijk niets liever dan me als de kat tot een balletje oprollen en vergeten dat het leven zo ingewikkeld was. Misschien voelde Jock zich net zo, want de schaduwen begonnen al te lengen toen hij zijn mond pas weer opendeed.

'Je bent veranderd,' zei hij.

'Ja,' beaamde ik.

Hij glimlachte. 'Ga je me niet vragen in welk opzicht?'

'Dat heeft geen zin.' Ik legde mijn hoofd tegen de rugleuning en keek naar het plafond. 'Ik weet wat je zou zeggen.'

'Wat dan?'

'Dat ik meer ontspannen ben dan vroeger.'

'Hoe wist je dat?'

'Sam zegt het ook altijd.'

'Jij was vroeger behoorlijk opgefokt,' zei hij. 'Ik weet nog dat ik een keer bij jullie thuis kwam en dat ik moest wegduiken voor een pan.'

Ik draaide mijn hoofd om hem aan te kijken en lachte bij de herinnering. 'Dat was omdat jij en Sam op een onchristelijk uur in de ochtend ladderzat thuiskwamen en mij uit bed haalden, zoveel herrie maakten jullie beneden. En toen jullie me zagen, wilden jullie eten, dus toen gooide ik die pan naar jullie toe en zei dat jullie dat dan zelf maar moesten klaarmaken. Je had hem moeten vangen, niet ervoor wegduiken.'

'O ja?' vroeg hij droogjes. 'Maar belandde uiteindelijk ook niet het grootste deel van het servies op de vloer?'

Ik dacht na. 'Ik was razend, vooral omdat de volgende dag de inspectie op school langs zou komen. Ik vond dat trouwens altijd al lelijke borden. Ze waren van Sams moeder.'

Hij grijnsde. 'We waren zo stomdronken, dat we waarschijnlijk dachten dat je blij was ons te zien... maar we hebben het in ieder geval nooit meer gedaan. Zoals Sam al zei, de volgende keer zou je waarschijnlijk messen gaan werpen.'

We glimlachten naar elkaar. 'Ik ben er nooit achter gekomen waar jullie toen gezeten hebben,' mompelde ik lui. 'Jullie zwoeren dat jullie naar de pub geweest waren, maar dat kan niet want de pubs zijn om elf uur al dicht.'

Hij aarzelde heel even voor hij antwoord gaf. 'Een striptent in Soho,' zei hij. 'Sam dacht dat je dat niet goed zou vinden.'

Ik haalde neutraal mijn schouders op. 'En dat aantrekkelijke secretaresje, was dat mee?' vroeg ik. 'Het was ergens in oktober, dus toen speelde dat nog.'

Hij schudde zijn hoofd. 'Sam zou nooit een vrouw meenemen naar een striptent.'

Ik leunde voorover om de foto's van Annie in mijn rugzak te stoppen. 'Heb je haar ooit gezien, Jock?'

'Nee,' gaf hij toe.

'Dus je hebt er alleen Sams woord voor dat ze bestond?'

In zijn stem klonk oprechte verbazing door toen hij antwoordde. 'Natuurlijk bestond ze! Je kan iemand die niet echt is, niet haten. Hij heeft me die avond verteld dat wurgen nog te goed voor haar was en heus... ik was erbij... ik heb hem gehoord. Hij meende het woord voor woord. Daarom nam ik hem toen mee naar die club... om hem af te leiden. Hij was als de dood dat ze naar jou zou gaan met het hele banale verhaal... of dat ze hem ermee zou chanteren... Ik had hem zowat overgehaald het aan jou te vertellen' – hij zuchtte mistroostig – 'maar toen kwamen we thuis en begon jij ons met pannen te bekogelen.'

Ik glimlachte om zijn onschuld en bedacht dat het niet vreemd was dat Sam hem graag als goeroe had. Leerlingen hebben altijd liever een leraar die ze kunnen manipuleren. 'Sorry,' zei ik zonder enige spijt te voelen, 'maar als het je tot troost is, hij was absoluut niet van plan iets op te biechten. Ik twijfel er niet aan dat hij een verhouding had, Jock, ik twijfel alleen aan die doortrapte secretaresse. Die heeft hij voor jou verzonnen. Hij heeft nooit iets geheim kunnen houden en jij zou vast achterdochtig zijn geworden als hij had gezegd dat hij het te druk had om met jou te gaan drinken. Je zult merken dat hij wat dichter bij huis opereerde.'

Hij wreef over zijn hoofd. 'Ik begrijp er niets van.'

'Schei uit zeg, zo moeilijk is het niet.' Ik begon mijn spullen bij elkaar te rapen. 'Wat denk je dat Libby die avond deed toen Annie stierf? Je sokken stoppen?'

Hij wilde het niet geloven. 'Ze kan niet bij Sam geweest zijn,' zei hij. 'Shit, ik had het geweten als ze weg was geweest. Mijn avondeten stond klaar, de hele was was gedaan, godverdegodver.'

'Er stond een prima bed in jullie huis. Waarom denk je dat ze dat niet gebruikt zouden hebben?'

Hij staarde me aan, met een gekwetste, ongelovige blik in zijn ogen, en ik moest aan mijn eigen ellende denken toen ik naar Sams dronken gewauwel had geluisterd, die nacht in Hongkong. *Het is jouw schuld dat we hier zitten... als jij me niet in de steek had gelaten, dan was dit nooit gebeurd... vrouwen zijn slecht... ze doen het een en zeggen iets anders... waarom moest je de mensen verdomme vragen wat ze die avond deden? Dacht je dat ze* eerlijk *zouden zijn?*

'Ik had ieder moment binnen kunnen komen,' zei Jock op zoek naar een uitweg.

'Het was dinsdag,' zei ik, 'en je kwam op dinsdag nooit voor tienen thuis.'

'Maar...' zijn verbijstering nam toe. 'Maar klopte er dan niets van wat Sam me heeft verteld?'

'Ik denk dat de verhouding inderdaad begonnen is in de twee weken dat ik weg was. Ik weet nog dat hij me over de telefoon vertelde dat Libby had aangeboden zijn was voor hem te doen, maar toen ik hem later vroeg of hij haar daaraan gehouden had, werd hij ongelooflijk prikkelbaar en zei hij dat hij haar helemaal niet gezien had. Toen dacht ik dat hij boos was omdat ze haar woord niet had gehouden, maar nu denk ik dat hij bang was dat hij zich zou verraden...'

Ik zag hoe de wrok als een dief bezit nam van Jocks gezicht, en het verbaasde me hoe leeg deze kleine overwinning voelde.

'Ik denk dat het ook waar was dat hij er een eind aan wilde maken,' ging ik verder. 'En dat hij als de dood was dat hij haar tot vijand zou krijgen. Zelf denk ik niet dat Libby het ooit had opgebiecht, omdat ze jou niet van ammunitie voor een scheiding wilde voorzien, maar Sam was er wel degelijk bang voor.' Ik glimlachte fijntjes. 'De ironie is dat ik vermoed dat hij veel banger was dat jij erachter zou komen dan dat hij zich druk maakte over mij. Hij zegt dat jouw vriendschap belangrijk voor hem is.'

'Wat een ellendige hypocriet.'

Dat sprak ik niet tegen. 'Wat kan het jou schelen?' vroeg ik. 'Je zei zelf net dat dat toch allemaal allang dood en begraven is.'

Maar Jock wilde niet aan zijn eigen zoetsappige platitudes herinnerd worden. 'Hij heeft mij voor hem laten liegen.'

'Dat deed je graag,' merkte ik op.

'Ik had er misschien anders over gedacht als ik geweten had dat hij bij Libby was.'

Ik haalde mijn schouders zo'n beetje op. 'Wie is er nu hypocriet?'

Hij wendde zich af en haalde een zakdoek uit zijn zak.

'Maar hoe dan ook,' ging ik verder, 'ik wed dat het Libby's idee was. De politie heeft iedereen in de straat gevraagd of ze iets hadden gehoord of gezien ten tijde van het ongeluk, en ik denk dat ze bang was dat iemand zou zeggen dat ze Sam rond negenen uit haar huis hadden zien komen. Het was een stuk veiliger als hij dat zou ontkennen en zeggen dat hij met jou bij ons zat.'

Van verbijstering naar haat, dat zijn maar een paar wrede stappen en ik zag op zijn gezicht dat de eerste stap gezet werd. Ik was die weg zelf gegaan en kende de tekenen. Toch was het doelwit van zijn haat niet de man die hem verraden had, maar de vrouw. 'Ze vond het heerlijk me voor aap te zetten, weet je dat? Ze is er waarschijnlijk jaren op klaargekomen dat ik degene was die hun een alibi verschafte.'

Ik schudde mijn hoofd. 'Je moet er niet langer over nadenken. Als Sam meer was geweest voor Libby dan een tijdelijke minnaar, dan was jij op straat gezet en waren hij en ik niet meer getrouwd.'

'Ik ben er hoe dan ook uitgezet,' zei hij kwaad. 'Ik had geen kans.'

'Je had dezelfde kansen als ik,' zei ik koel. 'Als een van ons had geweten wat er gaande was, waren allebei de huwelijken stukgelopen. En omdat we het niet wisten, heeft het jouwe nog even standgehouden en het mijne het overleefd. Maar dat van jou was al kapot, Jock, en daar kun je Sam de schuld niet van geven. Hij was een symptoom, niet de oorzaak.'

Hij begon aan een incoherent verhaal over zijn eigen aandeel in die al langgeleden beëindigde relatie. Wist ik wel hoe het was om afgewezen te worden door iemand van wie je hield? Hij zou toch nooit wat met Sharon begonnen zijn als Libby blijk had gegeven van een klein beetje interesse in hem? Wat dacht ik dat het deed voor het gevoel van mannelijke eigenwaarde om voor seks te moeten betalen? Natuurlijk had hij Sam niets over haar verteld. Niemand met maar een greintje verstand zou willen dat zijn vrienden hem achter zijn rug uitlachten...

Terwijl ik luisterde terwijl hij zijn hartzeer uitstortte, in die kamer vol verborgen geheimen, was ik eerder geamuseerd dan dat ik met hem meevoelde. Was hij zo blind voor zijn eigen dubbelhartigheid dat een dubbele moraal hem niet hinderde? En waarom dacht hij dat hij mij over zijn verdriet kon vertellen terwijl dat van mij ouder was, monsterlijker en heel wat wreder? Hij zag zich – net als Sam – meer als slachtoffer dan als dader, en net als bij Sam, nam zijn vechtlust toe naarmate zijn schuld verbleekte bij de schuld van anderen.

Toen hij eindelijk klaar was, stond ik op en hees mijn rugzak op mijn schouders. 'Ik zou er maar niet over blijven piekeren,' zei ik vriendelijk. 'Dat verandert toch niets aan de zaak en je maakt je er alleen maar kwaad mee.'

'Als je dat vindt, dan had je me niet moeten inlichten.' Hij keek naar me terwijl ik nakeek of ik niets vergeten was. 'Waarom heb je dat gedaan?'

'Het leek me wel zo eerlijk.'

Hij lachte vreugdeloos. 'Misschien vind ik eerlijkheid niet zo belangrijk als jij. Heb je daar wel eens aan gedacht? Sam en ik kennen elkaar al heel lang. Misschien was ik wel gelukkiger geweest als ik van niets geweten had.'

Ik was er zeker van dat dat zo was. Men zegt terecht wat niet weet, wat niet deert. Sam en hij hadden voor altijd zo door kunnen blijven gaan, de een liegend over zijn onverzettelijke trouw aan zijn vriend, de ander over zijn successen. Maar men zegt ook terecht dat gedeelde smart halve smart is en ik was er stiekem zeker van dat Jock – een man die niet graag in stilte leed – zodra ik weg zou zijn de telefoon zou pakken en een deel van zijn smart op mijn man zou afwentelen.

Het leek me volkomen eerlijk – de rechtvaardigheid gebiedt een straf – maar het was de vraag of ze daarna ooit nog met elkaar zouden spreken. Dat deed me niets. Ik had heel lang op mijn genoegdoening moeten wachten.

CURRAN HOUSE
Whitehay Road
Torquay
Devon

Vrijdag

Lieve M,

Ik heb toch het gevoel dat Libby gelijk heeft en dat je je nog maar eens moet bedenken over die bezoekjes op maandag, vooral dat aan Alan. Ik weet dat Danny je gezegd heeft dat Alan er niet zal zijn, maar bedenk toch hoe hij zal reageren als hij van zijn vrouw hoort dat jij foto's van hun hele interieur hebt genomen. Weet je zeker dat je de politie niet wilt inschakelen? Dat is toch veel verstandiger? Ik weet dat ik je er niet aan hoef te herinneren wat Alan en zijn vader jou hebben aangedaan – ik vind het nog steeds vreselijk te zien dat je steeds je handen wast – maar ik ga er niet zoals jij van uit dat alleen omdat de broer van Alan niets van zijn verleden schijnt te weten, zijn vrouw dat ook niet doet.

Liefs,
Je vader
XXX

18

Mijn laatste halte die dag was een kleine tweeondereenkapper uit de jaren dertig in Isleworth met met grindsteen bepleisterde muren en in kleine ruitjes verdeelde ramen. Het was te ver om te lopen, dus nam ik een taxi van station Richmond en vroeg de chauffeur te wachten voor het geval er niemand thuis zou zijn of de bewoners mij niet te woord wilden staan. Ik hoorde een hond blaffen toen ik aanbelde, toen werd de deur opengegooid door een jongetje met een krullenbol en een grote Deense dog kwam naar buiten stormen en draaide toen grommend om me heen. 'Mammie,' schreeuwde het kind. 'Satan gaat een mevrouw bijten. Mammie!'

Een mollige blondine in een oversized T-shirt en leggings dook achter hem op en stuurde de hond met een vingerknip weer naar binnen. 'Wees maar niet bang,' zei ze opbeurend. 'Hij blaft harder dan hij bijt.'

Ik lachte zwakjes. 'Hoe weet u dat?'

'Pardon?'

'Hoeveel mensen heeft hij al gebeten?'

'O, nu snap ik het.' Ze giechelde. 'Niemand... Tot nu toe. Nee, grapje. In feite is het een grote goeiige lobbes. Maar denk erom' – ze maakte het haar van haar zoon door de war – 'hoe vaak moet ik je nog zeggen dat je de deur niet open mag doen, Jason? Niet iedereen is zo makkelijk met honden als deze mevrouw en als Satan echt iemand zou bijten, dan hebben we de politie binnen de kortste keren op ons dak.' Ze draaide hem bij zijn schouders om en stuurde hem een deur aan haar rechterhand in. 'Toe, pas jij even op Tansy voor me. Ik wil niet dat ze haar vingers weer in het stopcontact steekt.' Haar mondhoeken trokken omhoog tot een vragend glimlachje. 'Wat kan ik voor u doen? Als u een Jehovagetuige bent, verspilt u uw tijd. Daarom hebben we Satan Satan genoemd... om de God-brigade af te schrikken.'

Ze was als een frisse bries na de achterdochtige Maureen Slater, en het verbaasde me niet in het minst dat Danny haar gezelschap boven dat van zijn moeder verkoos. 'Dat heeft Alan vast verzonnen,' zei ik.

'Klopt.'

'En jij bent Beth?' Ze knikte. 'Alan kent me als mevrouw Ranelagh,' zei ik terwijl ik mijn hand uitstak. 'Mijn man en ik woonden vroeger aan de andere kant van Graham Road, toen hij nog een jongetje was. Ik heb hem nog in de klas gehad.'

Ze keek verbaasd toen ze mijn hand schudde. 'Bent u de vrouw waar Danny het over had? Hij heeft een paar avonden geleden opgebeld en zei dat hij iemand was tegengekomen die Al vroeger had lesgegeven.'

'Ja.'

Ze keek over mijn schouder naar de taxi. 'Hij zei dat dat in Dorset was.'

'We huren daar deze zomer een boerderij. Het is ongeveer vijftien kilometer bij Danny vandaan. Ik ben vandaag in Londen omdat ik een paar mensen wilde spreken' – ik nam niet aan dat ze zou geloven dat ik zomaar langskwam – 'onder wie Alan.'

Ze keek even onzeker. 'Hij werd heel stil toen Danny uw naam noemde... alsof u Jack de Ripper was of zo...'

'O ja?' vroeg ik verbaasd. 'Hij heeft altijd gezegd dat ik zijn lievelingslerares was. Anders was ik nooit langsgekomen.'

Ze keek verlegen. 'Hij is er niet. Hij zit in de bouw, op dit moment ergens bij Chertsey.' Er verscheen een rimpel in haar voorhoofd. 'Wat raar dat Danny u dat niet heeft verteld. Zo'n chic project... u weet wel, huizen met gebeeldhouwde accenten en portieken met zuilen – en hij zeurt Al al weken aan zijn kop om hem op te geven voor het sierwerk. Ze liggen achter, dus maakt die arme jongen van mij overuren... de meeste avonden komt hij niet voor tienen thuis.' De rimpel verdiepte zich. 'Trouwens, waarom *wilt* u hem spreken? De meeste leraren waren blij dat ze van hem af waren.'

'Ik ook,' zei ik eerlijk. 'Meestal kwam hij niet eens opdagen, en als hij kwam, dan was hij zo lastig dat ik wilde dat hij niet gekomen was.' Ik glimlachte om de angel uit mijn woorden te halen. 'Dan haalde ik diep adem, hield me voor ogen hoe zijn vader was, en probeerde het opnieuw. Ik kon de gedachte niet verdragen dat hij net zo zou worden als Derek... en dat is duidelijk niet gebeurd, als alles wat Danny me over jou en de kinderen heeft verteld waar is.'

De nieuwsgierigheid won het, zoals ik gehoopt had, want de reden die ik haar gegeven had om langs te komen, was op zich niet voldoende om haar over te halen me binnen te vragen. 'Ik heb zijn vader nooit gezien,' zei ze met een sprankje belangstelling in haar ogen. 'Hij was al lang vertrokken toen ik Al ontmoette, maar iedereen zegt dat het een klootzak was. Kende u hem goed?'

'O ja, hij heeft eens gedreigd mijn gezicht te verbouwen, dus heb ik hem aangegeven.' Ik draaide me besluiteloos om naar de taxi. 'Ik heb de chauffeur gevraagd te wachten voor het geval dat jullie niet thuis waren, maar ik geloof dat hij zijn meter aan heeft laten staan.'

'Laat 'm de tering krijgen,' zei ze opgewekt. 'Het zijn allemaal afzetters. Je betaalt je verdomme blauw. Sorry voor m'n woordkeus. Als we nu eens een kopje thee gingen drinken en straks een minitaxi bellen? Als u geluk heeft, komt Al misschien een keertje vroeg thuis. Ik bedoel, er komt niet iedere dag een lerares van hem langs' – ze hield haar hoofd schuin – 'hoewel u niet erg op die oude takkewijven lijkt die mij hebben lesgegeven.'

Met een dankbaar glimlachje voor de uitnodiging en het compliment – en een dringend gebed in stilte dat *niets* Alan ertoe aan zou zetten een keertje vroeg naar huis te gaan – betaalde ik de taxi en ging achter haar aan naar binnen. Zoals ik had kunnen verwachten, weerspiegelde het interieur Beths nuchtere aard. De inrichting en kleuren waren eenvoudig en eerlijk – terracotta en riet waren duidelijk favoriet bij haar –, de vloerbedekking was praktisch – geschuurde planken in de gang en kurk in de keuken – en de meubels waren zo neergezet dat het ruimtelijk effect groot was en de kans op ongelukken met de kinderen klein. Het was heel geslaagd en het zag er erg leuk uit, en toen ik dat tegen haar zei keek ze tevreden, maar niet verrast.

'Dat wil ik gaan doen als de kinderen allebei naar school zijn,' zei ze, 'iemands huis onder handen nemen en het mooi en gezellig maken. Ik denk dat ik er aanleg voor heb, en het lijkt me jammer om in een fabriek te gaan werken als ik geld kan verdienen met wat ik leuk vind. Ik doe het allemaal zelf – Al is te moe om vloeren te schuren als hij thuiskomt – en de meeste vriendinnen van me zien groen en geel van jaloezie als ze hier komen. De helft denkt dat dit geen werk voor een vrouw is, en de anderen zeggen dat ze zich zouden generen om gereedschap als schuurmachines en behangstomers te huren, omdat ze niet zouden weten waarnaar ze moeten vragen.'

Ik liep zorgvuldig om de Deense dog heen die in volle lengte op een kleedje voor het fornuis lag uitgestrekt. 'Wat deed je voor je met Alan trouwde?' vroeg ik terwijl ik een keukenstoel bij schoof en er schrijlings op ging zitten. De hond hief zijn kop met een vijandige blik in zijn ogen maar na een vingerknipje van zijn bazin gaapte hij en ging weer slapen.

'Ik was kapster,' zei Beth lachend, 'en ik vond het verschrikkelijk. Ik was zogenaamd styliste, maar het enige wat ik stylede waren spoelingen voor van die verschrikkelijke ouwe wijven die niets beters te doen hadden dan zeuren over hun mannen. En het maakte weinig uit of die arme stakkerds nou dood waren of nog leefden, ze gingen hoe dan ook over de tong. Kwebbel kwebbel... Hij is gierig... hij is stom.... Hij morst op de wc-bril... mijn god. Het leek me vreselijk oud te worden.'

Ik lachte. 'Het klinkt als mijn moeder.'

'Is zij ook zo?'

'Een beetje.'

'Ik heb mijn moeder nooit gekend,' zei Beth terwijl ze haar armbanden omhoogschoof tot haar elleboog en de ketel naar de gootsteen droeg om hem te vullen. 'Tenminste, mijn biologische moeder. Ze heeft me afgestaan voor adoptie toen ik nog een baby was. Mijn adoptiemoeder is geweldig... en mijn vader ook... ze zijn gek op Al en de kinderen. Ze hebben me wel eens gevraagd of ik niet op zoek wilde naar mijn echte moeder maar ik zei, mij niet gezien. Ik bedoel, voor hetzelfde geld vind ik haar helemaal niet aardig... de helft van de mensen die ik ken hebben een hekel aan hun ouders... waarom zou ik tijd verspillen met haar te zoeken?'

Ik zweeg.

'Vindt u dat verkeerd?'

'Helemaal niet,' zei ik glimlachend. 'Ik dacht alleen wat een evenwichtige vrouw je bent en wat een geluk het is voor Alan dat hij met jou getrouwd is.' Ik dacht ook aan iets dat een onderwijspsycholoog ooit over Alan geschreven had: '*... hij moet aangemoedigd worden een positieve band met volwassenen aan te gaan... hij moet het gevoel krijgen dat hij gewaardeerd wordt...*' 'Danny heeft duidelijk ook veel aan je gehad... hij praat in ieder geval heel liefdevol over je.' Ik meende dat echt en ze bloosde van genoegen. 'En hun zusjes?' vroeg ik. 'Zie je die vaak?'

Dit was kennelijk een minder aangenaam onderwerp, want de rimpel kwam direct terug. 'We hebben ze het laatst bij Tansy's doop gezien en dat is drie jaar geleden. Al zei dat we het nog een keer moesten proberen, dus hebben we ze gevraagd, en ze gingen Al en mij direct te lijf, zoals gewoonlijk... verpestten die arme Tan d'r feestje... en toen dachten wij, ze kunnen de pot op. Het leven is te kort voor dit soort ruzies.' Ze veegde wat broodkruimels van de tafel in haar hand en ik keek gefascineerd naar de armbanden die ratelend terugvielen naar haar pols. 'Al zegt dat ze jaloers zijn omdat het ons goed gaat en hun niet – de een heeft vier kinderen en geen vent want die is ervandoor gegaan toen ze zwanger was van de vierde, en de ander heeft er vijf van verschillende vaders, twee van die kinderen zitten in een tehuis.'

'Waar wonen ze?'

'In een hoogbouwbuurt bij Heathrow.'

'Samen?'

'Het zijn buren. De kinderen zitten in een bende en terroriseren de oude mensen die daar wonen. Je moet er niet aan denken hoe vaak die al niet gewaarschuwd zijn door de politie. Iemand heeft me laatst nog verteld dat de gemeente van plan is Sally en Pauline te sommeren de kinderen binnen te houden... maar ik weet niet of dat waar is. Het erge is dat ze zich voor een huis hier proberen in te schrijven en ik heb al tegen Al gezegd dat we moeten verhuizen als dat zou gebeuren, omdat ik Jason en Tansy niet door hun neven en nichten laat meezuigen in de ellende. Over mijn lijk.' Ze schonk thee in en voegde, net als haar schoonmoeder, automatisch melk toe. 'Al zegt dat het niet echt de schuld van zijn zusters is,' ging ze verder terwijl ze me een kopje toeschoof, 'niet als je hun opvoeding in aanmerking neemt, maar ik zeg steeds dat als dat zo is, hij en Danny net zo erg zouden moeten zijn.'

Ze deed me aan Julia Charles denken, onze buurvrouw op Graham Road, die zich op dezelfde manier zorgen had gemaakt over de verschrikkelijke invloed die Alan Slater en Michael Percy op haar kinderen zouden hebben als ze ze op straat liet spelen. 'Het zijn zulke verschrikkelijke jongens,' zei ze altijd, 'en niet omdat ze niet ons soort mensen zijn, dat is het niet. Het is de schuld van de ouders. Als die moeders meer tijd met hun kinderen doorbrachten en minder op hun rug lagen of aan de fles zaten, dan zouden die kinderen zich beter gedragen. Dat weet iedereen.'

'Het klinkt alsof de rollen omgedraaid zijn,' zei ik langzaam. 'De twee meisjes leken me als kind altijd heel verstandig. Maar misschien waren ze te benauwd voor hun vader om uit de pas te lopen. Ze gingen soms mee met Alan, maar nooit verder dan de hoek van de straat. Ze waren allebei klein en donker, net als hun moeder. Sally is toch de oudste?' Ze knikte. 'Ze waren bevriend met twee andere meisjes, ongeveer even oud – Rosie en Bridget Spalding – ze hinkelden altijd samen op de stoep. Bridget is met Alans vriend getrouwd, met Michael Percy, en is naar Bournemouth verhuisd, maar ik heb geen idee wat er van Rosie geworden is.' Ik trok vragend mijn wenkbrauw op maar Beth schudde haar hoofd terwijl ze op het aanrecht ging zitten, met haar theebeker in beide handen.

'Al heeft met niemand van Graham Road meer contact,' zei ze. 'Hij gaat af en toe naar zijn moeder, maar dat zijn korte bezoeken, want hij kan er niet tegen. Als het aan hem lag, ging hij helemaal niet... maar ik zeg steeds dat hij een voorbeeld moet zijn voor Jace en Tan... Ik zou het niet overleven als zij me nooit meer op zouden zoeken als ze groot zijn.' Ze had lichte wimpers en wenkbrauwen waardoor haar gezicht er nogal nietszeggend uitzag als ze niet een van haar vele uitdrukkingen opzette. Nu vertrok ze het geïrriteerd. 'Maar ze maakt het hem niet gemakkelijk. Ze klaagt alleen maar hoe eenzaam ze is en hoe ellendig. Het is een vicieuze cirkel. Als ze nu haar best zou doen om gezellig te zijn, dan ging hij waarschijnlijk wat vaker langs... maar nu stelt hij het zo lang mogelijk uit en dan gaat hij omdat hij zich schuldig voelt.'

'En ga jij er wel eens met de kinderen heen?'

Weer een scheef gezicht. 'Vroeger wel, tot Jason haar prozac een keer vond en we naar het ziekenhuis moesten. Ik was razend op haar. Terwijl ze die stomme dingen niet eens nodig heeft... meestal neemt ze ze niet eens... het is alleen een manier om aan een arbeidsongeschiktheidsuitkering te komen zodat ze de hele dag thuis kan zitten tv kijken. Ik zou het niet zo erg hebben gevonden als we haar niet speciaal gevraagd hadden ze op te bergen. Maar je kunt net zo goed tegen een muur praten. Ze rookt en drinkt als Jace en Tan erbij zijn... het kan haar niet schelen wat ik daarvan vind... ze heeft me nota bene gezegd dat ze niet snapt waarover ik me zo druk maak. *Mijn* kinderen hebben er niets aan overgehouden, zegt ze.'

Ik lachte. 'Zoiets had ik met weggooiluiers. Ik ben zo stom geweest mijn moeder te vertellen wat ze kosten en toen heeft ze me maanden de les gelezen dat ik mijn geld over de balk smeet. Wat is er mis met katoenen luiers, zei ze steeds... voor jou was het goed genoeg, dus waarom zou het niet goed zijn voor je jongens?'

Ze nam een slok thee. 'Je bent niet erg dol op haar, hè?'

De vraag was zo direct dat hij me overviel, al was het maar omdat ik hem mezelf nooit gesteld had. 'Meer dan jij op Maureen, denk ik.'

'Ja, maar Maureen is mijn moeder niet,' zei ze moedeloos. 'Ik vind het erg vervelend. Ik vind het niet prettig om ruzie te hebben, maar zoals de familie van Al zich gedraagt... straks gaan we met niemand van hen meer om. Soms heb ik een nachtmerrie dat het in de genen zit en dat mijn kinderen er na een enorme ruzie vandoor zullen gaan en Al en ik ze nooit meer terugzien.'

'Dat gebeurt niet,' troostte ik haar. 'Als gedrag erfelijk is, dan zouden mijn twee jongens lang geleden aan hun stutten hebben getrokken en weg zijn gegaan. Maar ze zijn zo relaxed, je hebt een staaf dynamiet nodig om ze in beweging te krijgen... of een blond stuk in een Ferrari.'

Ze keek me bedachtzaam aan. 'Misschien hebben ze de genen van hun vader,' opperde ze.

Eerder van hun grootvader, dacht ik, terwijl ik onderwijl besefte dat het amper een geschikt moment was om Beth aan de genetische band tussen haar kinderen en Derek te herinneren. 'Ja, maar ik ben het met Alan eens dat het meer te maken heeft met de opvoeding,' antwoordde ik. 'Jason en Tansy zijn de optelsom van hun genen en wat ze meegemaakt hebben, niet alleen de optelsom van hun genen, want anders zou je ze niet van elkaar kunnen onderscheiden. Je zei dat zelf zonet al toen je opmerkte dat Alan en Danny zo van hun zusjes verschilden.' En hoe Alan verschilde van de jongen die ik eens kende, dacht ik wrang.

'Ze verschillen onderling ook heel erg,' zei ze. 'Danny is een druk baasje, terwijl Al zich gedraagt alsof hij middelbaar geboren is.' Ze giechelde en haar gezicht klaarde op. 'Jace zei gisteren verdomme, omdat hij dat op de peuterspeelzaal gehoord had en Al heeft zich de volgende twee uur zorgen gemaakt of het zijn schuld was. Ik zei: doe verdomme niet zo stom – sorry voor mijn woordkeus hoor – en hij zei: jij kunt erom lachen, maar het enige wat pa ooit tegen me zei was oprotten verdomme. Hij wou dat Derek zijn vader niet was.'

'In zijn plaats zou ik er net zo over denken,' zei ik. 'Alsof je moet zeggen dat Iwan de Verschrikkelijke je vader is.'

Ze barstte zowat van nieuwsgierigheid. 'U zei dat hij u bedreigd heeft. Waarom? Waarom was hij zo kwaad?'

Ik kwam in de verleiding eerlijk te zijn, niet alleen omdat ik haar aardig vond en me schuldig voelde dat ik haar gebruikte. Ze was een van die zeldzame mensen die ongeacht leeftijd, sekse of achtergrond een zo open persoonlijkheid hebben dat ze op hun beurt om vertrouwen vragen en dat ook verdienen. Ik vond het ook jammer haar voor de gek te houden omdat ik haar onder andere omstandigheden dolgraag als bondgenote zou willen hebben.

'We hadden een keer ruzie op straat over hoe hij Alan behandelde en toen draaide hij mijn arm op mijn rug en zei dat als ik me er nog eens mee zou bemoeien, hij mijn lach van mijn gezicht zou slaan.' Het was niet helemaal gelogen, dacht ik. De plek klopte niet, en het dreigement – dat niets van doen had met mijn lach – was sowieso uitgevoerd, maar Derek had me wel degelijk gezegd me er niet mee te bemoeien. 'Dus heb ik gedaan wat ieder verstandig mens zou doen en ik heb hem aangegeven,' zei ik, 'maar ze geloofden me niet en hebben het doorverteld aan Derek.'

Als ik de waarheid zou vertellen, dan had ik eraan toegevoegd dat ik binnen twee dagen twee keer verraden was door dezelfde politieagent en me als gevolg daarvan een dubbele portie woede van Derek op de hals had gehaald. Maar ik wilde Beth met opgewekte onverschilligheid het hof maken, haar niet de stuipen op het lijf jagen met bewijzen van haar schoonvaders beestachtigheid.

Ze sperde haar ogen wijdopen.

'En toen?'

'Niets eigenlijk,' loog ik. 'Het was een echte bullebak, veel geschreeuw, weinig wol.' Ik zweeg even. 'Danny heeft me verteld dat hij vertrokken is nadat Alan hem met een honkbalknuppel had afgeranseld?' Ik legde een vragende toon in mijn stem en Beth knikte. 'Waar is hij heen gegaan? Weet iemand dat?'

'Al heeft het zelden over hem, behalve om te zeggen dat hij hem niet in de buurt van onze kinderen wil zien. Ik weet dat hij gezeten heeft omdat Sally zijn adres van een ex-gevangene heeft die gelijk met hem zat. Dat was voor de doop van Tan en ze bleef maar zeuren dat we hem moesten uitnodigen. Ze zei dat hij weer in Londen was en dat hij zijn gezin weer wilde zien' – ze haalde haar schouders op – 'maar Al zei dat als hij zich hier liet zien, hij nog een keer afgeranseld zou worden en daarom kregen ze ruzie op het feest. Sally en Pauline zeiden dat Derek blut was en dat hij geholpen moest worden, en Al zei dat hij voor zijn part kon doodhongeren.'

'Waren jullie niet bang dat hij toch zou komen?'

Ze keek even naar de hond. 'Daarom heeft Al Satan genomen. Hij wilde een Rottweiler, maar ik zei dat dat te gevaarlijk met de kinderen was. Ik vond dat het geldverspilling was, hoor.' Ze spande de spieren in haar rechterarm. 'Ik denk dat ik Derek zelf wel aankan... geen punt... als hij zich hier binnen zou durven dringen, maar we zijn aan Satan gehecht geraakt en ik zou nu niet meer zonder hem kunnen.'

Ik wilde haar waarschuwen voor al te veel zelfvertrouwen, maar in plaats daarvan mompelde ik: 'Maar toch, het is niet zo vreemd dat Alan zich zorgen maakte, vooral als Derek vlak in de buurt was.'

'Zo vlakbij nu ook weer niet. Sally zei dat hij bij een meid ergens in Whitechapel ingetrokken was.'

'Valt me mee dat hij iemand gevonden heeft.'

'U heeft gelijk. Ik zei dat die meid een gaatje in haar hoofd had...

maar misschien heeft hij haar niet verteld dat hij vrouwen sloeg... en Sally was beledigd en zei dat ik geen praatjes moest rondstrooien over mensen die ik nog nooit gezien had. Dus zei ik, ik spreek je nog wel als hij deze afgetuigd heeft.'

Ik glimlachte. 'Wat vond Maureen ervan?'

Beth grijnsde naar me. 'Ze zei dat het jammer was dat Derek niet jaren geleden aan de drank gestorven was en dat het de meisjes nog wel zou berouwen als ze hem weer in hun leven toelieten omdat het nu eenmaal hun vader was. Ze wond zich behoorlijk op, zei dat hij zijn best had gedaan hun leven te verwoesten toen ze nog kinderen waren en dat als ze maar een greintje verstand hadden, ze nu bij hem uit de buurt zouden blijven.'

'Beter laat dan nooit, neem ik aan,' zei ik droogjes. 'Toen hij nog bij hen woonde, heeft ze weinig gedaan om hen te beschermen.'

Er trok een bedachtzaam rimpeltje in Beths voorhoofd en ik vroeg me af of ik mijn vooroordeel jegens hem te overduidelijk had laten merken. 'Ik denk alleen dat zij net zo erg was. Zij heeft die honkbalknuppel gekocht... niet om tegen Derek te gebruiken... maar om haar kinderen mee op hun hoofd te slaan als ze haar ergerden.'

'Hoe weet je dat?'

'Danny plaagde Al een keer dat hij zo traag van begrip was. Hij zei dat dat kwam omdat zijn moeder zijn hersens met die knuppel had beschadigd.'

'Was ze daar sterk genoeg voor?' vroeg ik weifelend.

'Volgens Danny wel. Hij zei dat het net een wild dier was als ze kwaad was, en dan moest je maken dat je wegkwam of jezelf opsluiten op de wc.' Ze zag mijn ongelovige blik en haalde haar schouders eventjes op. 'Ik kan er geen eed op doen dat het echt zo is – Danny neemt het wel vaker niet zou nauw met de waarheid – maar het klonk heel overtuigend. Laten we het zo stellen: Al heeft het niet tegengesproken... zei me alleen dat ik het uit m'n hoofd moest laten ooit m'n hand tegen Jace en Tan op te heffen, dat ik het anders met hem aan de stok kreeg. Dus ik zei: ga weg! Sinds wanneer sla ik de kinderen?' Ze lachte opeens. 'En ik heb het hem ronduit gezegd dat dat het toppunt is, om dat te horen te krijgen van iemand die zijn hond Satan noemt en denkt dat de enige manier om hem af te richten is hem met een opgerolde krant op zijn achterste tikken.' Ze blies een luchtkus naar het dier dat ogenblikkelijk zijn kop ophief en met zijn staart op de vloer klopte. 'Ik bedoel, waarom zou je je hond zo trainen als hij alles voor je doet als je hem maar een koekje geeft?'

Satan en ik bekeken elkaar behoedzaam. 'Het is een goede waak-

hond,' prevelde ik. 'Als ik Derek was, zou ik het er niet op wagen.'
'Hij vliegt hem naar de keel,' zei Beth. 'Toen de kinderen nog klein waren, bond ik Satan altijd aan de kinderwagen vast als ik een winkel in moest. Hij gromde naar iedereen die in de buurt kwam, waardoor ik rustig boodschappen kon doen zonder bang te zijn dat iemand m'n kindje zou stelen.'
'Onvoorstelbaar! En dat allemaal voor een koekje?'
Haar glimlach verbreedde zich. 'Daar moet u niet te min over denken!' zei ze. 'Het is een stuk effectiever dan die arme stakker met een krant slaan. Dat maakt hem alleen maar vals.'
'Mmm.' Iemand naar de keel vliegen kwam behoorlijk vals op mij over en ik vroeg me af hoe hij zou reageren als ik onverwacht op zou staan. Ik keek op mijn horloge. 'Ik moet nu echt gaan,' zei ik op een toon alsof ik het jammer vond. 'Het is nog een hele reis naar Dorchester en Sam vraagt zich anders af waar ik blijf.'
'Al zal het jammer vinden dat hij u misgelopen is.'
Ik knikte. 'Ik vind het ook jammer. De volgende keer bel ik eerst.' Ik dronk mijn beker leeg en stond op. 'Mag ik de kinderen goeiedag zeggen?'
'Natuurlijk. Ze zijn in de huiskamer. Ik ben benieuwd wat u ervan vindt.' Ze wees naar de vloer toen Satan begon te grommen en hij was onmiddellijk stil.
'Wanneer krijgt hij dan zijn koekje?' vroeg ik terwijl ik achter haar aan de gang in liep.
'Als ik daar zin in heb. Daarom doet hij wat ik zeg. Hij weet nooit zeker wanneer hij het krijgt.'
'Werkt dat ook met mannen en kinderen?'
Ze hield haar handen omhoog en maakte een wiegend gebaar. 'Hangt van de beloning af. Koekjes doen het niet zo goed bij Al. Hij houdt meer van keursjes en zwarte kousen.' Ze grinnikte toen ik moest lachen. 'De kinderen zijn hier,' zei ze terwijl ze een deur opendeed. 'U moet het mooi vinden, want het heeft me twee maanden gekost. Ik bel een taxi terwijl u rondkijkt.'
Ik vond het mooi, hoewel het totaal niet in de stijl van een jarendertighuis was. De kamer was niet groter dan vijf bij vijf, maar geheel in Mexicaanse stijl ingericht, met een gewelfd plafond, een mozaïekvloer, ruw bepleisterde muren, en een bronzen kaarsenkroon aan het plafond. Openslaande deuren gaven toegang tot een klein terrasje, en een enorme rococo spiegel met ontelbare geslepen vlakjes in een bewerkte vergulde lijst weerkaatste het licht in oogverblindende bundels op ieder beschikbaar oppervlak. Zelfs de haard

was omgetoverd tot iets dat meer op een ranch thuishoorde dan in een straatje in Isleworth, en erin stond een koperen granaathuls vol zijden bloemen. Ik vroeg me af waarom ze deze kamer zo anders dan de rest van het huis had ingericht.

'Het is allemaal nep,' zei Jason uit de hoek waar hij en zijn zusje naar de tv zaten te kijken. 'Mamma heeft het zo geverfd dat het net echt lijkt.'

Ik tikte met mijn voet op de mozaïekvloer en hoorde het holle geluid van hout. 'Wat knap van haar,' zei ik terwijl ik mijn hand op het ruwe stucwerk legde en de gladde muur voelde. 'Heeft ze die spiegel ook gemaakt?'

'Ja. En de kaarsenkroon.'

'En dat schilderij?' vroeg ik terwijl ik naar het mozaïek met Quetzalcóatl aan de muur staarde.

'Dat is van pappa.'

'De bank en de stoelen?'

'Gekocht bij een rommelwinkel voor tien pond, omdat ze niet bij elkaar pasten,' zei Beth trots achter me. 'En vijf pond voor die patchwork grand foulards. Ik heb op alle mogelijke manieren stof bij elkaar gebedeld... jurken... oude gordijnen... tafelkleden... noem maar op... van al mijn kennissen. Die vijf pond had ik nodig voor rollen katoen om het op vast te zetten. Wat vindt u ervan?'

'Geniaal,' zei ik welgemeend.

'Maar een beetje té voor Isleworth?'

'Een beetje wel.'

'Dat vindt Al ook, maar dit is mijn visitekaartje. Ik kan elke sfeer die je wilt oproepen, en voor heel weinig geld. Deze hele kamer heeft minder dan driehonderd pond gekost. Goed, dan heb ik mijn tijd er niet bij gerekend, maar ik ken hopen mensen die me tien pond per uur willen betalen als ik zoiets bij hen thuis doe.'

'Vast wel,' zei ik droogjes. 'Ze betalen waarschijnlijk net zoveel aan de werkster om de vloeren te stofzuigen.'

Ze keek beteuterd. 'Al wil helemaal niet dat ik het doe... hij zegt dat hij er pas over wil denken als ik minimaal honderd pond per uur vraag.'

'Hij heeft gelijk.'

'Ja, maar mijn vrienden kunnen dat niet betalen.'

Ik kneep even in haar hand. 'Je moet ook niet voor vrienden werken, helemaal verkeerd,' zei ik. 'Je zou alle kamers hier moeten fotograferen en een map samenstellen... en dan moet je jezelf verkopen... een folder laten drukken... een advertentie in de plaatselijke krant zetten. Je bent veel te goed om voor tien pond per uur te werken.' Ik klopte op mijn rugzak. 'Als je wilt, kan ik nu wel wat foto's nemen, die stuur ik je dan op. Ik heb mijn camera bij me en ik zou mijn man graag laten zien wat jij hier voor elkaar hebt gebokst. We overwegen de oude boerderij die we nu huren te kopen – en, je weet nooit,' (hoe kun je zo krengig zijn, vroeg ik mezelf af) – 'wie weet kan ik Sam overhalen dat jij onze binnenhuisarchitecte wordt.'

Ze bloosde weer van plezier. 'Echt?'

'Natuurlijk.' Ik hurkte bij Jason en Tansy neer. 'Willen jullie op de foto?' Ze knikten ernstig. 'Als we de tv dan eens uitzetten en jullie allebei op de bank van mama gaan zitten? Misschien kun jij beter achter mij komen staan,' zei ik tegen Beth terwijl ik in kleermakerszit voor de ramen ging zitten en de camera instelde. 'Je staat net voor de spiegel.'

Ze schoot het terrasje op. 'Ik vind het verschrikkelijk om op de foto te gaan, ik sta er altijd zo dik op.'

'Dat hangt van de fotograaf af,' zei ik terwijl ik een vijftal foto's van de bankkant van de kamer maakte voor ik de lens op de Quetzalcóatl richtte. 'Waarom ga je niet op een van die stoelen zitten met de kinderen op schoot, dan neem ik de haard met jullie drieën aan de linkerkant.'

Ik had moeten stikken in mijn eigen dubbelhartigheid, maar ik verbaasde me er alleen maar over hoe makkelijk het was haar zover te krijgen dat ik alles wat er in de kamer was kon vastleggen, haar armbanden inbegrepen en de verzameling kleine porseleinen poesjes op de schoorsteenmantel. 'Wie is er hier de kattenvriend?' vroeg ik terwijl ik mijn camera weer in mijn rugzak stopte en de bel de komst van de taxichauffeur aankondigde.

'Al. Hij heeft ze jaren geleden op een rommelmarkt gekocht.' Ze schoof de kinderen van haar schoot en stond op. 'Waarom wilde u hem eigenlijk spreken?' vroeg ze toen we de gang inliepen.

'Ik wilde hem wat over Michael Percy vragen,' loog ik. Dat was het enige voorwendsel dat ik had kunnen verzinnen. 'Maar je zei net al dat ze geen contact meer hebben,' – ik haalde teleurgesteld mijn schouders op – 'dus had hij me toch niet kunnen helpen.'

'Wat wilde u vragen?'

'Of Michael echt zo slecht is als hij in de kranten is afgeschilderd,' zei ik. Ik trok de voordeur open en knikte naar de taxichauffeur dat ik eraan kwam. 'Ik wil hem in de gevangenis opzoeken – hij zit niet zo ver van ons af op Portland – maar ik weet niet of dat wel verstandig is. Ik had eigenlijk gehoopt dat Alan me raad zou kunnen geven.'

Het klonk mezelf zo zwak in de oren dat ik verwachtte dat het haar achterdocht zou wekken, maar ze leek het heel aannemelijk te vinden. 'Al zei, als u daar wat aan heeft, dat het helemaal niets voor Michael was die vrouw te slaan. Hij zei dat Michael heel wat minder gewelddadig was dan hij toen ze nog samen optrokken. Ze hebben gevochten voor ze het contact kwijtraakten, en Al zei dat Michael zich gewoon liet slaan omdat hij zich niet wilde verdedigen.'

'Waar vochten ze om?'

'Dat meisje waar u het over had... Bridget. Ze waren toen achttien, negentien. Al was stapelgek van haar, wilde met haar trouwen, en toen trof hij haar een keer in bed met Michael. Hij ging helemaal door het lint... heeft Michaels kaak gebroken, wat niet al... viel zelfs de agenten aan die ze uit elkaar wilden halen. Het was een enorme toestand, heb ik gehoord. Bridget stond te gillen in de gang, Michael hing half buiten het raam en er waren vier politieagenten nodig om Al van hem af te trekken. Hij is erom in een jeugdinrichting geplaatst.'

'Hemel!'

'Sindsdien is hij op het rechte pad,' verzekerde ze me.

'Hopelijk wel!'

Beth lachte. 'Het is allemaal goed uitgepakt. Hij zou niet met mij getrouwd zijn als hij nog aan haar vastzat.' Er sloop iets weemoedigs in haar stem. 'Maar om mij heeft hij nog nooit iemands kaak gebroken... dus ik denk dat ik niet zo mooi ben als Bridget.'

Ik knuffelde haar spontaan voor ik naar de taxi liep. 'Probeer het maar niet uit,' waarschuwde ik haar over mijn schouder. 'Ik heb het akelige gevoel dat het niet bij een gebroken kaak blijft als hij jou met een ander in bed aantreft.'

Het was luchtig gezegd, maar ik meende het wel degelijk.

Brief van dokter Joseph Elias, psychiater aan het Koningin Victoria-ziekenhuis, Hongkong – gedateerd 1985

KONINGIN VICTORIA-ZIEKENHUIS,
HONGKONG

AFDELING PSYCHIATRIE

Mevrouw M. Ranelagh
Greenhough Lane 12
Pokfulam

12 juni 1985

Mijn beste mevrouw Ranelagh,

Wat jammer dat u uit Hongkong weggaat. Ik heb genoten van uw brieven en de maar al te schaarse gelegenheden dat u erin toegestemd hebt mij persoonlijk te spreken. Sidney zal u bevallen. Ik heb er twee jaar doorgebracht, van '72 tot '74, en het was een heerlijke ervaring. In Australië tref je dat enthousiasme en die levenskracht aan die voortkomen uit een mengeling van verschillende culturen. Ik weet zeker dat u zult genieten van die maatschappij waar klassenverschillen niet bestaan en succes van je verdiensten afhangt en niet van je etiket. U ziet dat ik u zo langzamerhand ben gaan begrijpen.

U zei in uw laatste brief dat u en uw man tot een vergelijk zijn gekomen waarbij u het verleden in Engeland laat rusten. U zegt me ook dat hij een geweldige vader is. Maar u zegt niet dat u van hem houdt. Moet ik dat (zoals uw man) als vanzelfsprekend aannemen? Mijn vriend de rabbi zou zeggen dat in een woestijn niets kan bloeien. Hij zou ook zeggen dat wat er in Engeland te rusten ligt, op zal staan op het moment dat u terugkomt. Maar misschien is dat ook de bedoeling? Als dat zo is, bent u een heel geduldige vrouw en een beetje wreed ook, vind ik.

Ik wens u het beste voor de toekomst, hoe die ook moge zijn,

Uw u toegenegen,

J. Elias

Dr. J. Elias

19

Sam zat in de auto voor station Dorchester-Zuid toen ik daar eindelijk om tien uur 's avonds aankwam. Ik vroeg me af hoe lang hij al zat te wachten want ik had hem niet gebeld om te zeggen welke trein ik nam. Ik vreesde dat het zijn humeur geen goed zou hebben gedaan als hij er al een tijd zat. Ik was van plan geweest een taxi te nemen en de onvermijdelijke ruzie achter gesloten deuren tegemoet te treden, maar als ik af kon gaan op zijn sombere gezicht toen hij uit de auto stapte toen ik eraan kwam, wilde hij hem in het openbaar voeren.

'Jock heeft gebeld,' zei hij kortaf.

'Dat vermoedde ik al,' mompelde ik. Ik opende het achterportier en legde mijn rugzak op de achterbank.

'Hij zei dat je om vier uur bij hem weg bent gegaan. Wat heb je in godsnaam uitgespookt? Waarom heb je niet gebeld? Ik was hartstikke ongerust.'

Ik gaf blijk van mijn verbazing. 'Ik zei toch dat ik zelf wel thuis kon komen?'

'Ik wist zelfs niet *of* je nog wel thuiskwam.' Hij liep met grote, kwade stappen om de motorkap heen om mijn portier voor me open te doen. Dat deed hij anders nooit, dus ik deed automatisch een stap naar achteren omdat ik dacht dat hij het voor zichzelf opende. 'Ik ga je niet slaan,' snauwde hij. Hij greep me bij mijn arm en duwde me op de stoel. 'Zo'n schoft ben ik nu ook weer niet.'

Hij schoof achter het stuur en een aantal minuten bleven we zwijgend zitten. De spanning in die kleine ruimte was tastbaar, hoewel ik niet wist of die voortkwam uit woede om mijn valsheid of bezorgdheid om mijn late thuiskomst. Het station was vrijwel verlaten om dit uur, maar een paar mensen tuurden in het voorbijgaan nieuwsgierig door onze ruiten, zich waarschijnlijk afvragend waarom de twee vage gedaanten daar binnen zo stijfjes zaten en elkaar niet wilden aankijken.

'Ben je van plan nog iets te zeggen?' vroeg hij uiteindelijk.

'Wat dan?'

'Een uitleg,' opperde hij. 'Ik kan het nog steeds niet geloven dat je wel met Jock hebt gepraat en niet met mij. Waarom heb je me niet verteld dat Annie in elkaar geslagen was? Je weet dat ik je de waarheid gezegd zou hebben als ik had geweten hoe serieus het allemaal was.'

'Wanneer?'

'Wat bedoel je met wanneer?'

'Wanneer zou je me de waarheid verteld hebben?' vroeg ik kalm. 'Ik heb je toentertijd verteld wat agent Quentin over die blauwe plekken had gezegd – maar jij zei alleen maar dat dat gelul was. Voorzover ik het me herinner was je commentaar: "Sinds wanneer weten een neurotische trut en een ontevreden politieagent iets van pathologie af?" Je had me toen de waarheid kunnen vertellen, dan hadden ik en Andrew Quentin een kans gemaakt tegen Drury... maar dat heb je niet gedaan.'

Hij liet zijn hoofd in zijn handen zakken. 'Ik dacht dat je het bij het verkeerde eind had,' mompelde hij. 'Ik stond toen heel erg onder druk, en je maakte het me niet makkelijk.'

'Mooi. Dan hoef je je ook niet schuldig te voelen. Je deed het voor mijn eigen bestwil. Dat kan niemand je kwalijk nemen.' Ik keek ongeduldig op mijn horloge. 'Gaan we nu? Ik heb honger.'

'Je maakt het me niet gemakkelijk,' zei hij. 'Je weet toch hoe ellendig ik me voel.'

'Eigenlijk niet,' zei ik eerlijk. 'Je hebt je nog nooit ellendig gevoeld. 1978 was gewoon een onprettig iets – zoals weten waar de bestekla zit en hoe je eieren moet koken – dat je met succes uit je geheugen hebt weten te bannen. Op die eigenschap ben ik altijd jaloers geweest, en als je je nu niet plezierig voelt, is dat waarschijnlijk gewoon de reactie omdat je weet dat ik je doorheb. Dat gaat voorbij. Dat doet het altijd.'

Hij gooide het over een andere boeg. 'De jongens zijn hartstikke van streek,' zei hij. 'Ze vragen me steeds wat voor verschrikkelijks ik heb gedaan dat jij weg wilt.'

'Jezus Christus,' zei ik bot. 'Als je me kwaad wilt krijgen, dan kun je dat inderdaad het beste doen door je achter je kinderen te verstoppen. Luke en Tom weten heel goed dat ik nooit voor iets wegloop. Ze weten ook dat ik hen nooit in de steek zou laten, tenzij ik ergens aan de beademingsapparatuur lig. Hoe dan ook, ik heb ze verteld dat ik pas laat thuis zou zijn, dus ik neem aan dat ze zoals gewoonlijk voor de tv liggen en zich afvragen waarom hun vader opeens gek is geworden.'

'We hebben inderdaad een scène gehad,' gaf hij toe. 'Ik heb ze gezegd dat ze een stelletje gevoelloze klootzakken zijn.'

Ik nam niet de moeite daar iets op te zeggen want ik was niet in de stemming om zijn gekwetste ego te masseren. 'Zeg,' zei ik terwijl ik op mijn horloge tikte, 'ik heb de hele dag niets gegeten, ik blaf van de honger, dus kunnen we óf naar huis óf ergens wat halen? Hebben jullie gegeten?'

'Tom heeft spaghetti voor hem en Luke gemaakt. Ik had geen trek.'

'Goed, dan halen we Indiaas.'

'Waarom heb je niet in de trein gegeten?'

'Omdat ze alleen zo'n karretje hadden,' zei ik knorrig. 'En het enige eetbare dat er nog was toen het eindelijk bij mij aankwam, was een pakje biskwietjes. Dus heb ik een glas wijn genomen... en nu voel ik me vreselijk en ben ik absoluut niet in de stemming om met jou of wie dan ook te ouwehoeren.'

'Dat kan ik je niet kwalijk nemen,' zei hij vol zelfmedelijden terwijl hij startte. 'Was er maar iets wat ik kon doen of zeggen dat...'

Ik onderbrak hem. 'Als je het maar uit je hoofd laat je excuses aan te bieden,' zei ik. 'Wat mij betreft mag je de rest van je leven voor me kruipen, het zal geen moer uitmaken. Maar voor Jock wel. Hoe meer het jou spijt, hoe leuker hij het vindt en voor je het weet hebben jullie elkaar weer volledig in de houdgreep.'

Hij overpeinsde dit in stilte terwijl we de weg op reden. 'Ik heb mijn excuses al aan Jock aangeboden.'

'Dat dacht ik al.'

'Hij kwam eigenlijk al heel snel tot bedaren... toen ik uitgelegd had dat het allemaal een vergissing was geweest.'

'Mooi.'

'Het stelde namelijk niets voor... gewoon iets dat gebeurde toen jij weg was. Het probleem was dat Libby het serieuzer nam dan ik... het ging toen niet zo goed tussen Jock en haar... en toen liep het een beetje uit de hand.' Hij zweeg, om mij de kans te geven iets te zeggen. Toen ik dat niet deed ging hij verder: 'Jock begrijpt dat wel. Hij heeft het zelf meegemaakt... weet wat het is als je geen kant meer uit kunt.'

'Mooi.'

'Bedoel je daarmee dat je het begrijpt?'

'Natuurlijk.'

Hij keek me even ongemakkelijk aan toen hij linksaf sloeg bij een zebrapad. 'Zo klink je niet.'

Ik zuchtte. 'Ik ben je vrouw, Sam, en ik ken je sinds m'n twintigste. Als ik je nu nog niet zou begrijpen, dan vrees ik dat er verder ook weinig hoop op is.'

'Ik bedoelde niet, begrijp je *mij*. Ik bedoel, snap je hoe die toestand met Libby gegaan is? Wat een ramp dat was, en wat een spijt ik er achteraf van had?'

Ik lachte even. 'Die toestand? Bedoel je jullie *verhouding*? Die keer dat je de vrouw van je beste vriend neukte omdat je eigen vrouw weg was en je vierentwintig uur geen seks had gehad?'

'Zo ging het niet,' zei hij.

'Natuurlijk ging het zo niet,' knikte ik. 'Het was de schuld van Libby. Ze verraste je toen je een beetje depri was, zette je onder de drank en haalde je toen over tot een vluggertje op de keukenvloer. En daarna zat je in een onmogelijke situatie. *Jij* had er diep spijt van en hoopte dat het één keer maar nooit meer was. Zij had ervan genoten en zag het als het begin van een geweldige liefdesrelatie.' Ik keek hem even aan. 'Ik denk dat Libby's verhaal een tikkeltje anders zal zijn – met andere woorden dat jij haar juist verleid had – maar de waarheid ligt waarschijnlijk ergens in het midden.'

'Ik wist dat je boos zou zijn,' zei hij ongelukkig. 'Daarom heb ik het je ook nooit verteld.'

'Dat is al te veel eer,' zei ik. 'Het is waarschijnlijk een enorme teleurstelling voor je, maar de enige emotie die ik ooit over jou en Libby gevoeld heb is onverschilligheid.' Natuurlijk loog ik... maar dat verdiende hij... Ik was mijn trouwbeloften nagekomen, hij niet. 'Als ik de energie had kunnen opbrengen boos te worden, dan denk ik dat je dat wel gemerkt zou hebben. Libby zou het zeker gemerkt hebben, maar zij is een vrouw en vrouwen pikken dat soort dingen altijd sneller op.'

Hij parkeerde voor het Indiase restaurant. 'Maar heeft zij je dan niet over ons verteld?'

'Nee. Ik denk dat zij het nog gênanter vindt dan jij. We hebben het tenslotte niet over een Grote Liefdesrelatie.'

Hij verbeet zijn woede. 'Wie heeft het je dan verteld?'

'Jij.' Ik glimlachte om zijn gezichtsuitdrukking. 'Op een avond in Hongkong. Niet letterlijk... zo dronken was je nu ook weer niet... maar je zei genoeg.... Het was eigenlijk wel een opluchting. Ik weet nog dat ik toen dacht, o, dus daar ging het om – een smoezelig verhoudinkje met Libby Williams. Ik moest er achteraf zelfs om lachen. Ik zag jullie al voor me, hoe jullie je best deden in Jocks bed terwijl hij gepijpt werd door de slet van Graham Road. Het was nogal ironisch. Je zat als een speelbal tussen de aasgieren. Dit verklaarde alles.

Dat je zo onaardig deed... je leugens... dat je opeens weg wilde uit Engeland. Ik vond het zelfs een beetje zielig voor je, omdat het zo duidelijk was dat je je ziel aan de duivel verkocht had voor iets waar je niet eens erg van genoten had.'

Hij schudde verbijsterd zijn hoofd. 'Waarom heb je niets gezegd?'

'Daar zag ik het nut niet van in. We zaten aan de andere kant van de wereld. Alsof je de put dempt als het kalf al is verdronken.'

Het lag niet in Sams aard zich lang nederig op te stellen. 'Weet je hoe dit voelt? Alsof ik getrouwd ben met een vreemde. Ik weet niet eens meer wie je eigenlijk bent.' Hij plantte zijn ellebogen op het stuur en wreef met zijn knokkels in zijn ogen. 'Je zegt altijd tegen iedereen dat wij zo'n geweldig huwelijk hebben... wat een geweldige kinderen we hebben... wat een geweldige vader ik ben. Maar het is allemaal flauwekul... één grote voordegekhouderij dat we een gelukkig gezin zijn, terwijl je in wezen een grote hekel aan me hebt. Hoe *kon* je? Hoe kon je verdomme zo onoprecht zijn!'

Ik greep naar de portierkruk. 'Door net te doen als jij,' zei ik luchtig. 'Ik heb mijn ogen gesloten voor het feit dat je je schofterig gedragen hebt en net gedaan of het allemaal nooit is gebeurd.'

Hij leed onder mijn onverschilligheid, terwijl we daar op onze curry stonden te wachten; het was bijna alsof ik vraagtekens zette achter zijn mannelijkheid omdat ik zijn ontrouw niet serieus wilde nemen. Ikzelf vroeg me op dat moment af wanneer hij zou beseffen dat de oorzaak van alle ellende bij Annie lag, niet bij Libby, en hoe hij dat zou uitleggen als hij daar eindelijk achter zou komen. We gingen in een hoekje zitten en hij begon op gedempte toon, bang dat hij door anderen gehoord zou worden, maar het feit dat ik weigerde zijn last met wat meelevende woorden te verlichten, maakte dat hij – tot mijn genoegen – steeds harder ging praten.

Hij had niet gewild dat ik het verkeerd zou opvatten... het was niet waar dat hij net had gedaan alsof er niets gebeurd was... hij was gewoon doodsbang geweest dat hij me kwijt zou raken... natuurlijk zou hij het hebben toegegeven als ik ernaar gevraagd had, maar het had hem verstandiger geleken geen slapende honden wakker te maken... hij wist dat ik hem waarschijnlijk niet zou geloven, maar hij *was* dronken geweest toen Libby hem verleid had, en het was allemaal een verschrikkelijke nachtmerrie geworden... ik had gelijk als ik Libby een aasgier noemde... ze was zo'n vrouw die altijd dacht dat het gras aan de andere kant van het hek groener was.... Hij wist nog hoe geschrokken hij was toen hij in de gaten kreeg hoe jaloers ze op mij was en hoe ze erop gebeten was mij tot haar niveau omlaag te halen...

'Toen ik zei dat ik er een punt achter wilde zetten, zei ze dat ze jou zou zeggen met wat voor rat je getrouwd was,' zei hij kwaad. 'Ik weet dat het niets goedmaakt, maar ik denk echt dat ik haar vermoord had als ze dat gedaan had. Ik walgde inmiddels zo van haar dat ik niet in één kamer met haar kon zitten zonder haar te willen wurgen.'

Ik geloofde hem, niet alleen omdat ik dat wilde, maar omdat hij nooit Libby's naam had kunnen uitspreken zonder de inleidende woorden 'die trut waarmee Jock getrouwd was'. Ik had me een korte periode afgevraagd of hij dat uit ergernis zei omdat ook hij door haar afgewezen was, maar algauw besefte ik dat de antipathie echt was en dat Libby net zo onbelangrijk voor hem was als de vrouwen waarmee hij voor ons huwelijk geslapen had. Dat wil niet zeggen dat ik hem zijn ogen niet had uitgekrabd als ik meteen van hun verhouding geweten had – objectiviteit heeft tijd en afstand nodig – maar toen ik er pas achter kwam toen het allemaal al lang geleden was, kon ik er alleen in stilte verdriet om hebben, het had geen zin meer de boel op te rakelen.

'Dit hoeft helemaal niet,' zei ik met een blik op een gast vlakbij die zijn hoofd schuin hield om er vooral geen woord van te missen, 'tenzij je het prettig vindt je vuile was buiten te hangen. Libby is wat mij betreft geen punt meer.' Ik haalde onverschillig mijn schouders op. 'Ik heb altijd aangenomen dat als je van haar gehouden had, je nu nog bij haar zou zijn.'

Hij trok zich een tijdje in beledigd stilzwijgen terug, zijn blik onbestemd gericht op de luistervink. 'Waarom heb je het dan aan Jock verteld? Waarom iedereen opgejuind als het je allemaal niets kan schelen?'

'Niet allemaal, Sam. Libby kan me geen moer schelen. Het kan me geen moer schelen wat je met haar hebt gedaan... maar het kan me wel schelen wat je met Annie hebt gedaan. Je hebt haar laten sterven in de goot, en daarna heb je gezegd dat ze dronken was voor het geval dat iemand je van nalatigheid zou beschuldigen. Daar gaat het om... en zoals gewoonlijk wring je je in de raarste bochten om om die hete brij heen te draaien.' Ik zweeg even. 'Ik weet dat je haar daar hebt zien liggen – niet alleen omdat Jock dat vanmiddag bevestigd heeft – maar omdat je altijd razend wordt als haar naam valt.'

Hij vermeed mijn blik. 'Ik dacht echt dat ze dronken was.'

'En wat dan nog? Het was ijskoud, het goot en ze had hulp nodig, of ze nu dronken was of niet.'

'Ik was de enige niet,' mompelde hij. 'Jock en die meid hebben haar ook laten liggen.'

Dat was amper een antwoord, maar dat zei ik niet. 'Die kwamen niet zo dicht bij haar, dat heb ik gezien.'

'Hoe weet jij nu hoe dicht ik bij haar was?'

'Jock zei dat jij had gezegd dat Annie naar de drank stonk, maar ik rook niets tot ik me bukte om haar bij haar schouder te schudden.' Ik zweeg en keek hem even nieuwsgierig aan. 'Ik rook helemaal geen drank, ik rook urine en ik begrijp niet dat jij dacht dat het alcohol was.'

'Dat dacht ik ook helemaal niet. Het enige wat ik aan Jock heb gezegd was dat ze een uur in de wind stonk. Hij nam aan dat het om een dranklucht ging.'

'Maar jij wist dat het urine was?'

'Ja.'

'Mijn god nog aan toe.' Ik sloeg met mijn vlakke hand op tafel. 'Weet je wel dat iedere keer als ik Drury zei dat hij zich af moest vragen waarom haar jas naar pis stonk hij antwoordde dat haar buren zeiden dat dat *normaal* was... dat ze smerig en walgelijk was en altijd stonk.'

Hij verborg zijn gezicht weer in zijn handen. 'Ik vond het komisch,' zei hij zielig. 'Jouw stokpaardje... die stomme, gekke Annie... die zich onderpiste voor jouw deur omdat ze te dronken was om haar plas op te houden. Ik ben het huis in gegaan en heb er de daaropvolgende tien minuten om zitten lachen, tot het tot me doordrong dat jij de meest waarschijnlijke persoon was om haar te vinden. Toen wist ik dat je haar mee naar binnen zou nemen om haar op te knappen, en ik dacht: dit is de dag waarop mijn huwelijk naar de knoppen gaat.'

'Waarom?'

Hij ademde zwaar door zijn neus. 'Ze wist van Libby – ik denk dat ze ons een keer samen gezien heeft want ze dook op straat steeds achter me op en dan noemde ze me "viezerik".' Hij sprak moeilijk. '"Heb je die slet vandaag weer geneukt, viezerik?" "Ruik ik die slet weer, viezerik?" "Wat moet jij nu met dat vuilnis, viezerik, als je thuis een mooie vrouw hebt?" Ik verafschuwde haar erom, omdat ik wist dat ze gelijk had en toen ik haar in de goot rook,' – hij zweeg beschaamd – 'toen ik haar in de goot rook heb ik haar geschopt en gezegd: "Wie is er nu de viezerik?"' Ik zag een traan door zijn vingers op tafel druppen. 'En ik heb sindsdien altijd in een hel geleefd omdat ik het zo graag ongedaan wilde maken, en dat kon niet.'

Ik zag een ober uit de keuken komen. Hij hield een papieren tas omhoog en gebaarde ermee dat onze curry klaar was en ik weet nog dat ik toen dacht dat het lot alles te maken had met timing. Als ik die avond niet op een ouderavond geweest was... Als Jock om half negen weg was gegaan uit de pub toen Sharon niet op kwam dagen... als het eten niet op ongelukkige momenten klaar was...

'Laten we naar huis gaan,' zei ik.

Twee dagen later belde Maureen Slater. Ze was kwaad en achterdochtig omdat Alan haar had verteld dat ik foto's van zijn huis had genomen, en ze vroeg me wat mijn inbreng in de ruil zou zijn. Ik herhaalde wat ik haar die maandag gezegd had, dat als zij mij niet wilde vertellen wat ze wist, ik het affidavit van de juwelier uit Chiswick aan de politie van Richmond zou geven... en bovendien de foto's van de Mexicaanse kunstvoorwerpen in de huiskamer van Alan. Niemand zou er meer aan twijfelen dat ze dieven waren, zei ik. De enige vraag die restte was, waren ze ook moordenaars?

Ze vertelde me toen een aantal dingen die ik wilde weten, maar interessanter was eigenlijk wat ze achterhield.

Brief aan James Drury – gedateerd 1999

Leavenham Farm
Leavenham
Bij Dorchester
Dorset DT2 XXY

4.30 uur, vrijdag 13 augustus 1999

Geachte meneer Drury,

Een van de nadelige gevolgen van het feit dat ik Annie stervende heb gevonden, is dat ik slecht slaap. Tegenwoordig prijs ik mezelf gelukkig als ik vier uur aan een stuk haal. Ik heb altijd gehoopt dat een slecht geweten u al die jaren eveneens wakker heeft gehouden, maar ik denk dat dat misplaatst optimisme van me is. Om überhaupt een geweten te hebben, moet een man zichzelf af en toe vragen stellen, en zelfs in mijn stoutste dromen kan ik me niet voorstellen dat u dat ooit zou doen.

Ik weet al dat u er niet bent als ik deze brief en bijlagen afgeef bij de Sailor's Rest, maar het lijkt me niet meer dan eerlijk dat u de tijd hebt uw antwoord op deze nog onbesliste kwestie te formuleren. Ik heb tenslotte twintig jaar de tijd gehad het mijne te formuleren.

Hoogachtend,

M. Ranelagh

20

DRURY ZAT OP ME TE WACHTEN TOEN IK OM HALF ELF DIE AVOND DE Sailor's Rest binnenstapte. Omdat het vrijdagavond was, en zomer, zat de pub vol met vakantiegangers en zeilers van de boten in de haven, en ik voelde even voldoening toen ik zijn ogen bezorgd zag oplichten toen ik op hem afliep.

Hij kwam vanachter de bar vandaan voor ik hem kon bereiken. 'We gaan achter zitten,' zei hij kortaf, en hij knikte naar een deur in de hoek. 'Ik ga dit gesprek niet in het bijzijn van Jan en alleman voeren.'

'Waarom niet?' vroeg ik. 'Ben je bang voor getuigen?'

Hij maakte een boos gebaar, alsof hij me bij de arm wou grijpen en me in de richting waarin hij me wilde hebben wilde duwen, maar de nieuwsgierige blikken van andere klanten deden hem van gedachten veranderen. 'Ik wil geen scène,' mompelde hij. 'Niet hier, niet op vrijdagavond. Je zei dat je eerlijk wilt zijn, wees dat dan ook. Dit is mijn boterham, weet je nog?'

Ik glimlachte flauwtjes. 'Je kunt me laten arresteren omdat ik je lastigval, en dan zeg je tegen je klanten dat ik gek ben,' opperde ik. 'Dat heb je vorige keer ook gedaan.'

Hij loste het probleem op door naar de deur te lopen en het aan mij over te laten of ik hem al dan niet wilde volgen. Ik volgde. 'Achter' was een smerig kantoortje met stoffige dossierkasten en een grijs metalen bureau vol gebruikte plastic koffiebekertjes en stapels papier. Het was een kleinere, viezere editie van het kantoor van Jock en toen Drury me met een gebaar uitnodigde in de stoel voor het bureau te gaan zitten terwijl hij zelf op een stapel dozen in een hoek plaatsnam, vroeg ik me af waarom mannen zich altijd beter op hun gemak lijken te voelen als ze door de attributen van 'werk' omringd zijn.

Hij bekeek me oplettend, wachtte tot ik iets zou zeggen. 'Wat wil je?' vroeg hij toen abrupt. 'Een verontschuldiging?'

Ik zette mijn rugzak op de grond en duwde met een vingertop een half gevuld kopje ingedikte koffie weg. 'Waarvoor?'

'Voor wat je maar wilt,' zei hij kortaf. 'Als ik maar van je afkom.'

'Een verontschuldiging heeft geen zin, want ik zou hem niet aanvaarden.'

'Wat dan?'

'Gerechtigheid,' zei ik. 'Dat is het enige wat mij interesseert.'

'Dat krijg je toch niet... niet zo lang na dato.'

'Voor Annie niet, of voor mezelf niet?' vroeg ik nieuwsgierig.

Hij legde zijn vlakke hand op de geopende bruine envelop die op het bureau lag. 'Voor geen van beiden,' zei hij zelfverzekerd.

Ik vroeg me af of hij besefte wat hij zei, want zijn woorden hielden in dat hij wist dat er gerechtigheid te halen viel. Voor Annie *en* mij. 'Die envelop bevat eenentwintig jaar volhardend onderzoek, dat aantoont dat Annie vermoord is,' zei ik luchtig.

'Een en al onzin.' Hij boog zich naar me over. 'Voor iedere patholoog-anatoom die jij opvoert, die beweert dat de blauwe plekken uren voor Annies dood veroorzaakt moeten zijn, kan het Openbaar Ministerie er vijf opvoeren die het oorspronkelijke post-mortem onderschrijven. Het is een kwestie van budget... altijd al... een vervolging is duur, en de belastingbetalers hebben geen zin meer mislukkingen te financieren. Je hebt heel wat meer dan dit nodig, om de zaak te laten heropenen.'

Hij was onprettig dichtbij, en ik schoof naar achteren, van hem weg, afgestoten door de energie die in golven van hem af spatte. Het was totaal anders dan twintig jaar geleden. Toen had diezelfde energie me ertoe gebracht vrijer tegen hem te spreken dan ik anders misschien zou hebben gedaan. Het is een van de grote gemeenplaatsen dat we alleen van onze fouten leren en, net als Annie, had ik sindsdien een wantrouwen jegens mannen in uniform ontwikkeld.

'Sinds het onderzoek in de zaak Stephen Lawrence is het klimaat veranderd,' zei ik zachtzinnig. 'Je zult wel merken dat de moord op een zwarte vrouw bovenaan de agenda van het OM staat, hoe lang geleden het ook gebeurd is... vooral als er ondersteunend bewijs is dat de hoofdagent die de zaak onder zich had een racist was.'

Hij duwde zijn vuisten tegen elkaar, liet de knokkels als kleine voetzoekertjes knappen. 'Een brief van een vrouwelijke agent die beweert dat ze seksueel lastiggevallen is en gediscrimineerd, wat toentertijd nooit geschraagd is met feiten?' zei hij minachtend. 'Daar prikken ze zo doorheen. En ook door Andy Quentins dossier. Jezus, die jongen is dood... en hij wilde trouwens zijn gram halen. Hij gaf er mij de schuld van dat zijn carrière in het slop zat.'

'Daar had hij een reden voor,' zei ik. 'Je had nooit een goed woord voor hem over.'

'Het was een gluiperd.'

'Tja. Ach, hij was ook niet bepaald dol op jou.' Ik opende de envelop en haalde het dossier eruit dat Andy had aangelegd van de keren dat Drury tussen 1987 en 1989 Afro-Cariben en Aziaten had staande gehouden om te fouilleren. Met bijzonderheden over de kleinerende taal die hij daarbij gewoonlijk uitsloeg. 'Wat doet het ertoe of hij zijn gram wilde halen?' vroeg ik. 'Het is een duidelijk verslag en je mag het uiteraard aanvechten als er fouten in staan.'

'Hij heeft geen dossier bijgehouden van de blanken die ik heb aangehouden en gefouilleerd.'

'Hij heeft de aantallen vergeleken. Jouw verhouding zwart-wit lag veel hoger dan van wie ook in Richmond.' Ik haalde mijn schouders op. 'Maar het staat allemaal op papier, dus is het makkelijk te bewijzen. Als Andy's cijfers niet kloppen, dan word je van alle blaam gezuiverd. Zo niet, dan zal zijn conclusie dat je je recht om mensen staande te houden en te fouilleren hebt aangewend als een vorm van racistische sport, serieus genomen worden.'

'Niet waar,' snauwde hij. 'Ik deed mijn werk, net als iedereen. Je kunt cijfers zo verdraaien dat ze bewijzen wat je wilt. Ik kan net zo gemakkelijk aantonen dat hij die lijst uit rancune heeft opgesteld. Iedereen wist dat we problemen met elkaar hadden.'

'En die zeventienjarige Aziatische jongen wiens jukbeen je gebroken hebt?'

Zijn kaken maalden van woede. 'Dat was een ongeluk.'

'De politie heeft een onbekend bedrag aan schadevergoeding uitgekeerd.'

'Standaardprocedure.'

'Zo standaard,' prevelde ik sarcastisch, 'dat jij voor zolang het onderzoek liep met ziekteverlof gestuurd bent, en dat je daarna ogenblikkelijk je ontslag hebt genomen.' Ik ritste het voorvak van mijn rugzak open en haalde er een opgevouwen vel papier uit. 'Dit heb ik niet in de envelop gestopt. Het is het laatste wat Andy me gestuurd heeft. Een vertrouwelijke beoordeling van jou door je chef. Onder andere beschrijft hij jou als "een gewelddadig man met extreem racistische ideeën, waarvoor geen plaats is in het politiekorps van Londen".'

Hij graaide het papier uit mijn hand en scheurde het in stukken, zijn gezicht vertrokken van woede. Hij was precies het tegenovergestelde van Sam. Een man die zijn wrok koesterde. Een man die gezichtsverlies als een teken van zwakte zag.

Ik verschoof de snippers met de punt van mijn schoen met het gevoel dat je nog beter je voet in een addernest kon steken. 'Doe je dat altijd met bewijsmateriaal dat je niet aanstaat? Het verscheuren?'

'Het is ontoelaatbaar bewijs. De spons is over de lei gegaan, dat was onderdeel van de ontslagprocedure. Jij kunt vervolgd worden, alleen al omdat je dit hebt. Quentin ook, als hij nog leefde.'

'Ach, misschien vind ik het wel een vervolging waard,' prevelde ik. 'Gewoon, om het in de openbaarheid te krijgen. Ik kan morgen duizend kopietjes de wereld in sturen en zoveel modder naar je gooien dat niemand meer aan jouw motieven zal twijfelen om Annies dood voor een ongeluk te laten doorgaan.'

'Dan ziet iedereen je zoals je bent,' waarschuwde hij. 'Een verbitterde vrouw met een persoonlijke haatcampagne tegen de politie.'

'Tegen één politieman, ja,' knikte ik. 'Niet tegen de politie in het algemeen. Andy heeft me zo goed geholpen, niemand zal denken dat ik jullie allemaal over een kam scheer. Trouwens, wie gaat de mensen vertellen dat het een persoonlijke haatcampagne is, jij?' Ik glimlachte om zijn gezichtsuitdrukking. 'Hoe ga je uitleggen waarom ik die voer?'

Hij drukte zijn wijsvinger tegen zijn slaap. 'Het staat allemaal in de verklaringen die je hebt afgelegd,' zei hij. 'Jij was getikt... achtervolgingswaan... moedercomplex... anorexia... pleinvrees... seksuele waandenkbeelden... Wat moest ik dan? Naast je bed gaan zitten en je hand vasthouden terwijl je je ogen rood huilde?'

'Je had vraagtekens kunnen zetten achter je eigen beoordelingsvermogen,' opperde ik.

'Dat is jouw schuld,' zei hij scherp. 'Als je af en toe eens een stapje achteruit had gedaan, dan had ik je serieuzer genomen. Ik hou er niet van als mensen op mijn lip zitten.' Alsof hij dat moest bewijzen, ging hij met zijn rug tegen de muur zitten en keek me van onder zijn oogleden aan.

Ik keek van hem weg. 'Waarom heb je het dan niet door een ander laten overnemen? Waarom mocht ik dan niet met Andy praten? Waarom heb je hem van het onderzoek afgehaald?'

'Ik had meer last dan nut van hem. Hij geloofde alles wat je zei.'

We wisten allebei dat dat niet de echte reden was geweest, maar ik ging daar verder niet op in. 'Omdat alles wat ik zei de waarheid was.'

'Zoals dit bijvoorbeeld.' Hij knikte naar de bruine envelop. 'Niets daarin bewijst dat het om moord ging. Het bewijst alleen dat je over de dingen van mening kunt verschillen.'

'Het is nog maar een fractie van wat ik heb,' zei ik. 'Je denkt toch niet dat ik direct het achterste van mijn tong laat zien?' Ik haalde de foto's van het interieur van Beth en Alan Slater uit mijn rugzak. 'Er zijn bewijzen te over dat Annie beroofd is.' Ik schoof hem de foto's toe. 'Maureen Slater geeft toe dat het meeste van deze spullen na de dood van Annie maandenlang in haar huis stond... ze zegt dat jij ze gezien hebt, dat je zelfs een keer terug bent geweest omdat je de Quetzalcóatl wilde kopen. En dat geeft aan dat je het huis van Annie als een plaats delict had moeten behandelen, al was het alleen maar omdat het toch zonneklaar voor je moest zijn dat de Slaters haar beroofd hadden.'

Hij bekeek de foto's vluchtig. 'Maureen zei dat ze het in een rommelwinkel gekocht had,' zei hij smalend. 'Ik had geen enkele reden haar niet te geloven.'

'Ze kon zich de wasserette niet eens permitteren. Hoe kon ze zich dan schilderijen veroorloven?'

'Dat was mijn zorg niet. Die spullen zijn nooit als gestolen opgegeven.'

'Maar toen dokter Arnold navraag ging doen naar de bezittingen van Annie, moet je toch aan de Quetzalcóatl gedacht hebben.'

'Nee,' zei hij botweg. 'Dat was vier jaar later. Hoeveel huizen was ik toen wel niet binnen geweest? Ik kon nog niet een schilderij beschrijven dat ik een week daarvoor had gezien, laat staan van zoveel jaar geleden.'

'Je hebt er Maureen twintig pond voor geboden,' bracht ik hem in herinnering. 'Dus het heeft kennelijk wel indruk op je gemaakt.'

Hij haalde zijn schouders op. 'Ik weet het niet meer.'

'Dat dacht ik al,' zei ik met een lachje. 'Je weet natuurlijk ook niet meer dat Maureen je een gouden beeldje heeft gegeven met smaragden ogen en lippen van robijn. Ze zei dat je niet van plan was de Quetzalcóatl te *kopen*... het enige wat je wilde was iets van waarde als een *quid pro quo*, dan zou jij geen lastige vragen stellen. Wat heb je ermee gedaan? Het gehouden? Verkocht? Omgesmolten? Het moet je de stuipen op het lijf hebben gejaagd toen Sheila Arnold het als een van de kunstvoorwerpen op de schoorsteenmantel van Annie beschreef.'

'Maureen liegt,' zei hij botweg.

'Ze is bereid er een verklaring over af te leggen.'

Zijn ogen lichtten even geamuseerd op. 'Denk je nu echt dat iemand haar gelooft over iets dat twintig jaar geleden is gebeurd? En waarom zou ik geen lastige vragen aan de Slaters willen stellen? Ik stond erom bekend dat ik het dat gezin niet makkelijk maakte.'

'Dat is zwak uitgedrukt,' zei ik langs mijn neus weg. 'Volgens Danny zag je er geen been in ze erin te luizen. Hij zegt dat je hasj in de zak van Alan hebt gestopt, en hem hebt laten opsluiten wegens dealen.'

Drury schudde medelijdend zijn hoofd. 'En dat geloof jij natuurlijk.'

'Nee, niet direct. Niemand schijnt te weten wat Alan in feite gedaan heeft. Danny zegt dat het dealen was, maar Alan heeft zijn vrouw verteld dat hij gezeten heeft omdat hij Michael Percy in elkaar had geslagen.'

'Goh wat vreemd,' zei hij sarcastisch.

'Nou?' zei ik vragend, toen hij niet verderging.

'Ze zou niet met hem getrouwd zijn als ze de waarheid had geweten.'

'Waarom is het toch zo'n geheim?'

Hij stak een beschuldigende vinger naar me uit, alsof ik verantwoordelijk was voor wat Alan misdaan had. 'Hij is altijd veel te gemakkelijk de dans ontsprongen. Hij was vijftien, zijn naam mocht dus niet vrijgegeven worden. En de naam van zijn slachtoffer ook niet. Dat is een ongelooflijk stomme regel. Een kind hoeft de zitting maar uit te zitten, zich sufliegen, hij schept wat afstand tussen zichzelf en wat hij gedaan heeft, en dan komt hij er praktisch zonder kleerscheuren vanaf.' Hij begon weer met zijn knokkels te knakken. 'Maureen heeft haar mond gehouden omdat ze als de dood was wat de mensen zouden zeggen.'

'Wat heeft hij gedaan?'

'Verzin dat nu zelf maar. Het slachtoffer was een vrouw.'

'Verkrachting?' opperde ik.

Hij knikte. 'Aan de andere kant van Londen. Hij dacht dat hij er daar wel mee weg zou komen... heeft de vrouw op een parkeerplaats achter de huizen gesleurd en begon haar in elkaar te slaan... maar ze heeft om hulp kunnen schreeuwen en een van de bewoners heeft de politie gebeld. Alan is op heterdaad betrapt, bekende schuld en heeft vier jaar gezeten.'

'Het viel te verwachten,' zei ik onaangedaan. 'Hij is als kind afschuwelijk mishandeld, zowel geestelijk als lichamelijk.'

Maar Drury was niet geïnteresseerd in weekhartige verontschuldigingen. 'Dan zou Danny ook een verkrachter zijn geworden.'

Ik staarde naar mijn handen. 'Danny heeft geen herinneringen aan zijn jeugd. Hij was zo jong toen zijn vader wegging, dat hij niet eens meer weet hoe hij eruitzag... en als hij hoorde hoe zijn moeder in de slaapkamer werd afgeranseld, dan was hij nog te klein om het verband tussen seks en geweld te leggen.' Ik hief mijn hoofd om hem aan te kijken. 'Dat is het verschil. Het enige wat die arme Alan ooit van zijn ouders geleerd heeft, is dat je een orgasme krijgt als je een vrouw tot een bibberend wrak reduceert.'

21

DRURY KEEK VAN ME WEG, MAAR NIET VOOR IK DE SNEL VERHULDE flits begrip in zijn ogen had gezien die verried dat hij wist waarover ik het had. Het was een echte openbaring, want ondanks alles had ik nooit zeker geweten hoeveel hij wist. Voorlopig ging ik er niet verder op in. 'Heeft Alan na die veroordeling nog problemen met de politie gehad?' vroeg ik dus.

'Voorzover ik weet niet. Hij is naar een kamer in Twickenham verhuisd en is als arbeider gaan werken. We hielden hem in de gaten, maar hij kwam niet graag naar Richmond, ontmoette liever geen bekenden.'

Ik had geen reden hem niet te geloven. 'Maar waarom vertelde Danny me dan dat Alan vijfduizend pond smartengeld kreeg omdat hij door de politie in elkaar geslagen was?'

Drury's ogen glansden geamuseerd. 'De jongens die hem pakten, vonden het niet leuk wat hij die vrouw had aangedaan. Zijn advocaat zanikte over politiegeweld tot hij de toestand van het slachtoffer zag. Toen stelde hij zich tevreden met vijfduizend pond en zei tegen Alan dat hij blij mocht zijn dat ze hem niet hadden doodgeslagen. Ik vond het een koopje.'

Ik knikte. 'Heeft Derek ooit voor verkrachting gezeten?'

'Dat zou jou mooi uitkomen, hè?'

'Waarom?' vroeg ik zachtzinnig. 'Ik heb hem nooit van verkrachting beschuldigd.'

'Nee, nog net niet. Je zei dat hij zijn penis tussen je benen duwde.'

'Ik zei dat hij iets tussen mijn benen duwde waarvan ik *dacht* dat het zijn penis was, en daarom *dacht* ik dat hij me wilde verkrachten. Ik heb je ook gezegd dat dat precies was wat hij wilde dat ik dacht. Hij liet me zien hoe erg het zou worden als ik mijn nikkervriendenbek niet hield. Jij hebt ervoor gekozen hem te vertellen dat ik hem van poging tot verkrachting had beschuldigd... jij koos ervoor mij in gevaar te brengen... zelfs al was je het met Andy eens dat het ergste waarvan Derek beschuldigd kon worden bedreiging was.'

'We konden hem nérgens van beschuldigen,' zei hij smalend. 'Hij had een alibi. Maar goed, ik dacht dat die kerel het recht had te weten wat hem nu weer in de schoenen geschoven werd. Je was niet bepaald zuinig als het om Derek Slater ging... en aanranding is heel wat erger dan een hijgtelefoontje.'

'Dat alibi van hem was een lachertje,' zei ik. 'Je bent er pas drie dagen later achteraan gegaan.'

'Dat maakt niet uit, het was waterdicht.'

'Schei uit zeg,' zei ik ongeduldig. 'Een afgescheurd kaartje van Kempton Park dat hij de volgende dag uit de goot geraapt kon hebben? Die renbaan ligt maar een paar kilometer van Richmond af, hoor. En een telefoontje naar een van zijn vrienden? Je hebt niet eens de moeite genomen de andere twee na te trekken.'

'Jij hebt niet de moeite genomen het incident meteen te rapporteren,' zei hij sarcastisch. 'Dat deed je pas de volgende dag.'

Ik streek over mijn lip om het spiertje dat onder mijn huid trilde tot rust te brengen. Ik kon de gedachte niet verdragen dat hij het als angst zou uitleggen. 'Ik had pas na vierentwintig uur voldoende moed verzameld,' zei ik nuchter. 'Aan de ene kant wilde ik de hele zaak laten rusten, aan de andere kant begreep ik dat Derek me niet zou terroriseren als ik geen gelijk had met wat ik zei. Ik was natuurlijk ontzettend naïef. Het kwam niet bij me op dat jij je in alle mogelijke bochten zou wringen om een man te beschermen die je zelf als uitschot betitelde... alleen omdat hij blank was.'

'Dat is niet waar en dat weet je.'

'Waarom heb je de Slaters dan consequent behoed voor ondervragingen naar aanleiding van de dood van Annie?'

'Dat heb ik helemaal niet gedaan.'

'Waarom heb je er geen werk van gemaakt toen dokter Arnold je vertelde dat Annie beroofd was? Je moet toen hebben beseft waar die Quetzalcóatl vandaan kwam?'

'Nee, dat besefte ik niet. Ik weet nog dat er wat rotzooi in de zitkamer van de Slaters stond, maar ik zou die troep nu niet meer kunnen beschrijven en ik heb het in ieder geval niet in verband gebracht met de dingen die dokter Arnold later zei.'

Ik geloofde hem bijna, al was het alleen maar omdat de dood van een zwarte vrouw zo weinig voor hem betekend had. 'De kinderen jatten al maanden van Annie,' zei ik. 'Maar ze verstopten het niet goed en Maureen heeft de waarheid er bij Bridget Spalding uit geslagen toen ze haar een ring zag dragen die duidelijk niet van de Hema kwam. Toen drong het langzaam tot haar door dat Annie een goudmijn was.'

Drury maakte een wegwerpgebaar. 'Als een misdrijf niet aangegeven wordt, kan de politie niets doen.'

Ik ging verder alsof hij niets gezegd had. 'Annie was een gemakkelijk doelwit. Ze liet mensen niet binnen... ze wantrouwde iedereen die met haar buren sprak... ze dacht dat gemeenteambtenaren en mensen in uniform tegen haar waren... ze maakte haar bankmanager tot haar vijand. Eigenlijk was de enige persoon waarvoor ze iets van vriendschap voelde, haar huisarts.' Ik keek naar zijn gezicht, om te zien hoe hij dit opnam, maar het bleef onbewogen. 'Er kon Annie niet al te veel gebeuren zolang Sheila nog regelmatig op bezoek kwam, want zelfs Derek was niet zo stom toe te slaan zolang haar huisarts zich voor haar interesseerde. Maar toen ging Sheila naar Amerika en veranderde alles.'

'Daar kun je mij de schuld niet van geven.'

'Of liever gezegd, na het vertrek van Sheila was er niemand meer die kon zeggen wat Annie al dan niet bezat.' Ik hield zijn blik gevangen. 'En jij hebt nooit de moeite genomen ernaar te vragen, omdat het jou beter uitkwam te geloven dat een zwarte vrouw in een zwijnenstal leefde.'

'Je vergeet hoeveel lege flessen we gevonden hebben. De toestand in haar huis had niets te maken met haar huidskleur. Het was het resultaat van drankverslaving.'

'Het waren wodkaflessen,' zei ik.

Even flikkerde twijfel op in zijn ogen. 'Nou en?'

'Ze dronk geen wodka.' Ik haalde een bundeltje papieren uit mijn rugzak. 'Andy heeft me een lijst gestuurd van alle kroegbazen en slijterijen in 1978 in Richmond. Mijn vader heeft iets meer dan de helft kunnen lokaliseren. Twee van de slijters herinneren zich Annie nog heel goed. Ze zeiden allebei dat ze een vaste klant was en alleen maar Jamaïcaanse rum kocht. En de kroegbaas van de Green Man zegt dat hij speciaal voor Annie Butts een voorraadje aanhield, omdat ze in de war raakte als de rum op was.' Ik duwde de papieren in zijn handen.

Met een frons bladerde Drury erdoorheen. 'Dit bewijst niet dat ze geen wodka bij de supermarkt haalde,' zei hij.

'Nee,' zei ik.

'Dus is het geen bewijsmateriaal.'

'Zo op zichzelf misschien niet, nee. Maar als je de laatste twee vellen bekijkt, dan zie je dat verschillende slijters zich Maureen Slater als wodkadrinkster herinneren. Een van hen beschrijft hoe ze altijd langskwam als ze haar uitkering had opgehaald en dat ze dan zes flessen tegelijk kocht. Hij zegt dat hij niet meer aan haar wilde verkopen nadat ze een van haar kinderen – waarschijnlijk Alan – had geslagen omdat hij zei dat hij nieuwe schoenen nodig had.'

'Nou en? Dat bewijst alleen dat Maureen wodka kocht. Het bewijst niet dat Annie dat niet deed. En wat wil je er trouwens mee zeggen? Dat de Slaters hun flessen in de keuken van Annie hebben neergezet?'

'Ja.'

'Wanneer?'

'Toen ze dood was.'

'Waarom?'

'Om jou te laten denken wat je dacht: dat ze een dronkaard was die op een vuilnisbelt leefde en zichzelf verwaarloosde. Daarom hebben ze de hoofdkraan dichtgedraaid en al het kattenvoer dat ze gekocht had, weggehaald.'

'Schei toch uit zeg,' gromde hij ongeduldig. '*Iedereen* zei dat ze dronken was... niet alleen de Slaters.' Hij sloeg met de rug van zijn hand op het papier. 'Hoe dan ook, Derek was zo stom als het achtereind van een varken. Hij had zo'n plan niet kunnen uitvoeren. Hij zou zich bij de eerste vraag van ons al verraden hebben.'

'Derek misschien niet, nee, maar Maureen wel. Ze hoefde alleen maar te appelleren aan jouw vooroordelen.' Ik wierp hem zijn eigen woorden voor de voeten. 'Jij kon niet geloven dat een "slons" je te slim af kon zijn, en een "ellendige zwarte die niet tegen de drank kon" moest in jouw optiek haar vloer wel bevuilen en zichzelf onderpissen. En waarom zou je een vraagteken zetten achter wat voor soort flessen je in Annies huis aantrof als het simpele feit van hun bestaan precies bevestigde wat Maureen wilde dat je geloofde?'

'Er was geen reden er vraagtekens achter te zetten. Niemand heeft ons verteld dat ze geen wodka dronk.'

Ik gaf hem nog een vel papier.

'Wat is dit?'

'Een kopie van de verklaring van Sharon Percy. Jouw naam staat erboven, als degene die het verhoor heeft afgenomen. De eerste helft gaat over waar zij die avond was – waar trouwens niets van waar is – het tweede stuk bestaat uit haar beschrijving van Annie. Ergens in de laatste alinea staat: "Ze dronk zich zat aan rum en dan begon ze iedereen te beledigen. Ze sloeg met de lege flessen naar de kinderen. Ik heb het vaak genoeg gemeld, maar er is niets mee gedaan."'

Ongeduldig verscheurde hij ook dit vel en gooide de snippers op de vloer. 'Je klampt je vast aan strohalmen,' zei hij. 'Je kunt zoveel modder naar boven halen als je wilt, maar dat verandert niets aan het feit dat er geen redenen waren toentertijd vraagtekens achter de verklaringen van wie dan ook te zetten... inbegrepen die van je man. De bevindingen van de patholoog-anatoom waren ondubbelzinnig – Ann Butts is gestorven omdat ze tegen een vrachtwagen is gelopen.'

'En die bevindingen heb jij hem ingefluisterd.'

'Dat kun je niet bewijzen. Als de dossiers van Hanley ontbreken, dan blijkt uit niets wie van ons wat als eerste heeft gezegd.'

Ik lachte. 'Maar daar heeft hij jou geen dienst mee bewezen, met dat verwijderen van die dossiers. Op het ogenblik is het enige document dat jouw ongeluktheorie ondersteunt een rapport van één bladzijde dat Hanley aan de coroner heeft voorgelegd. En daar staan zoveel fouten in dat het een lachertje is. Hij heeft Annies naam verkeerd gespeld, had het over blauwe plekken op haar linkerarm in plaats van haar rechter, en heeft de verkleuring op haar dijen volkomen over het hoofd gezien, terwijl die op de foto's zo duidelijk was.'

Tot mijn verbazing bevochtigde hij nerveus zijn lippen. 'Dat klopt volgens mij niet.'

'Heus wel,' verzekerde ik hem. 'Hanley was toen al zo incompetent dat hij zich liet dicteren door iedere agent die hem een lijk ter beoordeling voorlegde. Ik neem aan dat je die armen door elkaar gehaald hebt omdat ik je gezegd had dat ze met haar linkerkant boven tegen de lantaarnpaal aan lag.'

Hij moest even nadenken voor hij antwoordde. 'Niet mijn verantwoordelijkheid. Hij had zijn werk... ik het mijne. Laat hem er maar voor opdraaien.'

Ik tastte naar mijn rugzak en ritste de vakken dicht. 'Journalisten gaan niet achter dode mensen aan,' zei ik. 'Alleen de levenden zijn interessant. En het publiek heeft meer belangstelling voor een racistische politieman die weigerde de moord op een zwarte vrouw te onderzoeken dan voor een zielige patholoog-anatoom die zich doodgedronken heeft omdat hij niet tegen het onnodig verminken van lijken kon. Radley houdt je niet in dienst,' ging ik kalm verder. 'Niet als je naam met grote koppen in de krant heeft gestaan. Al je nette klanten zullen wegblijven en die schurken van het Nationaal Front zullen hun plaats innemen.'

Kleine zweetdruppeltjes parelden op zijn voorhoofd. 'Waarvoor ben je hier?' vroeg hij. 'Want we weten allebei dat het niets met Annie van doen heeft.'

Was dat zo? Ik wist het echt niet meer. 'Twee jaar later pas durfde ik weer op mijn eigen gevoel af te gaan,' zei ik langzaam, 'en nog eens twee jaar later durfde ik een ander pas weer te vertrouwen. Ik heb nog steeds nachtmerries... ren nog steeds naar de wasbak om me te wassen... kijk nog steeds of de sloten op de deur wel dichtzitten... schrik me nog steeds lens als ik een geluid hoor dat ik niet kan thuisbrengen.' Ik schoof mijn stoel naar achteren, stond op en hing de rugzak over mijn schouder. 'Volgens mij heeft dat alles met Annie van doen. Het enige verschil tussen ons is dat zij de moed had om te vechten... en ik ben weggelopen.' Ik liep naar de deur. 'En daarom is zij dood en leef ik nog.'

Brief van dokter Joseph Elias, psychiater aan het Koningin Victoria-ziekenhuis in Hongkong – gedateerd 1999

KONINGIN VICTORIA-ZIEKENHUIS, HONGKONG

AFDELING PSYCHIATRIE

Mevrouw M. Ranelagh
'Jacaranda'
Hightor Road
Kaapstad
Zuid-Afrika

17 februari 1999

Lieve mevrouw Ranelagh,

Mijn hemel! U gaat dus eindelijk terug naar Engeland. Ik wacht uw bericht met ingehouden adem af. Ja, ondanks mijn bijzonder ver gevorderde leeftijd heb ik nog steeds een kleine praktijk in het ziekenhuis, maar dat is alleen omdat mijn patiënten de duivel die ze kennen schijnen te prefereren boven de duivel die ze niet kennen.

En hoe zit het met uw duivels? Ik heb op de een of andere manier het idee dat gerechtigheid voor Annie voor u niet genoeg zal zijn. Maar wie ben ik om kritiek uit te oefenen als mijn vriend de rabbi zou zeggen: 'Om de vrede te winnen, moet men eerst de oorlog bestrijden.'

Op uw verzoek sluit ik mijn aantekeningen uit 1979 bij.

Uw u toegenegen,

J. Elias

22

DRURY LIET HET ER NIET BIJ ZITTEN, ZOALS IK AL VERWACHT HAD. HIJ kon dan wel beweren dat hij er niet van hield als mensen hem op zijn lip zaten, nog minder hield hij ervan als ze wegliepen. Toen ik de pub uit was, sloeg ik linksaf en na vijftig meter in de richting van de kade waar de vissersboten lagen, hoorde ik zijn voetstappen al achter me. Van de huizen langs de kade viel een zacht licht over de keien, en ver voor me dobberden kleine bakens op het water als veelkleurige edelstenen en wezen binnenkomende schippers de weg. Ik had even de tijd om te wensen dat ik kon genieten van dit beeld, het kon zien zoals het was – iets moois – voor zijn vingers zich om mijn arm sloten.

'Dit is krankzinnig,' zei hij terwijl hij me omdraaide zodat ik hem aan kon kijken. 'Je zegt dat je een rekening wilt vereffenen. Maar hoe dan? Je kunt mij wel kapotmaken, maar dat levert geen gerechtigheid voor jou of voor Annie op. Wil je dat ik je Derek Slater op een presenteerblaadje aanbied? Gaat het daarom?'

Ik probeerde me los te rukken. 'De mensen kijken,' zei ik.

'Laat ze kijken,' gromde hij. 'Ik wil dit opgelost hebben.'

'Mooi. Dus als ik ga schreeuwen – wat ik zeker zal doen als je me niet loslaat – dan zijn er talloze getuigen die de mening van je chef dat je gewelddadig bent, kunnen beamen.'

Hij liet me onmiddellijk los.

Ik lachte cynisch terwijl ik over mijn arm wreef. 'Niet leuk hè, als de bordjes verhangen zijn. Zoals de zaak er op dit moment voor staat, zou jij op je buik over die keien hier kruipen in ruil voor de belofte dat ik de inhoud van mijn rugzak zal verbranden. Klopt dat?'

'Pas op!' zei hij zachtjes. 'Ik ben niet in de stemming voor spelletjes. Het enige wat je bereikt als je de publiciteit zoekt, is dat je van mij de zondebok maakt, en daardoor komt Derek heus niet achter de tralies... niet na al die jaren. Is dat het soort gerechtigheid waarnaar je op zoek bent?'

'Het is beter dan niets.'

Hij greep met zijn ene hand zijn andere, die trilde, vast, alsof hij bang was dat hij ze niet meer in bedwang kon houden. 'Als je echt achter mij aan zat, dan had je me niet gewaarschuwd,' redeneerde hij.

'Misschien vind ik het wel leuk je te zien zweten,' zei ik zacht.

'Moet ik je nek breken?' siste hij tussen zijn tanden door.

'Dat zal je niet lukken. Mijn twee zonen staan vlak achter je.'

Dat zei hem niets – hij bracht mij niet met kinderen in verband – en hij staarde me in verbijsterde woede aan, als een vermoeide stier die probeert te verzinnen hoe hij de matador kan verslaan. 'Waar heb je het nu weer over?'

'Protectie.' Ik knikte naar Luke en Tom. 'Vandaag de dag bereid ik me beter voor.'

Het kostte hem twee seconden voor hij het begreep, maar toen draaide hij zich razendsnel om en zag dat ik de waarheid had gesproken. Misschien verwachtte hij iets jongers – *of kleiners?* – maar hoe dan ook, hij was gepast onder de indruk. 'Shit!' zei hij. 'Wat is er hier verdomme aan de hand?'

'Sam zit in de auto op ons te wachten,' legde ik uit. 'Ik zou het prettig vinden als hij hoort wat jij nu te vertellen hebt.'

Drury keek zenuwachtig naar de jongens. 'En dat is?'

Ik deed hem hetzelfde aanbod dat ik Maureen had gedaan. 'Ruilen?' stelde ik voor. 'Je hebt namelijk wat één ding betreft gelijk. De gerechtigheid waar ik naar op zoek ben is een beetje...' – ik zocht naar het goede woord – 'fundamenteler dan dat jij de schuld krijgt voor alles wat er gebeurd is.'

Ik had niet verwacht dat hij met me mee zou gaan, vooral niet toen de jongens zodra ik wegliep teruggingen naar de pub. Maar misschien had hij verkeerd begrepen wat ik wilde dat Sam zou horen... of wat ik met fundamentele gerechtigheid bedoelde...

De auto stond op de kade achter de vissersboten met de neus naar het water. Toen we dichterbij kwamen deed Sam het portier open en stapte uit. In een opwelling van plaagzucht stelde ik ze aan elkaar voor terwijl ik mijn rugzak op de motorkap zette. 'Meneer Ranelagh. Meneer Drury.' Ze knikten naar elkaar als een stel achterdochtige Rottweilers, maar gaven elkaar geen hand. 'Je vroeg me of ik verwachtte dat je me Derek op een presenteerblaadje zou aanreiken,' zei ik tegen Drury, 'maar ik snap niet hoe dat kan, tenzij je toentertijd bewijsmateriaal hebt achtergehouden.'

Hij keek met opeengeknepen lippen naar Sam en besefte dat alles wat hij nu zou zeggen, door een getuige gehoord zou worden. 'Ik heb geen bewijsmateriaal achtergehouden,' zei hij scherp. 'Er waren wat vraagtekens over waar Derek om negen uur was. Hij beweerde dat hij wat zat te drinken met de buurthoer die vanaf dat de pub openging op klanten zat te wachten.'

'Sharon Percy?'

Hij knikte. 'Er was niets ingewikkelds aan – het waren allebei vaste klanten – en de kroegbaas heeft bevestigd dat ze er allebei die avond waren geweest, hoewel hij het de eerste keer dat we hem ondervroegen niet eens was met de opgegeven tijden. Hij wist nog dat hij Sharon om negen uur gezien had, maar hij dacht dat Derek pas later binnenkwam.' Hij haalde zijn schouders op. 'Toen we hem vroegen officieel een verklaring af te leggen, krabbelde hij terug... zei dat alle dagen hetzelfde waren en dat hij er geen eed op kon doen dat hij niet twee avonden door elkaar haalde.'

'We hebben het hier over de William of Orange,' zei ik. 'De pub waar Annie niet in mocht omdat ze zwart was.'

Hij schudde ongeduldig zijn hoofd. 'Ze mocht er niet in omdat ze niet tegen drank kon en op de andere klanten zat te schelden. De kroegbaas stond in zijn recht toen hij haar niet langer wilde schenken.'

Ik keek vragend naar Sam.

'Die pub stond plaatselijk bekend als De Oranje Vrijstaat,' zei hij tegen Drury. 'Er hing een bordje aan de deur met "verboden voor honden". Dat "honden" was doorgekrast en iemand had er "nikkers" boven geschreven. Het was een populaire pub, er kwamen heel wat politiemensen, maar zwarten zag je er niet.'

'Als u dat stoorde, had u het moeten aangeven.'

'Het stoorde mij niet,' zei Sam eerlijk. 'Ik heb er nooit bij stilgestaan.'

'Waarom moest ik dat dan wel doen?'

'Omdat dat uw werk was. Ik zeg niet dat ik het u in dank zou hebben afgenomen – gekke Annie die over een biertje tegen je zat te schelden was wel het laatste waar ik behoefte aan had – maar de antidiscriminatiewet is duidelijk en iemand die "verboden voor nikkers" aan zijn deur hangt, had vervolgd moeten worden.' Hij zweeg en keek me even aan, zich duidelijk afvragend hoe ver hij moest en kon gaan. 'De kroegbaas was uitgelaten na het ongeluk,' zei hij toen. 'Vertelde aan ieder die het maar horen wilde dat we die vrachtwagenbestuurder moesten bedanken dat hij de straten had schoongeveegd.'

'Dat heeft hij tegen mij nooit gezegd,' zei Drury zo snel dat ik aannam dat hem hierover al eerder vragen gesteld waren, waarschijnlijk toen hij er bij de politie uitgewerkt werd.

'Maar heb je dan de moeite genomen Derek over zijn alibi aan de tand te voelen?' vroeg ik droogjes. 'Of heb je toen juist besloten hem te vertellen dat *ik* lastig was, en dat het voor iedereen het beste zou zijn als mij de mond gesnoerd werd? Hoe heb je dat precies gebracht? Doe ons allemaal een lol, Derek, en leer die nikkervriendin een lesje want je alibi deugt niet en je krijgt last als je dat niet doet? Of heb je Maureen getipt toen je die rotzooi in haar huiskamer bekeek?'

Ik zag dat hij een achterdochtige blik op Sam wierp, aan wie te zien was dat hij niet wist waar ik het over had. Dat gaf Drury moed. 'Natuurlijk heb ik hem over dat alibi aan de tand gevoeld,' zei hij optimistisch. 'Hij hield vast aan zijn verhaal... en Sharon ook. Ze zeiden allebei dat ze de hele avond in de pub gezeten hadden. We geloofden ze niet maar we konden niets doen zolang niemand ze wilde tegenspreken.'

'Ben je er ooit achter gekomen wat ze in werkelijkheid deden?'

Hij haalde zijn schouders op. 'We namen aan dat Sharon ergens op haar rug lag en dat Derek op het dievenpad was. Ze hadden allebei een strafblad – Sharon wegens prostitutie en Derek voor aanranding en diefstal.'

'Sharon was met Geoffrey Spalding,' zei ik. 'Hij woonde op nummer 27 en ging eens in de maand met haar naar een hotel omdat hij niet wilde dat zijn vrouw en dochters erachter kwamen. Dat was de man die zei dat hij Annie rond kwart over acht op straat had gezien en dat hij geprobeerd had haar over te halen naar huis te gaan.'

'Dat weet ik nog.'

'Ik denk dat hij over het tijdstip loog,' ging ik verder. 'Volgens Jock Williams kwam Sharon even na negenen met een taxi bij de William of Orange. Hij zei dat ze in een prima bui was, en dat ze duidelijk met een klant was geweest en ik verwed er wat om dat die klant Geoffrey Spalding was die door dezelfde taxi voor hij doorreed naar de pub, is afgezet op de hoek van Graham Road. Dat wil zeggen dat als Geoffrey al met Annie gesproken heeft, dat een uur later moet zijn geweest dan hij beweerde.'

Dit wilde Drury niet geloven. 'Ik heb met hem gepraat waar zijn vrouw bij was en zij sprak niet tegen dat hij om half negen thuis was.'

'Ze had geen idee. Ze volgde een chemokuur voor haar borstkanker en ze zal dus geslapen hebben, hoe laat hij ook thuiskwam. Waar was hij geweest, zei hij?'

Drury dacht na. 'Overwerk. Niets vreemds aan.'

Ik wendde me tot Sam. 'Ik heb altijd al gedacht dat hij langs het huis van Jock en Libby liep toen jij naar buiten kwam... anders hadden jij en Libby geen alibi nodig gehad.'

'Er liep inderdaad iemand langs,' gaf hij toe, 'maar ik weet bij god niet wie. Eerlijk gezegd weet ik niet eens of het een man was. Het kan een volkomen vreemde zijn geweest die de weg afstak, maar Libby ging over de rooie... zei dat er gekletst zou worden...' Hij duwde zijn duim en wijsvinger tegen zijn neusrug. 'Het spijt me,' zei hij toen. 'Was dat de man die Annie heeft vermoord, denk je?'

'Ik weet het niet,' antwoordde ik langzaam, 'maar ik heb nooit begrepen waarom hij heeft gezegd dat hij met Annie had gesproken, als dat niet echt zo geweest was. Er was helemaal geen reden voor zo'n leugen. Hij kon gezegd hebben wat jij en Jock zeiden, dat hij haar aan de overkant van de straat had gezien.'

'Mensen maken hun verhaal altijd mooier,' zei Drury. 'Daardoor voelen ze zich belangrijk.'

Ik schudde mijn hoofd. 'Ze is door twee echtparen gezien, rond negen uur. De Pardoes van nummer 8 die haar vanuit hun slaapkamerraam zagen, en het echtpaar in de auto dat zei dat ze voor hen opdoemde. Ze zeiden allevier dat ze liep... maar tegen de tijd dat Sam om kwart over negen langskwam, was ze in de goot in elkaar gezakt.'

'Meneer Ranelagh zei toen iets heel anders.'

'Zijn herziene verklaring zat in die envelop,' zei ik ongeduldig, 'dus die heb je gelezen. Waar het om gaat, is of Annie nog stond toen Geoffrey Spalding langs haar liep. En als dat zo was, heeft ze hem aangesproken? Ik denk dat ze inderdaad stond en hem inderdaad aangesproken heeft... en dat datgene wat ze gezegd heeft hem zo kwaad maakte dat hij haar de weg op heeft geduwd. Dat verklaart waarom hij zegt dat het een uur eerder was... het verklaart ook waarom Sharon bereid was Derek een alibi te geven. Als ze jou had gezegd dat ze met een klant was – en jij was erachter gekomen met wie – dan had je stante pede uitgevogeld dat Geoffrey de laatste was die met Annie gesproken had.'

Drury fronste zijn wenkbrauwen. 'En dan?'

'Dan was je tot dezelfde conclusie gekomen als hij... dat hij haar vermoord had.'

Hij knorde geërgerd. 'Een halfuur geleden kwam je nog aanzetten met post-mortemrapporten waarin beweerd wordt dat ze een paar uur voor haar dood in elkaar geslagen was, en nu zeg je dat Geoffrey Spalding haar vermoord heeft. Wat wil je nou eigenlijk?'

Sam bemoeide zich ermee. 'Ze zegt niet dat Spalding haar vermoordde,' verbeterde hij hem, 'alleen dat hij *dacht* dat hij het gedaan had. Nu we het daar toch over hebben, ik ben twintig jaar bang geweest dat ik het gedaan had. En misschien is dat ook wel zo. Misschien hebben die vijftien minuten dat ik haar in de goot heb laten liggen het verschil gemaakt tussen dood en leven.'

'Dan had u toen uw geweten moeten ontlasten door ons de waarheid te vertellen,' zei Drury met een verre van vriendelijke glimlach. 'In plaats van het onderzoek te vertroebelen omdat u niet van de vrouw van uw vriend kon afblijven.'

Het was verstandiger geweest als hij niet over Libby begonnen was, dacht ik innerlijk vermaakt toen ik Sams wangen rood zag worden van woede. Schuldgevoel is het enige waarmee je mijn man kwaad krijgt.

'U heeft ons gezegd dat er helemaal geen onderzoek zou komen,' snauwde hij. 'Dat weet ik nog heel goed. U kwam de volgende dag bij ons langs om de bevindingen van het post-mortem mee te delen. Ondubbelzinnig, zei u... duidelijk een ongeluk... geen sprake van opzet. Ik weet ook nog dat u zei dat als er twijfels over de doodsoorzaak bestonden, de zaak al was overgedragen aan de moordbrigade.'

'Er waren geen twijfels, meneer Ranelagh. Maar dat was wellicht anders geweest als u niet gelogen had... wij konden alleen werken met de informatie waarover we beschikten.'

Sam streek met zijn hand over zijn kale plek, staarde langs Drury naar de lichtjes aan de overkant van het water. 'Jock en ik hebben pas donderdagavond ons verhaal gedaan, toen ons gevraagd werd een vrijwillige verklaring af te leggen om te bevestigen wat Libby u de dag daarvoor had gezegd, namelijk dat Jock bij ons was.'

'Dus nu krijgt mevrouw Williams de schuld.'

'Nee... ik wijs u er alleen maar op dat u al ruim vierentwintig uur voordat Jock of ik iets gezegd had, wist dat het een ongeluk was.' Hij keek Drury bedachtzaam aan, alsof hij zijn mening over hem definitief bijstelde. 'Zou het verschil uitgemaakt hebben als we wél de waarheid gezegd hadden? Zou u niet gewoon beweerd hebben dat ze door een vrachtwagen geraakt was tussen het moment dat het stel in de auto haar zag en het moment dat ik haar aantrof?'

Drury's zwijgen zei genoeg.

'U hebt me een aantal keren op mijn werk gebeld,' zei Sam, 'met de mededeling dat mijn vrouw een klassieke reactie op stress vertoonde en psychiatrische hulp nodig had. U zei dat u zoiets wel eerder had meegemaakt, en dat het er altijd toe leidde dat de beschuldigingen steeds veelvuldiger werden, en steeds meer uit de lucht gegrepen.'

'U was het helemaal met mij eens, meneer Ranelagh. Ook met dat het nodig was haar een officiële waarschuwing te geven.'

Mijn man sloeg zijn armen over elkaar en staarde naar de keien alsof in dat hobbelige oppervlak het antwoord lag. 'Had ik keus, dan?' vroeg hij. 'U hebt me een waslijst klachten voorgelezen over haar: ze verspilde de tijd van de politie... ze deed valse beschuldigingen aan het adres van Derek Slater... ze meldde aanrandingen die alleen in haar verbeelding bestonden om sympathie te winnen... ze achtervolgde u met telefoontjes en bezoekjes omdat ze een ongezonde fixatie op u had.' Hij hief zijn hoofd. 'U was politieagent. Ik moest toch aannemen dat u de waarheid sprak.'

'Het zal toch met uw eigen mening overeengekomen zijn,' zei Drury met klem. 'Anders was u wel voor uw vrouw opgekomen.'

Sam maakte een verward handgebaar. 'Ik kon helemaal niet voor haar opkomen. Ik had haar bijna drie weken niet gezien, en de enige keer dat ze me in die tijd gebeld had, was ze hysterisch. Ik kon geen touw vastknopen aan wat ze toen zei, dus heb ik haar ouders gebeld en hun gevraagd haar te helpen.' Hij zweeg even, probeerde de zaken op een rijtje te krijgen. 'Maar u had mijn schoonmoeder er al van overtuigd dat een officiële waarschuwing ten overstaan van haar familie in de gegeven omstandigheden het beste was. Ze moest beschaamd gemaakt worden, dan zou ze de politie niet meer lastigvallen, zo zei u het.'

Het bleef even stil.

'Toen werkte het,' zei ik luchtig. 'Ik had nog liever m'n keel doorgesneden dan nog iets tegen meneer Drury gezegd... of tegen jou en mam, Sam. Jullie stonden er samen bij te kijken terwijl die klootzak me koeioneerde om me mijn mond te laten houden' – ik maakte met mijn kin een gebaar naar Drury – 'en tot slot schudden jullie hem de hand, alsof-ie iets moois had gedaan. De enige die niet mee wou doen met die poppenkast was mijn vader, en die wist op dat moment toch echt niet meer dan jullie. Hij had gewoon vertrouwen in me omdat hij wist wie ik was. En ik was niet een zielig, gestoord mens dat haar toevlucht nam tot seksuele fantasieën om haar kwartiertje roem nog wat te rekken.'

'Niemand heeft die woorden ooit gebruikt en je bent uitsluitend beleefd benaderd,' zei Drury kort. 'Dat weet je man ook. Daarom heb ik hem gevraagd aanwezig te zijn, zodat je de geschiedenis later niet kon herschrijven.'

'Het was geen kunst voor je beleefd te zijn,' zei ik, 'omdat je wist dat ik je niet tegen zou spreken. Niet na de *onofficiële* waarschuwing die je me de avond daarvoor had laten geven. Je hebt wat gemist,' zei ik. 'Ik denk dat je het nog heel wat opwindender had gevonden dan een naald in de arm van een twaalfjarige drijven, of net zolang op een zwart gezicht inslaan tot het jukbeen knapt.'

De spieren in zijn kaak verstrakten. 'Laster. En nu is er een getuige bij.'

'Sleep me dan maar voor de rechter. Gun me mijn dag in de rechtszaal. Meer heb ik nooit gewild. Maar je begeeft je op glad ijs... Ik heb nog een kopie van die beoordeling van je in mijn rugzak.'

Hij deed plotseling een stap naar voren, zijn vuisten zwaaiden langs zijn lichaam. Ik dacht dat hij me ging slaan en dook weg achter de motorkap van de auto, maar in plaats daarvan griste hij de rugzak van me af en gooide hem in het water achter de kademuur. Een seconde stilte en toen raakte de tas met een splets het wateroppervlak. Drury keek hem met een tevreden blik op zijn magere gezicht na.

De hand die Sam op zijn arm legde, schudde hij af. 'Bemoei je er niet mee,' waarschuwde hij. 'Dit is iets tussen mij en je vrouw.'

'Je bent altijd al een etter geweest,' siste ik kwaad terwijl ik aan mijn portefeuille en creditcards dacht die in de modder op de bodem van de rivier wegzonken. 'Dat is de enige oplossing die jij kunt verzinnen: verwijder het bewijsmateriaal voor je misdaden aan het licht komen.'

Hij lachte om mijn woede. 'Het is niet zo leuk als de bordjes verhangen zijn, hè?' zei hij pesterig. Hij legde zijn handen op de motorkap en bleef me strak aankijken.

Ik beantwoordde die blik, bracht mijn gezicht vlak voor het zijne, bekeek hem met woedende ogen. 'Weet je waar ik het kwaadst om ben? Niet om wat je me aangedaan hebt' – ik hief mijn hand en prikte met mijn wijsvinger in zijn borst – 'daar heb ik mee leren leven. Maar omdat je het lef had me te onderschatten... en dat doe je verdomme nog steeds.' Ik hoorde mijn stem overslaan, maar deze ene keer kon het me geen reet schelen hoe ik klonk. Eerlijk gezegd heb ik me altijd al meer verwant gevoeld met een scheldend viswijf dan met krachteloze dames die aan zenuwinzinkingen lijden. 'Hoe durf je te denken dat ik zo stom zou zijn dat ik mijn moederdossier mee zou brengen? Hoe durf je te denken dat ik je de gelegenheid zou geven mij te pakken te nemen?'

'Jij had het over een ruil,' zei Drury kwaad.

'Ik wil eerst gerechtigheid,' schreeuwde ik hem toe. 'Dan ruil ik.'

'Wat voor gerechtigheid?'

'Oog om oog, tand om tand, dat soort gerechtigheid. Hetzelfde waar jij in gelooft. Jij hebt een Neanderthaler allerlei leugens ingeprent, en vervolgens heb je hem gezegd dat me de volgende dag de mond zou worden gesnoerd. Wat dacht je dat hij zou doen? Me een bos bloemen sturen?'

Hij keek zenuwachtig naar Sam. 'Ik weet niet waarover je het hebt.'

'Jawel, dat weet je wel. Iedere keer dat ik je van racisme beschuldigde, werd je kwader. Daarom heb je me zo publiekelijk gewaarschuwd... zodat zelfs een idioot als Derek Slater zou weten dat hij met die nikkervriendin zijn gang kon gaan zonder bang te hoeven zijn dat ik het zou aangeven.'

'Je verzint weer sprookjes. Als er een misdrijf is begaan, had je die ochtend ruimschoots de gelegenheid ons de bijzonderheden te geven.'

'Je bedoelt toen je me officieel waarschuwde niet langer de tijd van de politie te verknoeien? In bijzijn van mijn man en mijn moeder, die geen woord van wat ik zei geloofden omdat ze een corrupte politieagent meer vertrouwden dan mij?' Mijn armen schoten uit en ik sloeg hem met de rug van mijn handen op zijn borst. 'Hoe durf je te suggereren dat ik een ongezonde fixatie op je had? Hoe durf je je maar een seconde in je hoofd te halen dat ik geïnteresseerd zou zijn in iemand die vond dat de plaats van een vrouw onder een man is... Liefst vastgebonden en gekneveld, zodat hij niet naar kritiek op zijn optreden hoeft te luisteren.'

Hij stapte behoedzaam achteruit, maar hij zei niets.

'Ik voelde alleen maar minachting voor je,' zei ik. 'Ik vond je een *kleine* man... een pygmee in een uniform... iemand die kon blijven rondparaderen omdat zijn superieuren te onbekwaam zijn om te zien hoe incompetent hij was... en de enige reden dat ik überhaupt met je gesproken heb, was dat ik recht wilde voor Annie. Maar ik heb je nooit als iets anders beschouwd dan als een reptiel.' Ik keek hem diep in het zwart van zijn ogen. 'En dat was stom van me, toch? Ik had niet zo duidelijk moeten laten merken dat ik alleen van je te zien al kippenvel kreeg... dan had je Derek nooit op me afgestuurd. Want het was niet zo dat ik op jou viel, klootzak, jij viel op *mij*.'

Ik voelde dat Sam achter me bewoog.

'Je bent gek,' zei Drury.

'Inderdaad,' zei ik terwijl ik om de motorkap heen glipte. 'Ik ben geestelijk gestoord sinds Derek jouw vuile werk heeft opgeknapt. Hij wist dat ik hem niet binnen zou laten, dus stuurde hij Alan vooruit, met een snotterverhaal dat zijn vader zijn moeder weer in elkaar had geslagen. Het kind was twee keer zo groot als ik, en ik was zo dom een arm om zijn schouders te slaan terwijl ik me omdraaide om de deur dicht te doen.' Ik lachte bitter. 'Voor ik wist wat er gebeurde lag ik op mijn rug, hij hield me op de grond met zijn gewicht en trok met zijn smerige handen grote plukken haar uit mijn hoofd als ik het bewoog.' Ik bleef staan voor de rechterkoplamp zodat Drury niet verder achteruit zou stappen. 'Ze konden geen sporen op me achterlaten,' ging ik verder, 'omdat jij tegen Derek had gezegd dat ik de volgende dag op het politiebureau moest komen. En ze konden me niet verkrachten omdat ze geen bewijsmateriaal *in* me achter wilden laten.' Ik tikte met twee vingers tegen mijn mond. 'Dus in plaats daarvan kreeg ik Derek Slaters urine in mijn mond.'

Ik ving vanuit een ooghoek een glimp op van Sams gespannen, witte gezicht. 'Hij piste over mijn mond en neus terwijl zijn zoon me op de grond hield,' – ik keek naar de kade – 'en het is alsof je verdrinkt. Je kunt niet ademhalen, dus slik je. En als erfenis moet je je mond ieder uur, iedere dag zolang als je leeft, spoelen.' Ik vertrok mijn lippen in een wolfachtige grijns. 'Terwijl ik zowat stikte, hebben ze van plaats geruild, zodat Alan ook kon... maar die was zo opgewonden, die had zichzelf niet meer in de hand...' Ik zweeg toen Sam achter de auto weer een stap deed.

Drury draaide zich half om zodat hij Sam ook in de gaten kon houden. 'Niemand zal je geloven,' zei hij. 'Je hebt nooit aangifte gedaan. En waarom ben je eigenlijk kwaad op mij? Waarom geef je je man niet de schuld? Díé had je in de steek gelaten. Als hij een kerel was geweest, had hij achter jou gestaan in plaats van dat hij die slet beschermde.'

Ik kon nog net denken dat Drury bijzonder slecht was in het inschatten van mensen, en toen stormde Sam in een uitbarsting van woede met gebogen hoofd op hem af en schoof hem de rivier in, mijn rugzak achterna.

23

SAM KROMP INEEN EN DEED EEN STAP NAAR ACHTEREN, WEG VAN DE kaderand, onder het uitkramen van door een overdosis adrenaline ingegeven scheldwoorden. Maar ik bleef staan om Drury boven te zien komen. Luke had me verzekerd dat de westelijke stroming in de haven van Weymouth een drijvend lichaam naar het dok zou dragen, maar ik maakte me een klein beetje zorgen over Drury's zwemprestaties. Toen zijn gezicht aan het oppervlak verscheen, keken we elkaar even aan. Toen stak ik mijn vinger naar hem op en draaide me om. *Hebbes!*

'We moeten eigenlijk de politie bellen,' zei Sam, die diep inademde om zichzelf tot rust te brengen terwijl hij toekeek hoe de man naar de kant zwom.

'Dat moet hijzelf maar doen, als hij dat wil. Hij weet waar we wonen.' Ik liep terug naar de auto. 'Maar hij doet het vast niet. Hij steekt zijn kop in het zand en hoopt dat dit geldt als oog om oog.'

'En is dat zo?' vroeg hij terwijl hij achter me aanliep.

'Van je leven niet,' zei ik opgewekt terwijl ik het portier opende. 'Hij moet nog boeten voor Annie, en dat gebeurt alleen als zijn naam op de voorpagina's van alle kranten staat, met het woord "racist" erbij.' Ik liet me op de stoel zakken. 'Kom op,' zei ik terwijl ik mijn riem vastmaakte. 'Laten we wegwezen. Hij zal bloed willen zien, dat weet ik zeker. Dat hij het niet aangeeft, wil niet zeggen dat hij niet bij de eerste de beste gelegenheid je kaak breekt.'

Sam kroop naast me en startte, draaide zich half om en reed achteruit. 'Ik had twintig jaar geleden met hem moeten afrekenen,' zei hij terwijl hij het stuur ronddraaide. 'Dat had ik ook gedaan, als ik hem niet had geloofd.'

'Over Annie?'

'Nee,' bromde hij. 'Over dat jij achter hem aan zat. Ik weet dat het nu krankzinnig klinkt, maar toen leek het aannemelijk... omdat je na Annies dood niets meer van me wilde weten... de uren die je op het politiebureau doorbracht... het feit dat je met hem wilde praten en niet met mij.' Hij zette de auto in zijn vooruit en reed de weg op. 'Ik begon te denken dat hij meer jouw type was dan ik.'

'Logisch,' zei ik sarcastisch terwijl ik langs hem heen naar zijn veiligheidsgordel greep om hem vast te maken. 'Ik bedoel, hij had alles wat ik graag zag in een man... *haar*... een uniform... en dan nog die enorme pik die hij voortdurend stijf had staan om iedere griet te naaien die zijn pad kruiste.'

Hij lachte schaapachtig. 'Maar ik meen het. Ik was ongelooflijk jaloers, maar ik dacht dat ik geen recht van spreken had na Libby. Toen werd je zwanger, en ik dacht, shit, is dat kind van mij of van Drury... Ik was zo ontzettend opgefokt, dat toen jij zei dat je het wel weer wilde proberen, het enige wat ik kon bedenken was weggaan, alles vergeten en opnieuw beginnen.'

Ik was zo verbaasd dat ik het gevoel had dat ik hem letterlijk met open mond aanstaarde. 'Dacht je dat Luke van Drury was?'

Hij knikte.

'Jezus! Hoe kwam je daar nou bij?'

Hij haalde zijn voet van het gaspedaal en de auto minderde vaart tot we met een slakkengangetje reden. 'Omdat de enige keer dat we die hele ellendige periode seks hebben gehad,' zei hij met een zucht, 'was toen ik je gedwongen had. Die keer toen jij zei dat je me nooit meer wilde zien. Je haatte me echt, die nacht... en ik kon niet geloven dat iets wat met zoveel destructief gevoel gedaan was zoiets prachtigs kon opleveren.'

Ik schudde verwonderd mijn hoofd. 'Maar waarom heb je dan niets gezegd?'

'Omdat het er niet toe deed,' zei hij eenvoudig. 'Ik heb Luke altijd als mijn eigen kind beschouwd, of hij dat nu wel of niet echt was.'

Ik voelde me kleintjes... als de rollen omgedraaid waren geweest – als Libby een kind van Sam had gebaard – dan was ik niet zo ruimdenkend geweest. 'Maar natuurlijk is hij van jou,' zei ik terwijl ik de rug van mijn hand even op zijn wang legde. 'Daar had je geen seconde aan hoeven twijfelen.'

Hij legde zijn hoofd opzij, hield mijn hand gevangen tegen zijn schouder. 'Ik heb ook niet zo heel lang getwijfeld... na Toms geboorte in ieder geval niet meer, omdat ze zo op elkaar lijken.' Hij lachte plotseling. 'En toen stond jij er opeens op hier met me te gaan lunchen, zodat Drury zich aan je kon verlustigen... en ik dacht, is dit de eerste stap om die boterletter te vertellen dat mijn zoon eigenlijk de zijne is?'

Ik trok mijn hand weg. 'Je zei dat je hem niet herkend had.'

Hij meerderde weer vaart. 'De gezichten van mannen die me jaloers maken, vergeet ik nooit.'

'Maar die mannen zijn er helemaal niet.'

'Dat denk jij.' Hij leunde naar voren om de voorruit schoon te vegen. 'Waar pikken we de jongens op?'

'Achter de draaibrug.'

'Ik zou me maar voorbereiden op een gegeneerde stilte,' waarschuwde hij me nuchter. 'Ik zag ze achter een van de andere geparkeerde auto's kruipen, dus ik denk dat ze ieder woord gehoord hebben.'

'Verdomme,' zei ik plotseling moe. 'Ik had ze nog zo gezegd dat ze weg moesten gaan.'

'Mmm, tja, ik denk dat de nieuwsgierigheid het won. En dat kun je ze niet kwalijk nemen. We hebben ons de laatste tijd allebei erg raar gedragen. Maar met Danny kan het hierdoor wel eens lastig worden,' waarschuwde hij weer. 'En ik moet ze toch over Libby vertellen... waarom ik gelogen heb... waarom ik Annie heb laten liggen. Ze moeten de waarheid toch van me horen.'

'Dit wilde ik helemaal niet, Sam,' zei ik zuchtend. 'Ik wilde dat alleen jij het hoorde, omdat ik dacht dat je me niet zou geloven als ik het je gewoon zou vertellen.'

'Je had wat meer vertrouwen in me kunnen hebben,' zei hij luchtig. 'Ik ben twintig jaar geleden gestopt een klootzak te zijn.'

'Ik weet het.' Ik voelde de tranen achter mijn ogen prikken. 'Maar het leek nooit het geschikte moment om het je te vertellen. Het spijt me.'

'Nou, mij niet,' zei hij, opeens lachend. 'Je hebt meer kloten dan een heel rugbyteam, lieverd, en het is tijd dat de jongens merken wat een geweldige moeder ze hebben.' Hij sloeg met zijn handen op het stuur. 'Ik moet steeds aan dat Chinese spreekwoord denken waar Jock het gisteren over had, een variatie op het thema: geduld is een schone zaak.' Hij keek me weer grijnzend aan. 'Onder de gegeven omstandigheden bijzonder toepasselijk.'

'Hoe gaat het dan?'

'Als je lang genoeg bij de rivier blijft zitten, komen de lichamen van al je vijanden langsdrijven.'

Ik dacht dat ik de man met wie ik getrouwd was kende, maar nu weet ik dat hoe oud ik ook word, de grillen van de menselijke natuur me altijd zullen blijven verbazen. Ik weet niet wat hij tegen de jongens heeft gezegd, maar wat het ook was, ze behandelden me de volgende vierentwintig uur alsof ik van kraakporselein was tot ik uit pure frustratie tegen ze begon te schelden en vloeken en het gewone leven zijn gang weer nam. Ze meden de naam Slater, omdat ze allemaal begrepen dat je weliswaar kunt laten zien dat je ergens een litteken hebt, maar dat dat nog niet wil zeggen dat je het kunt verdragen dat het door onderzoekende vingers opengepeuterd wordt.

Maar toch konden we het onderwerp niet voor eeuwig laten rusten, en schoorvoetend biechtte Tom op zaterdagavond op dat ze een afspraak met Danny Slater hadden om iets te gaan drinken, maar dat ze niet wisten of ze dat wel moesten doen. Sam en ik zeiden in koor dat Danny niet verantwoordelijk was voor wat zijn vader en broer hadden gedaan en dat het niet eerlijk zou zijn het hem te vertellen. Laat hem in onwetendheid, was ons advies.

'Heeft pa je verteld dat hij overweegt Danny de schuur als studio te laten gebruiken?' vroeg Tom me. 'Als we dit huis kopen, uiteraard.'

'Het is maar een idee,' zei Sam. 'Maar ik wil graag dat hij weet dat we echte vrienden zijn.'

'Hij zal zich moeten behelpen,' zei Luke, 'want pa wil niet dat hij hier in huis dope rookt. Maar hij kan het rommelhok opruimen en het bewoonbaar maken. Er is elektriciteit, en de paardenstal is groot genoeg om in te werken. Het enige wat hij dan nog moet is een van de groeves om een brok steen vragen, en dan kan hij proberen beeldhouwer te worden zonder direct failliet te gaan.'

Drie gezichten draaiden zich afwachtend naar me toe. Wat vond ik ervan?

Ik knikte en glimlachte en zei dat het een geweldig idee was. Maar ik wist dat het niet gebeuren zou. Danny zou me nooit vergeven voor wat ik van plan was zijn familie aan te doen.

De volgende maandag bezocht ik Michael Percy in de gevangenis op Portland. Het was een verwarrende ervaring omdat ik er constant aan herinnerd werd dat zijn leven op een zijspoor stond. Misschien droeg de buitengewone ligging van de Verne bij aan mijn gevoel van onvervulde beloftes en van verspilling. De gevangenis was in een oud fort gebouwd, met uitzicht op de haven, en lag eenzaam aan het einde van een weg vol haarspeldbochten. In ieder geval was ik me sterk bewust van de eenzame ligging en ik vroeg me af of de gevangenen het ook zo beleefden.

Het was weer stormachtig en de wind trok aan mijn haar en kleren toen ik van mijn auto naar de hoofdingang rende, achter een groepje bezoekers aan dat op dezelfde wijze werd voortgeblazen. Ik zorgde ervoor ze niet in te halen, deed wat zij deden omdat ik niet wilde laten merken dat ik van toeten noch blazen wist aan deze ervaren lieden die, gezien hun ontspannen gezichten, al honderden keren in de rij voor de receptie hadden gestaan om hun bezoek aan te kondigen.

Ik dacht aan Bridget die dit iedere maand deed, jaar in, jaar uit, en vroeg me af of het tot treurnis of juist tot geluk leidde, als ze ten langen leste oog in oog met haar echtgenoot stond. Ikzelf werd overvallen door een beangstigende terugval in de pleinvrees die ik twintig jaar geleden had gehad, toen ik mijn huis niet meer uit durfde omdat ik bang was dat ik in de gaten werd gehouden. Misschien kwam het door de uniformen van de cipiers – of door de visitatie waarbij ze me aanraakten – of doordat ik aan een tafel moest gaan zitten duimendraaien tot Michael gebracht werd en ik ervan overtuigd was dat alle ogen op me gevestigd waren, en sterker nog, dat het vijandige blikken waren.

Hoe dan ook, het was een opluchting toen hij kwam. En toen hij op me af kwam lopen, gaf het me een heftig – en aangenaam – gevoel van herkenning. Over smaak valt nu eenmaal niet te twisten, dacht ik. Hij was net zo erg – zo niet erger – als Alan, maar hij had een plekje in mijn hart veroverd, net als in het hart van Wendy, Bridget en alle andere vrouwen die hij tegen was gekomen, nam ik aan. Hij lachte verlegen naar me toen hij mijn hand schudde. 'Ik wist niet of u wel zou komen.'

'Ik had het toch gezegd.'

'Ja, maar niet iedereen doet wat hij zegt.' Hij liet zich op de stoel aan de andere kant van de tafel neervallen en bekeek mijn gezicht aandachtig. 'Ik zou u niet herkend hebben als ze me uw naam niet hadden gezegd.'

'Ik ben een beetje veranderd.'

'Zeg dat wel.' Hij hield zijn hoofd schuin om me te bekijken en ik besefte opeens heel sterk dat de veertienjarige niet meer bestond en dat dit een vijfendertigjarige man was met een verstoorde jeugd en een geschiedenis van geweld. 'Waarom?'

'Ik vond degene die ik vroeger was niet zo leuk,' zei ik naar waarheid.

'Wat was er mis mee?'

'Veel te zelfvoldaan,' zei ik met een lachje. 'Toen heb ik het magere, hongerige type uitgeprobeerd.'

Hij grijnsde. 'Ik wed dat dat uw man wakker heeft geschud.'

Ik vroeg me af of hij van Sam en Libby had geweten, of dat zijn geest nu nog scherper was dan toen ik hem op school kende. 'Het heeft wel geholpen,' zei ik terwijl ik hem op mijn beurt aandachtig bekeek. 'Jij bent helemaal niet veranderd, hoewel mevrouw Stanhope, de vrouw van de dominee, beweert dat ze je niet herkende van de foto in de krant. Ze hoopt nog steeds dat het een andere Michael Percy was die dat postkantoor heeft overvallen.'

Hij streek met zijn vlakke hand over zijn kortgeknipte haar. 'Hebt u haar ingelicht?'

'Dat hoefde niet, ik weet zeker dat ze het weet.'

Hij zuchtte. 'Ze was heel aardig tegen me, toen ik nog klein was. Ik denk dat ze het verschrikkelijk vond om te horen dat ik een vrouw met een pistool geslagen heb.'

'Dat betwijfel ik. Ze koesterde weinig illusies omtrent jou.'

'Ze heeft een keer aangeboden me te adopteren, weet u, en toen zei ik, dat meent u niet. Alsof je van de hel naar de hemel gaat. Aan de ene kant had je ma die het een rotzorg zou zijn of ik nog thuiskwam... en aan de andere de dominee die me steeds voorhield dat Jezus mijn leven zou kunnen veranderen. De enige die nog een beetje verstandig was was mevrouw S... maar die wilde me steeds knuffelen, en dat vond ik niet zo leuk.' Hij leunde naar voren om wat intimiteit te creëren binnen het opdringerige geroezemoes van de gesprekken om ons heen. 'Ik had het niet erg gevonden als u me geknuffeld had,' zei hij met een blik vanonder zijn wenkbrauwen. 'Maar daar heeft u nooit een poging toe ondernomen.'

'Ik zou ter plekke ontslagen zijn.'

'U bent niet ontslagen toen u Alan Slater knuffelde.'

'Wanneer was dat dan?'

'Toen hij zijn ogen rood huilde omdat de verpleegster weer luizen bij hem aantrof. U hebt uw arm om zijn schouder geslagen en gezegd dat u hem shampoo zou geven zodat hij eraf kon komen. Dat heeft u voor mij nooit gedaan.'

Ik herinnerde me er niets meer van – voorzover ik wist had ik maar één keer mijn arm om Alan heen geslagen – en ik vroeg me af of Michael me met een andere lerares verwisselde. 'Heb jij dan ooit luizen gehad? Jij zag er brandschoon uit terwijl die arme Alan meestal stonk alsof hij net uit het riool was opgedoken.'

'Hij was vies,' zei Michael geringschattend. 'Ik pikte altijd Prioderm voor hem bij de apotheek, maar hij gebruikte het niet tot de zuster die neten in zijn haar vond.' Hij gunde me een scheef lachje. 'Ik vond het vervelend dat iedereen dacht dat ik een keurig jongetje was met schone kleren en ik had medelijden met Alan omdat hij het thuis zo rottig had. Ik waste mijn eigen kleren al toen ik zes jaar was, maar mijn moeder ging met de eer strijken.'

Ik vroeg me even af of de knuffel die ik Alan had gegeven en Michael niet, erin geresulteerd had dat de een een gezin had gesticht en de ander vijftien jaar moest zitten. 'De meeste mensen dachten dat ze een betere moeder dan Maureen was,' zei ik tegen hem. 'Maar dat was niet zo'n prestatie. Op een schaal van een tot tien scoorde Maureen een nul.'

'Ze was in ieder geval geen hoer,' zei hij bitter. 'Je wordt er gek van als je moeder een slet is. Wist u dat toen?'

'Ik wist helemaal niets, Michael. Ik was heel naïef en heel dom en als ik het allemaal nog eens over mocht doen, had ik het heel anders aangepakt.' Ik keek hem even aan. 'Jij was seksueel veel te rijp,' zei ik vriendelijk. 'Ik heb me door Alan nooit zo bedreigd gevoeld als door jou. Ik denk dat een knuffel voor jou niet genoeg was geweest.'

Hij lachte nog schever. 'Misschien niet, maar ik zou veel te bang zijn geweest iets te doen.'

'Zo zag ik je niet,' zei ik met een lachje. 'Je was er goed in kwetsbare vrouwen uit te kiezen... zoals Wendy Stanhope. Als ze het over jou heeft, wordt ze heel melancholiek, ik heb het idee dat haar gevoelens voor jou niet louter moederlijk waren.'

'En die van u?'

'Ik weet het niet, ik heb er nooit over nagedacht.'

'Maar u vond me wel aardig?'

Ik vroeg me af waarom dat belangrijk was. 'O ja.'

'En Alan? Vond u hem aardig?'

'Nee,' zei ik op vlakke toon. Ik vroeg me af hoeveel hij wist.

'Hij was verliefd op u,' zei hij. 'Hij zei altijd dat u niet van hem af kon blijven en dat de enige reden waarom u de politie niet wilde inlichten toen u hem op diefstal had betrapt, was dat u bang was dat hij zou verklappen dat hij seks met u had gehad.' Hij hield mijn gezicht nauwlettend in de gaten en leek er de geruststelling in te vinden die hij zocht. 'Ik wist dat het flauwekul was, maar ik vond het ontzettend lullig dat u altijd zo uw best deed aardig voor hem te zijn.'

Ik zei niets.

'En u vergist zich als u denkt dat hij seksueel nog niet rijp was,' ging hij verder. 'Hij was zo groot, toen hij tien was had hij al een lul zo groot als een olifant. Seks was het enige waar hij aan dacht. Hij pikte pornoblaadjes en rukte zich suf bij die foto's. Dat was best komisch, tot hij aan het echte werk begon. Hij heeft Rosie gepakt, het zusje van Bridget, hij zei dat hij het met haar wilde doen en toen zij zei dat hij op moest rotten, heeft hij haar op de grond geduwd en gezegd dat hij het sowieso met haar deed. Die arme meid, ze was nog maar twaalf en ze heeft weken gebloed.' Zijn mond kneep samen bij de herinnering. 'Maar ze was te bang om er met iemand over te praten, behalve met mij. Haar moeder was ziek en haar vader was er nooit. Dus moest ik het afhandelen. Ik heb Alan helemaal in elkaar geramd en gezegd dat als hij ooit nog zoiets flikte, ik zijn nek zou breken.'

'Hoe oud was je toen?'

'Veertien. Het was kort nadat u was weggegaan.'

'En heeft hij het nog eens gedaan?'

Michael haalde zijn schouders op. 'Voorzover ik weet niet. Een week of wat later is hij zijn vader met een honkbalknuppel te lijf gegaan... alsof zijn hersens zijn lichaam hadden ingehaald en er een gedachte in zijn hoofd opkwam van hé, ik ben groot genoeg om te matten. Daarna was hij niet meer zo geïnteresseerd in seks.'

Ik probeerde het tijdplaatje helder te krijgen. 'Zijn vrouw heeft me verteld dat jij en hij om Bridget gevochten hebben.'

Hij schudde zijn hoofd. 'We hebben maar één keer gevochten, om Rosie.'

'Zij zei me dat Alan stapelgek op Bridget was tot hij haar met jou in bed aantrof... en dat hij je toen halfdood heeft geslagen en een jeugdinrichting in moest.'

'Dat heeft hij gedroomd.' Hij fronste zijn wenkbrauwen vragend. 'Bridget heeft hem nooit meer aangekeken na wat hij haar zusje had aangedaan. Dus waarom zou hij iets anders beweren? Wie probeert hij voor de gek te houden?'

'Beth?' opperde ik. 'Zijn vrouw.'

'Waarom?

Nu was het mijn beurt mijn schouders op te halen.

'Stomme sukkel... het is altijd beter eerlijk te zijn...' Hij glimlachte toen hij zichzelf hoorde, '*Nadat* je gepakt bent in ieder geval wel. In deze omgeving blijft niets lang geheim.'

Ik keek het vertrek door, dat vol zat met gevangenen en hun familieleden. Iedereen praatte of luisterde, en werd geobserveerd door cipiers. Het leek me heel aannemelijk wat hij zei. Je had geen privacy in deze goudvissenkom. En ik vroeg me af hoe het kwam dat Maureen zoveel macht over haar gezinsleden had dat er nooit wat was uitgelekt van de gewelddadigheid van Alan.

Brief van John Howlett – inspecteur bij de dierenbescherming, die het huis van Ann Butts de ochtend na haar dood is binnengegaan – nu woonachtig in Lancashire – gedateerd 1999

White Cottage
Littlehampton
Bij Preston
Lancashire

Mevrouw M. Ranelagh
Leavenham Farm
Leavenham
Bij Dorchester
Dorset D72 XXY

11 augustus 1999

Geachte mevrouw Ranelagh,

Mag ik vooropstellen dat uw brief mij een hart onder de riem heeft gestoken. Wat we in het huis van mevrouw Butts aantroffen, heeft me nooit losgelaten en het doet me goed het eens van een andere kant te bekijken. Zoals u terecht opmerkt heb ik voor haar dood nooit enige reden gehad te denken dat Annie haar katten mishandelde.

Dokter Arnold dacht dat Annie kort voor haar dood beroofd is en opperde dat dát de oorzaak was van Annies neergang die tot de chaos leidde die we op 15-11-'78 aantroffen. Ik voelde wel wat voor die theorie, maar ik vond er geen sluitende verklaring in voor het aantal en/of de toestand van de katten. De invalshoek van de politie was dat Annie een lastige, getroebleerde vrouw was, duidelijk niet in staat om voor zichzelf te zorgen, wier gedrag aanleiding had gegeven tot talloze klachten. Wat we in haar huis aantroffen bevestigde dus slechts dit standpunt. Het is de moeite waard te vermelden dat hoofdagent Drury een uur voor we het huis binnengingen zei dat er meer dan twintig katten aanwezig waren, zodat ik voldoende kooien zou meebrengen. Toen ik vroeg hoe hij aan dat aantal kwam, omdat er voorzover ik wist niet meer dan zeven katten aanwezig waren, zei hij dat hij zich op informatie van de buren baseerde.

Ik verwijt mijzelf nu dat ik toen niet heb gevraagd hoe de buren dat zo precies wisten, maar dat is achteraf gepraat. Toentertijd waren mijn collega en ik zo geschrokken van wat we vonden, dat al onze aandacht uitging naar het redden van de dieren. Het zou anders zijn geweest als Annie nog had geleefd, omdat we dan zeker een poging hadden gedaan haar te vervolgen op grond van dierenmishandeling, maar haar dood had tot gevolg dat we in feite de verantwoordelijkheid om vragen te stellen aan hoofdagent Drury overdroegen. Ik weet dat dokter Arnold ernstige bedenkingen heeft over de manier waarop hij de zaak heeft aangepakt – en naar uw brief te oordelen u kennelijk ook – maar het is niet meer dan eerlijk om te onderstrepen dat hij net zo geschokt was door de toestand daar in huis als wij en dat hij herhaaldelijk zei: 'Ik had ze moeten geloven.' Ik nam aan dat dit op de buren sloeg, die hij voortdurend als 'proleten' omschreef. Ik zeg dit alleen om u eraan te herinneren dat hij en wij met een toestand geconfronteerd werden, die zelfs al was hij onverwacht, in feite alles wat er het voorafgaande jaar over Annie gezegd was, bevestigde.

Aangaande uw vragen: Annie heeft gezegd dat de oranje kat aan een 'hartaanval' gestorven was. Ze was er bijzonder ontdaan over en heeft me herhaaldelijk gevraagd of ik dacht dat katten pijn op dezelfde manier als wij ervoeren. Ik heb haar gezegd dat ik dat niet wist.

De nog in leven zijnde katten waren ondervoed – behalve de zes die ik als de hare kon identificeren. Een paar zwerfkatten hadden kale plekken rond hun bek maar bij bijna alle katten begon het haar al weer terug te komen. Ik vrees dat er geen bewijs is dat 'er pogingen ondernomen waren hen te helpen'. Het tegendeel eerder, droevig genoeg, want het enige verstandige wat gedaan had kunnen worden om ze te helpen was ze naar de dierenarts te brengen. Maar goed, als uw aanname klopt dat de kattenbekken door iemand anders dan Annie afgeplakt zijn, dan wijzen het verwijderen van de tape, en de aanschaf van kip en melk erop dat ze 'pogingen tot hulp' ondernomen heeft. Haar eigen katten waren in een opmerkelijk betere conditie dan de rest.

Het is helaas onmogelijk vast te stellen hoeveel tijd er verstreken was sinds de bekken van de katers waren afgeplakt, omdat de conditie waarin we ze aantroffen verschrikkelijk was. Ik ben echter geneigd uw suggestie over te nemen dat Annie ze niet eerst afgeplakt zou hebben, om ze daarna weer van het plakband te ontdoen.

Als uw premisse juist is dat het niet Annie was die de dieren mishandeld heeft, dan kan ik ook uw premisse accepteren dat de zieke katten in de achterkamer boven, daar zaten omdat ze ze tegen de rest wilde beschermen. Maar, helaas, in de post-mortems kan voor die stelling volgens mij geen bewijsmateriaal aangetroffen worden, omdat we niet konden vaststellen of de katten opgesloten waren nadat ze gebeten en gekrabd waren of daarvoor.

Als we aannemen dat bovenstaande premissen juist zijn, dan is het zeker mogelijk dat de gezonde katten de zieke hebben gedood en dat de katten met een gebroken nek het resultaat zijn van 'afmaken uit mededogen'. Maar, als Annie de zieke katers heeft opgesloten om ze tegen de andere te beschermen, dan kunnen ze zich best op elkaar gestort hebben juist omdat ze opgesloten zaten. Ik ben het ermee eens dat Annie ervoor gekozen kan hebben om de katten binnenshuis op te sluiten – ook al bevuilden ze de vloeren – om ze tegen een groter gevaar buiten te beschermen.

Samenvattend: ik kan me een stuk beter vinden in de suggestie dat Annie de katten wilde redden, in plaats van dat ze ze mishandelde, maar ik ben bang dat u dat moeilijk zult kunnen bewijzen.

Ik wens u het beste met uw campagne.

John Marlett

24

Ik vroeg Michael wanneer hij Alan voor het laatst gezien had.
'Na de verkrachting van Rosie gingen we niet meer met elkaar om,' zei hij terwijl hij nadenkend over zijn kin streek. 'Als ik het me goed herinner, heb ik sinds 1980 niets meer van hem gezien of gehoord... Maar ik zat zelf om de haverklap vast, dus misschien komt het daardoor.' Hij schudde zijn hoofd. 'Verschrikkelijk eigenlijk, als je erover nadenkt.'

'Wat?'

'Dat er maar twee gezinnen in die straat woonden die zich voortdurend in de nesten werkten. De Percy's en de Slaters. We hadden toch dezelfde kansen als iedereen... maar we hebben ze nooit gegrepen. Beseft u wel dat we bij elkaar meer dan twintig jaar in de gevangenis hebben doorgebracht... Derek en ik, en Alan, voor wat hij dan ook gedaan heeft.'

'Vaste gewoontes zijn moeilijk af te leren.'

'Ja, kijk maar naar Rosie.'

'Wat is er van haar geworden?'

'Een overdosis heroïne in een kraakpand in Manchester. Zo'n vijf jaar geleden,' zei hij bitter. 'Een of andere stomme dealer verkocht het daar onversneden, dus het was waarschijnlijk een ongeluk, geen opzet. Deurwaarders hebben haar lijk onder een matras gevonden nadat haar vrienden het pand ontruimd hadden. De politie nam aan dat ze al drie dagen dood was, maar niemand heeft er iets aan gedaan... ze hebben haar gewoon laten liggen toen ze hun spullen pakten en er vantussen gingen.'

'Wat erg.'

Hij knikte. 'Ja, het was heel triest. Bridget probeerde haar steeds te laten behandelen, maar Rosie kon het leven zonder dat niet aan. Ze zei altijd al dat ze aan een overdosis zou sterven, dus ik denk dat ze het niet zo erg gevonden zou hebben als ze wist wat er gebeurde.'

'Wat zei haar vader?'

'Nada. Ik weet niet eens of hij wel weet dat ze dood is. De meisjes gingen niet meer met hem om toen hij bij mijn moeder introk.'

'Had jij het hem niet kunnen vertellen?'

'Dank je de koekoek. Als ik daar langsging, schopte hij me eruit. Daarom ben ik bij Rosie en Bridget ingetrokken.' Hij stopte zijn handen tussen zijn knieën, zat met opgetrokken schouders in plotselinge woede. 'Hij heeft echt de pest aan me... heeft mijn moeder wijsgemaakt dat ik niet deug,' zei hij wrokkig, 'ook al was ik degene die haar geholpen heeft toen het er echt op aankwam.'

'Wanneer was dat?'

Hij wendde zich af zodat ik zijn gezichtsuitdrukking niet kon zien. 'Het doet er niet toe.'

Ik was ervan overtuigd dat het er wél toe deed, maar zag in dat het zinloos was erop door te gaan omdat hij het duidelijk niet aan me wilde vertellen. 'Wat heb je gedaan dat Geoffrey zo'n hekel aan je had?'

'Bridget en Rosie verteld dat hij een klant van mijn moeder was. Het was een schijnheilige klootzak... verkondigde steeds hoe geweldig hij was dat hij zijn baan had opgegeven om zijn stervende vrouw te verzorgen... en ondertussen zat hij voortdurend bij ons. De meisjes hebben voor hun moeder gezorgd. Geoff deed geen flikker behalve klagen als het avondeten te laat op tafel stond. Vivienne was een lieve vrouw. Ik zat meestal 's middags bij haar bed, en ik werd altijd razend als ik haar hoorde zeggen dat Geoff zo goed voor haar was.'

'Is ze er ooit achter gekomen dat hij iets met je moeder had?'

'Ik denk het niet. Ze is glimlachend gestorven, dus ik denk dat hij haar tot het eind toe voor de gek heeft gehouden. De meisjes en ik hebben haar in ieder geval niets verteld. Het leek ons wreed.'

Er viel even een stilte waarin ik me afvroeg wat ik nu moest zeggen. Meteen drongen zich ongewenste geluiden aan ons op – het rauwe gekrijs van zeemeeuwen via de daklichten boven ons hoofd, gelach, een baby die huilde in de speelhoek voor kinderen – en opeens flapte de vraag eruit die ik absoluut niet had willen stellen: 'Wat doe je hier in godsnaam, Michael? Hoe kan een man die zo menselijk is om een stervende vrouw niet te vertellen dat haar man haar bedriegt, een onschuldige vreemde in een postkantoor aanvallen? Dat begrijp ik niet.'

'Ik had het geld nodig,' zei hij eenvoudig. 'Toen leek het me een goed plan.'

'En nu?'

Hij lachte vreugdeloos. 'Nu vind ik het het stomste wat ik ooit gedaan heb. Ik wilde haar alleen maar bang maken... het pistool tegen haar hoofd houden... maar ze begon te krijsen en te gillen... en toen sloegen bij mij de stoppen door.' Hij verviel in zwijgen, alsof hij iets duisters in hemzelf overdacht. 'Ze deed me aan de moeder van Alan denken,' zei hij opeens, 'dus heb ik haar lelijke gezicht ingeslagen. Ik had echt een hekel aan dat rotwijf. Zij heeft iedereen opgehitst.'

'Hoe dan?'

'Gewoon,' zei hij en daarna bleef het weer lang stil.

Ik veranderde van onderwerp door hem te vragen wat hij in een van zijn brieven bedoeld had toen hij schreef dat Bridget haar haar bij mij door de brievenbus had gegooid als 'offer'. 'Hoezo offer?' vroeg ik.

Hij voelde zich meer op zijn gemak nu hij over Bridget kon praten. 'Al die nare dingen die u overkwamen,' zei hij. 'U had haar een keer gezegd dat u wilde dat u zulk haar als zij had, dus zij dacht dat als ze het aan u zou geven, die nare dingen zouden ophouden.' Hij glimlachte om het gezicht dat ik trok. 'Goed, dat was een beetje mesjoche, maar ze had altijd van die vreemde gedachten. Ze heeft eens een berg rauwe uien in de slaapkamer van haar moeder gelegd omdat ze ergens had gelezen dat uien ziektes absorberen, maar de stank was zo sterk dat Vivienne er niet van kon slapen.'

'Ik geloof dat het goed helpt als je verkouden bent,' zei ik afwezig, terwijl ik nadacht over wat hij nog meer had gezegd. 'Waarom dacht Bridget dat mij nare dingen overkwamen?'

'U zag er doodsbang uit,' zei hij nuchter. 'Dus het was aanneme lijk dat er iets kloterigs aan de gang was.'

'Wisten jullie wat het was?'

Even flikkerde er iets op in zijn gezicht. 'We namen aan dat ze u aandeden wat ze Annie hadden aangedaan.'

'Wie?'

'De Slaters. We zagen dat Alans vader u een keer van de stoep af probeerde te duwen... en zijn moeder noemde u altijd nikkervriendin. Ze zei dat als we in Amerika woonden, u gelyncht zou worden voor de dingen die u zei.'

'En jouw moeder dan? Was zij het met Maureen eens?'

Hij keek weer van me weg, alsof zijn moeder een onderwerp was waar hij niet graag over nadacht. 'Ik weet het niet,' zei hij kortaf. 'We hebben het er nooit over gehad.'

'Hebben jullie het over de dood van Annie gehad?'

'Nee.' Nog korter.

'Waarom niet?'

'Wat zouden we moeten zeggen? God, we waren blij dat ze er niet meer was. Ma kon meer klanten nemen, zonder dat ze de hele tijd door de muur heen uitgescholden werden. En dat was het enige wat haar interesseerde,' eindigde hij bitter. 'Geld verdienen aan sukkels.'

'Het was een vicieuze cirkel,' zei ik. 'Iedere keer als jullie of de Slaters jullie agressie uitleefden, ging het slechter met Annie. Ze had zich wel in kunnen houden, als jullie haar met rust hadden gelaten, maar toen jullie eenmaal inbreuk hadden gemaakt op haar leefruimte en haar bang hadden gemaakt, was ze kansloos.'

Hij haalde zijn schouders op. 'Ma zei altijd dat ze in het gesticht thuishoorde.'

'Dat zei ze alleen om zich superieur te voelen,' zei ik zacht. 'Ze vond het niet prettig "hoer" genoemd te worden... omdat ze dat was. De Slaters vonden het niet prettig "vuil" genoemd te worden, omdat ze dat waren.'

Hij floot verbaasd, alsof het gezellige beeld dat hij van me had, opeens aan gruzelementen lag. 'Dat is wel hard.'

'Vind je?' vroeg ik zachtaardig. 'Ik heb altijd gevonden dat Annie nog erg vriendelijk was. Als ik haar was geweest, had ik wel een wat steviger omschrijving kunnen verzinnen voor dat armoedige uitschot dat klaarkwam op kattenmishandeling.'

Hij kromp zichtbaar in elkaar.

'Deed jij het, of Alan?' vroeg ik. 'Ik kan me voorstellen dat je genoot van dat soort wreedheden... iets dat zwakker en kleiner was dan jezelf pijn toebrengen... en dan de treurige resten bij Annie naar binnen schuiven, om te zien hoe ze reageert. Heeft Derek je op het idee gebracht, toen hij de oranje kat vermoordde, of heeft Maureen daarover gelogen om Alan te beschermen?'

'Jezus,' zei hij plotseling woedend. 'En dan vraagt u nog waarom ik zo'n hekel aan dat kreng heb? Over gestoord gesproken! Alan zei altijd dat haar hersens kapot waren omdat zijn vader haar verstand eruit geslagen heeft, maar ik zou zeggen dat het precies andersom was. Dat kreng is gestoord geboren, en daarom sloeg die arme sukkel haar.' Hij leunde dreigend naar voren. 'Maureen heeft de kat vermoord... en dat heeft ze gedaan omdat dat haar een lekker gevoel gaf. Alan moest hem op de keukentafel vasthouden en zij heeft hem doodgeslagen met een honkbalknuppel, en toen Alan begon te huilen omdat hij echt van dieren hield, heeft ze die knuppel op hem uitgeprobeerd en hem gezegd dat als hij het ooit zou doorvertellen, ze de volgende tegen de schutting zou spijkeren en hem zou dwingen toe te kijken hoe hij stierf.'

Het was net alsof de sluizen open waren gezet. Nu Michael begonnen was zijn haat voor Maureen te spuien, kon hij niet meer stoppen. Hij had het erover dat het zo'n slechte moeder was, over haar drankzucht, over haar lasterpraatjes over hem en zijn moeder. 'Ik word spuugmisselijk als ik eraan denk waarmee zij allemaal weggekomen is,' besloot hij kwaad. 'En ik word nog misselijker als ik me bedenk dat zij los rondloopt terwijl Derek en ik vastzitten.'

'Waarvoor zou ze dan aangeklaagd moeten worden?'

'Kindermishandeling... Dronkenschap... Verstoring van de openbare orde... noem maar op.'

'De moord op Annie?'

Hij gaf niet direct antwoord. 'Het enige wat ik weet,' zei hij, 'is wat ik in mijn brief aan u heb geschreven. Dat ik thuiskwam van de gokhal en dat ik hoorde dat dat stomme wijf op straat gestorven was door een of ander ongeluk.'

Ik knikte alsof ik hem geloofde. 'Wist jij dat de Slaters daarna haar huis zijn binnengegaan en het leeggeroofd hebben?'

'Rosie vermoedde het toen de politie zei dat ouwe Annie in armoede leefde,' gaf hij toe. 'Ze vond dat we het moesten melden, maar ik voelde er niets voor te moeten uitleggen hoe wij wisten wat er allemaal in dat huis stond.'

'Heeft Alan het er niet over gehad?' vroeg ik nieuwsgierig. 'Jullie waren toen onafscheidelijk. Ik zou gedacht hebben dat hij erover opgeschept zou hebben hoe slim hij wel niet geweest was.'

'Nee.'

'Want het was slim, Michael,' zei ik terloops. 'Veel te slim voor Derek en Alan alleen. Al die kleine extraatjes: het water afsluiten... de vloeren bevuilen zodat de indruk van verwaarlozing en onhygiënische omstandigheden werd gewekt. Ik heb me altijd afgevraagd waarom dat nodig was. Tenzij de lucht van menselijke urine sterker was dan kattenpis en er een verklaring voor nodig was?'

Hij schudde zijn hoofd, maar of hij daarmee nu ontkende dat hij wist waarover ik het had of dat hij de vraag niet wilde beantwoorden, kon ik niet uitmaken. Uit het feit dat hij om zich heen keek naar een cipier die hem van mij kon bevrijden, begreep ik dat het hele onderwerp hem net zo'n ongemakkelijk gevoel gaf als over zijn moeder praten.

Ik ploegde vastberaden verder. 'Je zei dat je misselijk werd bij de gedachte dat Derek vastzit,' bracht ik hem in herinnering. 'Betekent dat dat hij op dit moment zit?'

'Februari '98 heeft hij twee jaar gekregen. Een jongen op mijn afdeling heeft in Pentonville een cel met hem gedeeld, voor hij naar hier werd overgeplaatst. Hij zei dat Derek stervende is. Zijn lever is kapot van de drank en met de enige hersencel die hij nog heeft kan hij nog net zijn naam onthouden, en verder geen mallemoer.'

'Wanneer komt hij vrij?'

Hij rekende het snel uit. 'Hij zal de helft moeten opknappen, dus dan zal hij nu zo langzamerhand wel vrij zijn, als hij tenminste niet inmiddels de pijp uit is.'

'Waarvoor was hij veroordeeld?'

'Inbraak,' zei Michael onverschillig. 'Daar pakken ze hem steeds op.'

'Waarom maakt het je dan misselijk?'

Hij zuchtte onverwacht. 'Omdat hij een opleiding nodig heeft, en niet steeds die stomme straffen. We hebben in de Scrubbs op dezelfde gang gezeten toen ik voor dit zaakje in voorlopige hechtenis zat. Hij is volkomen analfabeet... kan nog net een D en een E voor zijn handtekening zetten, maar de R en de K zijn al te moeilijk. Ik heb een paar brieven voor hem aan zijn kinderen geschreven, maar de enige die ooit teruggeschreven heeft is Sally, en dat was ook alleen maar omdat ze dacht dat hij ergens wel wat pegels zou hebben liggen. Dat heeft me zo nijdig gemaakt. Die arme stakker wilde ze alleen maar vertellen dat hij van ze hield, maar hij was lucht, wat hun betrof.'

Ik was verrast. 'Maar als kind had je altijd een hekel aan hem.'

Michael haalde zijn schouders op. 'Daarom kan ik nu nog wel medelijden met hem hebben. Ik ben erachter gekomen hoe beperkt het leven is als je niet kunt lezen of schrijven. Daar word je toch knettergek van, als je erover nadenkt. Ik bedoel, je kunt niet solliciteren als je niet eens je naam onder een formulier kunt zetten... en mensen kijken op je neer als ze denken dat je stom bent. Ik denk dat Derek daarom zo gewelddadig is geworden. De enige manier om respect van de mensen af te dwingen was ze te slaan en ze bang voor hem te maken.'

'Is dat zijn excuus?'

'Nee, hij excuseert zich niet. Misschien heb ik daarom medelijden met hem. Hij heeft me wat over zijn jeugd verteld... dat hij in tehuizen is gestopt omdat zijn moeder hem niet wilde... dat-ie 'm toen gesmeerd is en is gaan zwerven tot hij gepakt is voor winkeldiefstal en naar een opvoedingsgesticht werd gestuurd. Daarom is hij analfabeet... hij heeft niet lang genoeg op school gezeten om de basisvaardigheden te leren. Dan snap je pas hoe belangrijk liefde voor een kind is. Als zijn moeder hem gewild had' – hij trok een treurig gezicht – 'dan had hij misschien wel bij de goeien gehoord.'

Ik nam aan dat hij het minstens zoveel over zichzelf als over Derek had. 'Iedereen krijgt ergens in zijn leven wel eens met afwijzing te maken,' merkte ik op.

'Maar het is erger als je een kind bent,' zei hij somber. 'Er moet toch iets goed fout met je zijn als zelfs je moeder je niet moet.' Hij zweeg en balde zijn vuisten zoals Drury had gedaan. 'Derek dacht dat hij met Maureen getrouwd was omdat ze hem aan zijn moeder deed denken,' zei hij opeens. 'Hij had een zwartwitfoto van haar, en ze leek sprekend op Maureen... mager en met die spleetoogjes... hij noemde haar een ratelslang.'

'Waarom?'

'Omdat ze hem nooit recht in zijn gezicht keek... hem alleen een dolkstoot in zijn rug gaf. Het klonk best redelijk, tot ik besefte dat hij alle vrouwen zo ziet. Het zijn allemaal slangen, zei hij, en je hebt slangen in soorten en maten. Als je de giftige niet kunt herkennen, ben je ten dode opgeschreven.'

'Hoe heeft Maureen hem een dolkstoot in de rug gegeven?'

'Door Alan op te stoken hem te grazen te nemen. Het was daar pure oorlog... dat was al maanden zo. Als we de ramen open hadden, hoorden we de ruzies voorbij het lege huis van Annie... het geschreeuw en gegil... lichamen die tegen muren aan werden gegooid. Het was alsof op het moment dat Annie stierf de hel losbrak.'

'Waarom? Wat was er anders?'

Michael schudde zijn hoofd. 'Ma dacht dat ze hun oude gewoontes weer opnamen. Het waren treiteraars en treiteraars hebben iemand nodig om te treiteren... dus zolang Annie leefde, pakten ze haar maar toen ze dood was, pakten ze elkaar.'

Het was aannemelijk, dacht ik. Mensen trekken naar elkaar toe als ze een gemeenschappelijke vijand hebben. 'Hoe vaak is Maureen het ziekenhuis in geslagen?'

'Twee of drie keer. Maar dat deed Derek niet, dat deed Alan. Er was geen land met hem te bezeilen. Dat was in de periode dat hij Rosie verkracht heeft. Derek hield hem zolang het nog kon in bedwang, maar tegen de tijd dat Alan vijftien was, was hij vijf centimeter groter dan zijn vader en twee keer zo zwaar, en Derek kon weinig meer doen om hem tegen te houden.'

'Wisten ze dat hij Rosie verkracht had?'

Hij schudde zijn hoofd. 'Niet als Alan het ze niet verteld heeft. Rosie was als de dood dat haar moeder erachter zou komen... ze dacht dat dat haar dood zou zijn, nog eerder dan de kanker... dus hebben we het stilgehouden.'

Ik probeerde het tijdsverloop helder te krijgen. 'En dat gebeurde allemaal in '79?'

Hij knikte.

'Heeft Alan Maureen in elkaar geslagen toen ik daar nog woonde? Ik dacht even na. 'Ergens in februari '79?'

Weer een knikje. 'Ze was een keer dronken en begon hem te slaan, en toen heeft hij het haar betaald gezet. Hij heeft als een krankzinnige op haar ingeslagen.'

'En wie heeft de ambulance gebeld?'

'Derek. Hij kwam ongeveer een uur later thuis en vond haar op de vloer terwijl kleine Danny probeerde het bloed weg te wassen. Alan zat te janken in de tuin omdat hij dacht dat hij haar vermoord had.'

Ik keek hem nieuwsgierig aan. 'Wist je dit toen al, of heeft Derek het je later verteld?'

'Derek heeft het me verteld,' gaf hij toe. 'Maar het verbaasde me niets, na wat Alan Rosie heeft aangedaan.'

'Maar Maureen zegt dat Derek het gedaan heeft,' prevelde ik.

'Ja, nu ja dat is een leugenaarster. Ze heeft Danny's arm een keer gebroken, op haar knie, en toen heeft ze tegen de dokters gezworen dat hij van zijn fiets was gevallen. Wij kinderen wisten dat het niet waar was, want we waren erbij.' Hij kneep zijn lippen samen tot een streep. 'Het was een doodenge vrouw, en als wij niet zulke lafaards waren geweest,' – hij onderbrak zichzelf en keek naar de tafel – 'Derek was ziedend toen ik het hem vertelde. Daarom wilde hij zijn kinderen ook schrijven. Hij gaf echt om ze.' Hij sloeg zijn ogen naar de mijne op. 'Ik weet wat u denkt. Michael is niet zo slim als ik dacht. Hij praat een paar maanden met een man die hij veracht, en hij laat zich uiteindelijk een rad voor ogen draaien. Tja, dat is misschien zo... ik kan er mijn hand niet voor in het vuur steken... maar één ding weet ik zeker. Derek is zo ontzettend stom, dat zelfs een debiel hem nog voor de gek kan houden. Jawel, het was een bullebak en jazeker, hij gebruikte zijn vuisten, maar dat moest hem dan wel *gezegd* worden. Het was net een geleid projectiel. Zet hem in de juiste richting, geef hem een instructie en Wam! Daar ging-ie!'

E-mail van dokter Joseph Elias, psychiater verbonden aan het Koningin Victoria-ziekenhuis in Hongkong

Mevr. M. Ranelagh

Van : Sarah Pyang (spyang@victorhos.com)
Verzonden : 15 augustus 1999 14.19 uur
Aan : mranelagh@jetscape.com

Op verzoek van: Dokter Elias
De wonderen der moderne technologie! Mijn secretaresse vertelde me dat ze uw e-mail gisteren (zaterdag) ontvangen heeft en dat u wilt dat ik per ommegaande antwoord geef. Tja, dat doe ik graag, maar ik vraag me wel af of antwoorden in haast gegeven wel zo verstandig zijn.

U bestookt me met vragen. Wie draagt er meer schuld? De aanstichter van een misdaad of degene die hem uitvoert? Moet een hele politiemacht besmeurd worden omdat er een rotte appel in de mand zit? Kan het recht selectief zijn? Kan de schade door een moeder aan haar kind toegebracht hersteld worden? Kunnen verkrachters genezen worden? Kunnen kinderen slecht zijn? Bestaan er verontschuldigingen voor een misdrijf? Moeten de zonden van een vader verhaald worden op zijn gezin? En de zonden van een moeder?

In een schamele poging iets verstandigs te zeggen, wil ik opmerken dat als u eerlijk op zoek bent naar gerechtigheid voor uw vriendin, u zich te veel aanmatigt door dat soort dingen te denken. Dit zijn geen beslissingen die u hoeft te nemen, lieve mevrouw Ranelagh. Rechtvaardigheid is onpartijdig. Alleen wraak kent vooroordelen.

Maar zijn vooroordelen niet precies wat u al die jaren al bestrijdt?

Het allerbeste,

Joseph

25

HET WAS DRIE UUR TOEN IK TERUGREED NAAR DE GROTE WEG. Ik piekerde over wat Michael me verteld had, kon het niet van me afzetten, als een zere kies waar je steeds aan moet voelen. Iedere keer als ik weer een haarspeldbocht nam, strekte het panorama van Weymouth Bay en Chesil Beach zich beneden me uit, maar ik ging te zeer op in gedachten over het moederschap om erop te letten. Ik vroeg me af of mijn haast om de Sharon Percy's en Maureen Slaters in deze wereld te oordelen, míjn manier was om mijn eigen moeder te straffen – en daarbij mezelf. Want alles wat ik als ouder deed, was in nabootsing van haar... of om me tegen haar af te zetten... en ik had er geen idee van welke van de twee goed of verkeerd was.

Voor Sharon voelde ik weinig meer dan verachting omdat ze haar zoon uit gêne in de steek had gelaten zodra ze een beetje respectabiliteit had verkregen toen Geoffrey Spalding bij haar introk. Toch begreep ik niet waarom Michael steeds zo bezorgd had gedaan als haar naam genoemd werd, woede zou toch een normalere reactie zijn. Op Maureen was hij kwaad genoeg geweest. Volgde uit het feit dat Sharon niet geconfronteerd wilde worden met de veroordeling van de maatschappij van de gewelddadigheid van haar zoon, noodzakelijkerwijs dat ze niet in staat zou zijn een moord te plegen? En volgde uit Maureens bereidwilligheid om Alans gewelddadigheid geheim te houden – en uit mijn absolute zekerheid dat zij de aanstichtster was van de haatcampagnes jegens Annie en mijzelf – noodzakelijkerwijs dat zij daar wel toe in staat was?

Ik was moe, en een beetje treurig en ik was niet van plan geweest die middag bij Danny langs te gaan, maar toen ik bij de T-kruising aan het eind van Verne Common Road kwam, nam ik een plotseling besluit en sloeg linksaf naar Tout Quarry. Hij was nog steeds met Gandhi bezig, toen ik een kwartier later de kloof binnenreed. 'Hoe gaat-ie?' vroeg ik.

Hij liet zijn armen langs zijn lichaam vallen, hield de beitel en de hamer tegen zijn dijen. 'Goed,' zei hij met een aangenaam verraste glimlach. 'En met u?'

'Ik ben bij Michael Percy op bezoek geweest. Hij doet je de groeten. Zegt dat als je je verveelt, hij je graag een uurtje in de bezoekersruimte ontvangt.'

Danny grijnsde. 'Een grapjas, hè?'

'Af en toe wel, ja.'

Danny legde zijn gereedschap op de grond en veegde het stof van zijn armen. 'Waar zou ik het met hem over moeten hebben? Ik was niet meer dan een kleine snotneus voor hem.' Hij haalde zijn sigaretten uit zijn zak en ging op een rots naast Gandhi zitten. 'Hij heeft me eens een preek gegeven, toen hij me betrapt had op lijmsnuiven achter de kerk.'

Ik ging naast hem zitten. 'En had dat zin?'

'Ja, eigenlijk wel. Hij was heel aardig, zei dat hij begreep waarom ik het deed en toen heeft hij me in schrille kleuren geschetst hoe het is om te stikken. Hij zei me dat er meer voor me in het leven zat dan te eindigen op een kerkhof met mijn neus vol lijm.' Hij keek me even terzijde aan, vol geamuseerde zelfverachting. 'Dus heb ik in plaats daarvan heroïne geprobeerd.'

Mijn desillusie moet zichtbaar zijn geweest. 'Dus de terreurtactiek van meneer Drury was effectiever dan de preek van Michael?'

Danny's glimlach verbreedde zich. 'Ik vond dat lijmsnuiven toch niet prettig... en heroïne,' – hij lachte opeens hardop – 'ik heb een halfuur op de plee gezeten om moed te verzamelen om die rotnaald in m'n arm te steken, en toen betrapte meneer Drury me. Ik heb altijd een hekel aan die koleredingen gehad.'

Ik keek hem met plotselinge genegenheid aan. 'Je wou er toch al mee stoppen?'

'Jawel... met spuiten in ieder geval wel. Ik heb het nog een tijdje gerookt, en toen dacht ik: laat zitten. Ik heb dit niet nodig. Ik rook liever hasj. Je houdt met dope meer greep op de dingen.'

'Waarom heb je dat je moeder toen niet verteld, en liet je Drury met de eer strijken?'

'Omdat ze me nooit geloofd zou hebben.' Hij speelde met de sigaret tussen zijn vingers. 'U ook niet. Ik was een behoorlijk lastig kind, en het is niet makkelijk mensen hun mening over je te laten veranderen als je ze alleen maar teleurstelt.'

Ik knikte. Dat had ik zelf zo vaak meegemaakt tijdens mijn werk. Wee de wolf die in een kwaad gerucht staat. Het soort vooroordeel waarvoor geen excuses bestaan en waar ik zo'n hekel aan heb – zoals dokter Elias me zo nadrukkelijk in herinnering had gebracht. 'Wat bedoelde Michael ermee dat hij begreep dat je lijm snoof?'

'Hij wist hoe het bij mij thuis was. Alleen ik en mijn moeder en we hadden een bloedhekel aan elkaar. Meestal was ze stomdronken...' – hij schudde zijn hoofd – 'en als ze dat niet was, dan mepte ze de eerste de beste die ze zag, dat was ik meestal. Behoorlijk deprimerend. Ze heeft enorme problemen, maar ze wil er niets aan doen... ze doet gewoon de deur op slot en zinkt weg in haar roes.'

'Heeft ze je ooit verteld wat haar problemen zijn?'

'U bedoelt afgezien van de lichamelijke afhankelijkheid?' Ik knikte. 'Dezelfde problemen die iedere junk heeft, denk ik,' zei hij en hij haalde zijn schouders op. 'Angst voor het leven... voor pijn... angst om jezelf goed te bekijken voor het geval dat wat je ziet je niet bevalt.'

Ik vroeg me af of hij gelijk had. 'Toen ik bij haar langs was, leek ze me oké.'

'Dat was omdat u kwam,' zei hij smalend. 'Ze zat na uw vertrek vast binnen vijf minuten weer voor de tv met haar sigaretten en haar drank. Ze kan een tijdje toneelspelen... maar ze is te lui om het voortdurend te willen doen. Ik word er kotsmisselijk van.'

'Zie je haar nog wel eens?'

'Nee. Voor het laatst bij de doop van Tansy. Ik bel haar af en toe, om haar te laten weten dat ik nog leef, maar de enige van haar kinderen die haar interesseert is Alan. Hij is altijd haar lievelingetje geweest. Ze vergeeft hem alles... maar mijn zusjes en mij niet.'

Ik knikte. 'Waardoor ben je opgehouden een lastig kind te zijn?'

Daar dacht hij even over na. 'Toen ik op mijn zestiende opgepakt werd omdat ik auto's pikte,' zei hij grijnzend. 'Weet u nog dat ik u verteld heb dat ik gezeten heb? Dat is het beste wat me ooit is overkomen. Weg van Graham Road. Toen ben ik gaan nadenken over wat ik wilde met mijn leven.' Hij wees met zijn sigaret naar Gandhi. 'Er was daar een tekenleraar die me liet zien dat ik voor dit soort dingen talent had... een aardige man... heeft gezorgd dat ik naar de kunstacademie kon... ik mocht zelfs een tijdje bij hem en zijn vrouw wonen tot ik een eigen kamer gevonden had.'

Misschien had ik het bij het verkeerde eind gehad toen ik Maureen vertelde dat Beth Danny veranderd had, kennelijk was het die onbekende tekenleraar die zijn leven een wending had gegeven. 'De gevangenis kan dus wel degelijk zin hebben?'

'Alleen als je zelf wilt.'

'Wilde Alan het? Heeft hij daarom een nieuwe weg ingeslagen?'

Hij haalde zijn schouders op. 'Hij heeft het heel slecht gehad... werd getreiterd omdat hij niet zo slim was... hij was als de dood daar weer naartoe te moeten. Toen kwam hij Beth tegen en zag opeens dat er een toekomst voor hem was... ook al heeft ze hem tijden aan het lijntje gehouden voor ze ja zei.' Weer haalde hij zijn schouders op, wat geringschattender dit keer. 'De gevangenis heeft Michael kennelijk weinig goed gedaan.'

'Je vader ook niet,' zei ik langzaam terwijl ik nadacht over het feit dat Alan getreiterd was en over de oude waarheid dat de meeste treiteraars lafaards zijn. 'Michael heeft me verteld dat hij en je vader vijf jaar geleden samen in de Scrubbs hebben gezeten.'

'Wat een bof voor hem,' zei Danny sarcastisch.

'Hij zei dat je vader analfabeet was... dat hij niet eens zijn eigen naam kon schrijven. Dus heeft Michael een paar brieven voor hem geschreven. Hij zei dat er een voor jou bij was, maar je hebt niet teruggeschreven.'

'Hij liegt,' zei Danny botweg. 'Wat die klootzak betreft kan ik net zo goed dood zijn.'

'Dat denk ik niet.'

'Waar heeft hij hem naartoe gestuurd?'

'Naar het adres van je moeder.'

'Die verscheurt alles met het logo van de gevangenis erop. 'Wat stond erin?'

'Dat hij om je geeft.'

Danny snoof honend. 'Hij weet niet eens hoe ik eruitzie.'

'Mmm.' Dat was ik met hem eens.

'Ik denk dat hij zich schuldig voelde omdat hij ons in de steek gelaten heeft.'

'Mmm,' zei ik weer.

Danny fronste zijn wenkbrauwen. 'Wat zei Michael nog meer?'

'Dat je je arm gebroken hebt toen je nog klein was. Weet je dat nog?'

Hij keek onwillekeurig naar zijn rechterarm. 'Zo'n beetje. Ik weet dat ik een keer in het gips heb gezeten, maar ik dacht dat het m'n pols was. Die doet soms pijn.'

'Weet je nog hoe het gebeurd is?'

'Ik ben van mijn fiets gevallen.'

'Herinner je je dat, of is het je verteld?'

Een verandering in mijn stem – misschien klonk ik te nieuwsgierig – deed hem verbaasd zijn wenkbrauwen fronsen. 'Waarom wilt u dat weten? Alle kinderen breken wel eens wat.' Ik antwoordde niet en mijn zwijgen leek hem te irriteren. 'Waarschijnlijk is het me verteld,' zei hij kortaf. 'Ik weet weinig meer van toen ik jonger dan zes, zeven was.'

'Ik ook niet,' zei ik effen. 'Gek is dat. Sommige mensen hebben nog heel duidelijke herinneringen aan hun vroege jeugd, maar ik helemaal niet. Ik dacht vroeger altijd dat de verhalen die mijn ouders me vertelden, echte herinneringen waren, maar ik ben tot de conclusie gekomen dat iets wat maar vaak genoeg herhaald wordt, vanzelf werkelijkheid wordt.' Ik zweeg en keek naar een van de studenten die nerveus zat te hakken in een klein blok steen dat zo weinig vorm had dat ik me afvroeg waarom hij zich zo druk maakte. 'Michael zei dat hij zich niet meer kan herinneren dat hij Alan nog gezien heeft nadat jullie vader is weggegaan,' zei ik toen. 'Ging Alan toen voor dat dealen de gevangenis in?'

Danny leek zich op veiliger terrein te voelen met deze vraag. 'Klopt. Dat is de enige keer dat hij veroordeeld is. Hij heeft me er een keer over verteld, zei dat hij er helemaal gestoord van is geworden.' Hij boog voorover om een steen van de grond op te rapen. 'Daarna is hij niet meer thuisgekomen. Ik denk dat hij dacht dat hij een slechte invloed op ons had... of andersom.' Hij wreef de steen met de muis van zijn duim. 'Ik kwam er pas achter hoe hij eruitzag toen ik een dagje spijbelde en in Twickenham rondhing. Ik was toen ongeveer dertien. Opeens word ik door een grote kerel aangesproken. Hij zegt: hallo, ik ben Alan. Hoe gaat het met je? Hij zal toen zo'n vierentwintig zijn geweest' – hij lachte hol – 'en ik had er geen idee van wie hij was. Ik wist dat ik ergens een broer had, maar het was wel even schrikken om erachter te komen dat hij maar zes kilometer verderop woonde. Hij zei dat hij vanuit de verte op me lette.'

'Heb je je moeder verteld dat je hem had gezien?'

'Geen denken aan. Iedere keer als zijn naam viel, ging ze totaal door het lint, dan goot ze zich vol en smeet de meubels aan stukken. Ik dacht altijd dat ze Al er de schuld van gaf dat mijn vader weg was gegaan, tot Al opeens een jaar later opdook en ze in snikken uitbarstte en hem zei dat ze hem zo gemist had.'

'Waarom kwam hij?'

'Ik denk dat hij haar weer wilde zien.'

'Nee, ik bedoel, waarom toen? Waarom heeft hij zo lang gewacht?'

Hij leek geïntrigeerd, alsof het iets was waar hij nooit eerder over had nagedacht. 'Het was nadat meneer Drury ontslag had genomen,' zei hij. 'Ik weet nog dat ma zei dat er niemand meer was die hem zou herkennen...' Hij zweeg opeens. 'Ze bedoelde waarschijnlijk alleen dat hij niet steeds overal de schuld van zou krijgen.'

'Is Alan op haar gesteld?' vroeg ik terwijl ik dacht aan wat Beth gezegd had, dat Alan iedere keer als hij naar Maureen ging gedeprimeerd raakte.

'Misschien. Hij is de enige die nog naar haar toe gaat.'

'Maar?' moedigde ik hem aan toen hij niet verderging.

Hij strekte zijn rechterarm en liet de steen vallen, staarde gefascineerd naar zijn hand terwijl hij zijn vingers kromde. 'Hij is bang voor haar,' zei hij toen plotseling. 'Dat is de enige reden dat hij gaat... om ervoor te zorgen dat ze zich niet tegen hem keert.'

We wandelden door de beeldentuin, liepen kleine paadjes af, tussen steile rotswanden. We wrongen ons door een spleet een grot in. Een roze deken en een berg lege blikjes deden vermoeden dat hier iemand zijn intrek genomen had, of dat een stelletje er een geheim plekje gevonden had.

'Misschien moet ik dit plekje maar inpikken,' zei Danny. 'Dan kan ik 's nachts bij maanlicht beeldhouwen.'

'Vind je het zo prettig om te doen?'

Hij maakte een zozo-gebaar. 'Niet altijd... het kan heel frustrerend zijn als het niet lukt... maar het is wat ik wil.'

'Sam wil je de schuur als werkplaats geven, achter in onze tuin,' zei ik terwijl ik me weer naar buiten wrong. 'Je zult je dan moeten behelpen met het gereedschapshok om te slapen, en je moet met de deuren open werken als je licht wilt hebben...' – ik haalde mijn schouders op – 'maar het kost je geen cent. Als je aan steen kunt komen, en het niet erg vindt een beetje te kamperen... dan kun je er gratis in.'

Hij waardeerde het niet echt. 'Ik vries dood in de winter.'

'Mmm,' knikte ik. 'En Sam neemt je te grazen als hij je op hasjroken betrapt.'

'En u?'

'Ik ben het in het openbaar altijd met mijn man eens, dus als je komt... en hij betrapt je... dan moet je jezelf eruit zien te redden.' Ik draaide me om om hem aan te kijken. 'Denk er maar eens over na. Zo slecht is het aanbod niet.'

Hij werd heel stil toen we de auto naderden. 'Waarom zou u me willen helpen?' vroeg hij terwijl hij de autosleuteltjes van me overnam om het portier te openen.

'Je moet het als een investering in de toekomst zien.'

Hij hield het portier open. 'U zult er geen cent aan verdienen,' zei hij somber. 'Zoveel talent heb ik nu ook weer niet.'

Ik sloeg even mijn arm om hem heen. 'We zullen zien.' Ik liet mezelf op de stoel zakken. 'Maar ik bedoelde niet een financiële investering, Danny. Eerder een lening goodwill, die je ooit met rente terug kunt betalen aan iemand die ook een kans verdient.'

Hij vermeed mijn blik. 'Wat wilt u als tegenprestatie?'

'Niets,' zei ik naar waarheid terwijl ik mijn hand uitstrekte naar het portier. 'Er zijn geen kleine lettertjes. De schuur staat voor je klaar, maar als je niet wilt, is het ook goed.'

Hij schoof met zijn voeten over het grind. 'Alan heeft een paar keer gebeld; hij wilde weten wat u over hem gezegd hebt,' zei hij opeens. 'Hij is er erg opgefokt over, ook al zeg ik steeds dat u alleen wilt weten wat er met die zwarte mevrouw gebeurd is.'

Ik gaf geen antwoord.

'Wat heeft hij u aangedaan?' vroeg hij me.

'Hoe kom je erbij dat hij iets gedaan zou hebben?'

'Elke keer als zijn naam valt, wordt uw gezicht leeg.' Hij legde zijn hand op het portier zodat ik het niet dicht kon trekken. 'Ik zal altijd achter hem blijven staan,' zei hij moeilijk. 'Het is mijn broer.'

'Ik verwacht niet anders,' zei ik terwijl ik startte. 'Maar dat aanbod van die schuur heeft niets met Alan van doen, Danny. Als je wilt komen, dan hebben we je graag. Ik hoop dat je dat niet vergeet... wat er ook gebeurt...'

Mijn laatste bezoek die dag was wél gepland. Ik ging naar Sheila Arnold op haar praktijk. Zij en Larry waren de week daarvoor weg geweest, een bliksembezoek aan de flat in Florida – 'om Larry zoet te houden,' waren haar wrange woorden over de telefoon geweest – en dit was de eerste gelegenheid om haar de foto's van het interieur van Beth en Alan te laten zien. Ze had met me afgesproken aan het eind van haar spreekuur en was bezig patiëntendossiers bij te werken op haar computer toen ik in de stoel naast haar bureau neerplofte. Ze glimlachte even naar me, duwde toen haar toetsenbord weg en draaide zich naar me toe.

'En?'

Ik had nieuwe afdrukken laten maken na Drury's aanvaring met de rugzak, en ik haalde deze uit mijn zak en spreidde ze uit op haar bureau.

'Tjee!' riep ze stomverbaasd uit. 'Ik dacht dat je overdreef toen je zei dat je de hoofdader aangeboord had.'

Ik tikte op de armband om haar pols en wees toen op een close-up van de onderarm van Beth Slater. 'Bingo?' vroeg ik. 'Ze heeft er vier, en ik denk dat ze ze altijd om heeft, want ze duwt ze automatisch omhoog als ze in de buurt van de gootsteen komt. Ik denk dat ze er geen idee van heeft dat ze waardevol zijn, ze weet waarschijnlijk niet eens dat ze van jade zijn. Ze zal wel denken dat het plastic is, of kunsthars.'

Sheila bekeek een foto van Beth en haar kinderen. 'Ze heeft een leuk gezicht.'

'Ja,' beaamde ik.

'Je vond haar aardig.'

'Heel aardig,' zei ik met een zucht. 'En daardoor is het zo moeilijk te besluiten wat te doen. Ik denk niet dat zij er enig idee van heeft dat dit gestolen spullen zijn. Ze heeft me verteld dat Alan de Quetzalcóatl in een rommelwinkel heeft gekocht en dat hij daarna andere Mexicaanse spullen is gaan verzamelen omdat hij denkt dat de Azteken een buitenaardse beschaving waren. Haar kinderen hadden het er voortdurend over toen ik de foto's nam, ze vinden hun vader heel knap omdat hij meer van buitenaardse wezens af weet dan wie dan ook, en het lijkt me nogal zinloos ze ongelukkig te maken alleen om te bewijzen dat hij twintig jaar geleden een dief was.'

Sheila nam de foto's een voor een op en bekeek ze aandachtig. 'Ik herken wel een aantal dingen,' zei ze uiteindelijk. 'Maar ik kan niet op alles een eed doen. En bovendien, afgezien dan van de armbanden en het mozaïek, lijkt het me verder niet erg veel waard. Wat is er bijvoorbeeld met de gouden en zilveren voorwerpen gebeurd?'

'Die heeft de moeder van Alan verkocht om haar huis te kopen,' zei ik, 'maar daar heb ik bijzonder weinig bewijs voor.' Ik liet haar het affidavit van de juwelier uit Chiswick zien. 'De beschrijving van de vrouw klopt met Maureen, en met nog een half miljoen vrouwen die met een Birminghams accent kunnen spreken. Maar het zijn maar vijf voorwerpen, en die brachten nog geen duizend pond op.'

'Hoeveel kostte het huis?'

'Ongeveer vijftienduizend in totaal. Zij beweert dat ze het geld bij de voetbalpool heeft gewonnen. Daarom hoefde ze het ook niet aan te geven.' Ik trok geamuseerd mijn wenkbrauwen op. 'Het huis is nu meer dan tweehonderdduizend waard, en dat wordt iedere dag meer nu de huizenprijzen de pan uit rijzen.'

'Mijn god,' zei Sheila walgend. 'Wij kregen zeven jaar geleden niet veel meer dan dat, en ons huis had vier slaapkamers.'

'Ik weet het, een ellendig gedachte.' Ik schoof een overzichtsfoto van de zitkamer apart. 'Maureen heeft de meeste spullen in de kast onder de trap gestopt omdat ze dacht dat het niets waard was,' – ik lachte cynisch – 'en het lag daar nog steeds toen jij Drury ervan probeerde te overtuigen dat Annie beroofd was. Drury had het dus kunnen vinden als hij de moeite had genomen een onderzoek in te stellen, want Alan is het pas tien jaar later komen halen.'

Ze keek geërgerd. 'En dan was ik gerehabiliteerd?' Ik knikte. 'Ik vergeef het Peter Stanhope nooit dat hij me ervan beschuldigd heeft dat ik haar verwaarloosd heb, weet je. Hij zei dat ik maar verzonnen had dat ze rijk was om er zelf beter door te lijken.'

'Dat weet ik.' Het zat haar kennelijk nog steeds dwars, dacht ik en ik besloot voor me te houden dat Drury al van de Quetzalcóatl wist, lang voordat Sheila had aangegeven dat hij gestolen was. Ik wilde haar objectieve mening, niet een oordeel dat ingegeven was door woede. 'Het ergste is,' zei ik terwijl ik haar de foto liet zien, 'dat die arme Beth de hele kamer zelf zo gemaakt heeft om een Mexicaanse achtergrond te scheppen voor de kunstvoorwerpen... het lijkt me zo wreed ze weg te halen, alleen om ons gelijk te halen. Niemand zal ze zo waarderen als zij en Alan.'

Sheila steunde met haar kin op haar handen en keek me ernstig aan. 'Probeer je me te vragen te vergeten dat ik ooit beweerd heb dat Annie beroofd was?'

'Ik weet het niet,' zuchtte ik. 'Ik vraag me steeds af of het goed is om het leven van een stel onschuldige kinderen te verwoesten vanwege een misdrijf dat twintig jaar geleden begaan is.'

'Maar als ik me niet vergis zei jij dat als je degene die Annie bestolen heeft had gevonden, je ook haar moordenaar zou vinden. Is dat dan niet zo?'

Ik bekeek een close-up van de koperen granaathuls in de open haard van Beth, met kleurige zijden bloemen erin, als een waaier van pauwenveren. 'Maakt dat wat uit?' vroeg ik. 'Het gaat toch sowieso op, wat de misdaad ook was? Zou ik niet het minste van twee kwaden kiezen als ik Annies dood voor een ongeluk liet doorgaan?'

Ze keek me nadenkend aan. 'Het hangt ervan af hoe hypocriet je wilt zijn,' zei ze botweg. 'Hoofdagent Drury heeft zich waarschijnlijk van hetzelfde excuus bediend... en jij hebt twintig jaar je best gedaan zijn ongelijk aan te tonen.'

Correspondentie over een afspraak op 20-8-'99

Leavenham Farm
Leavenham
Bij Dorchester
Dorset DT2 XXY

Alan Slater
Peasmont Road 12
Isleworth
Surrey

Dinsdag 17 augustus 1999

Beste Alan,

Vrijdagmiddag 20 augustus kom ik naar het huis van je moeder. Zorg ervoor dat jij en zij er allebei zijn, anders moet ik mijn dreigement uitvoeren en naar de politie gaan, ondanks het verdriet dat dat zal veroorzaken voor je vrouw, kinderen en broer. Verder moet je weten dat ik Sharon Percy en Geoffrey Spalding ook schrijf, om erop aan te dringen dat ook zij aanwezig zijn.

Met vriendelijke groet,

Van: mevrouw Wendy Stanhope, De Pastorie, Chanterslane, St.-David's, Exeter

Woensdag 18 augustus

Natuurlijk kan ik om 11.30 uur bij station Richmond zijn, en dan hebben we ruim de tijd om voor twaalven bij Graham Road te zijn. Ik begrijp niet waarom je denkt dat ik je niet zou willen steunen tegen de Slaters. Ik laat me niet zo makkelijk intimideren! Bovendien vind ik het nog altijd jammer dat Annie me niet als vriendin heeft beschouwd toen ze nog leefde. Dus, fijn dat je het me vraagt.

Liefs,

Wendy

26

PAS TOEN WE BIJ HET KRUISPUNT VAN KEW ROAD KWAMEN, AAN DE rand van Richmond, vroeg Sam me of ik wist wat ik deed. De rit van Dorchester had meer dan drie uur geduurd en hij was al die tijd opmerkelijk rustig geweest. Alleen wat gescheld af en toe naar andere automobilisten verried zijn bezorgdheid. We hadden de vorige dag onder het genot van een glas wijn in de zonneschijn de strategie besproken, en toen had het plan heel redelijk geleken – misschien doen plannen dat altijd onder de invloed van alcohol – maar de vriendelijke, golvende heuvels van Dorset waren heel wat anders dan de dichtgeslibde doolhof van Londense verbindingswegen, en het idee om het op te nemen tegen vier potentieel gewelddadige mensen in de meest anonieme stad van de wereld leek opeens riskante haken en ogen te vertonen.

Maar zelfs daar op dat terras zou ik het hele project eraan gegeven hebben, als Sam het niet met Sheila eens was geweest. Het lag niet meer alleen in *mijn* hand. Het was geen kwestie van het minste van twee kwaden kiezen, zei hij. Het was eerder de doos van Pandora. Ik had het deksel geopend en de geheimen lagen op straat. Danny bijvoorbeeld, en Michael Percy zouden vragen gaan stellen, aan Alan, aan hun moeders, zelfs aan Derek als ze hem konden vinden. En het was tegenover de onschuldigen niet eerlijk als ze over één kam werden geschoren met de schuldigen.

Ik legde liefkozend mijn hand op zijn arm toen hij een stoplicht naderde. 'Dank je,' zei ik.

'Waarvoor?'

'Dat je je op de achtergrond wilt houden. Ik weet hoe bezorgd je bent, maar ik denk dat het verstandiger is een objectieve vrouw mee te nemen dan een boze echtgenoot die waarschijnlijk zijn geduld verliest.'

'We kunnen nog altijd naar de politie.'

Ik schudde mijn hoofd. Dit hadden we al tig keer besproken. 'Ze doen niets... vandaag zeker niet... waarschijnlijk nooit. De ouders van Stephen Lawrence kostte het zeven jaar voor hun een onderzoek was toegezegd, dus ik zie mezelf nog niet binnenwandelen bij het politiebureau van Richmond en direct geloofd worden.' Ik zuchtte. 'Dat heb ik twintig jaar geleden geprobeerd en het enige wat ik ermee bereikt heb is dat ik er iedereen van overtuigde dat ik gestoord was.'

Hij knikte.

'In ieder geval wil ik nu de waarheid weten, en Wendy was de enige die ik kon verzinnen. Sheila is te conservatief om buiten de regels om te handelen en Larry had haar toch niet mee laten gaan.'

'Zou hij haar tegen kunnen houden?' vroeg Sam verrast.

'Daar staat ze op,' zei ik cynisch. 'Ze gebruikt hem als haar ontsnappingsroute als het haar allemaal te lastig wordt.' Ik dacht terug aan Sheila's ontzette weigering toen ik haar meevroeg om de Slaters te confronteren. – *'Mijn god, dat kan ik onmogelijk doen. Larry vindt dat nooit goed'* – en bedacht dat ik het volkomen bij het verkeerde eind had gehad te denken dat de huisarts van Annie mijn beste steun zou zijn. Als ik nagedacht had, dan had ik beseft hoe passief ze was toen ze toegaf dat ze Annies zaak had laten zitten bij de eerste tekenen van ergernis van Larry, maar ik had me laten verleiden door haar sympathieke verslag over Annie aan de coroner en de moedige verdediging van zichzelf tegen de beschuldigingen van plichtsverzuim. De ironie van het geval was natuurlijk dat ik mijn moeder helemaal niet van streek had hoeven te maken door in Dorchester te gaan wonen als ik van tevoren had geweten dat de excentrieke domineesvrouw in Devon meer moed en strijdlust in haar pink had dan Sheila Arnold in haar hele lijf. 'Afgezien van mijn moeder,' ging ik met een zucht verder, 'kon ik niemand anders dan Wendy verzinnen met genoeg lef om met me mee te komen.'

Sam lachte plotseling. 'Hoorde ik het goed? Heb je echt overwogen je moeder te vragen? Is dit een vooruitgang... hoe zit het?'

'Ze was de eerste persoon aan wie ik gedacht heb,' zei ik met een wrang lachje, 'tot ik me realiseerde dat ze het hele stel ongelooflijk bot zou benaderen, zodat ik nog verder van huis zou zijn.' Ik haalde onzeker mijn schouders op. 'Maar het is inderdaad raar van me... misschien is het echt zo dat het hemd nader is dan de rok.'

Nu we het station naderden, werd hij ernstig. 'Nou, vergeet dat niet als je met Alan Slater praat,' raadde hij me aan. 'Tenzij hij volkomen achterlijk is, zal hij beseffen dat door pal achter zijn moeder te gaan staan, hij de meeste kans heeft zijn kinderen in onwetendheid te laten.'

We waren een kwartier te vroeg, maar ik wilde niet dat Sam bleef wachten tot Wendy er was. Ik was bang dat hij zou schrikken als hij zou zien hoe oud en mager ze was – ik had het idee dat hij zich haar voorstelde als een meer dan levensgrote vrouw, een machtige Walküre die me over het slagveld zou leiden – en ik zag al voor me hoe hij de hele onderneming zou verbieden als hij de werkelijkheid onder ogen kreeg. Het was nog erger dan ik gevreesd had. Wendy's vroege start en lange reis van Exeter hadden hun tol geëist en nu ze weg was van de veilige omgeving van de pastorie, had de indrukwekkende gier plaatsgemaakt voor iets met ongeveer evenveel substantie en stevigheid als een wandelende tak.

'O jee,' zei ze opgewekt toen ze in reactie op mijn gezwaai tussen de taxi's voor het station overstak. 'Zie ik er zo verschrikkelijk uit?'

'Nee,' loog ik en ik omhelsde haar. 'Maar weet je zeker dat je ermee door wilt gaan? Zij zijn met zijn vieren en wij maar met z'n tweeën,' hield ik haar voor. 'En het kan behoorlijk hoog oplopen.'

Ze knikte. 'Dan is er niets veranderd. Dat heb je door de telefoon al allemaal gezegd. Je moet niet vergeten dat ik het voordeel heb dat ik een paar van hun geheimen ken,' – ze gniffelde even – 'dus als alles fout loopt, moet ik toch in staat zijn ze zo beschaamd te maken dat ze zich gedragen.'

Of je maakt ze nog razender, dacht ik bezorgd. 'Het komt gewoon doordat het nu veel werkelijker lijkt,' zei ik zwakjes.

Ze stak haar hand door mijn arm en draaide me vastberaden in de richting van Graham Road. 'Als je iemand had gewild om ze een pak rammel te geven, dan had je je man en je zonen mee gevraagd,' betoogde ze. 'Maar je hebt mij gevraagd. En ik kan je niet beloven dat ik je niet zal teleurstellen... Misschien stort ik bij het kleinste zuchtje tegenwind in... maar ik ben niet van plan het op te geven voor we zelfs maar een poging gewaagd hebben.'

'Ja, maar...'

Nu tikte ze me op de vingers. 'Je bent niet dit hele eind gekomen om bij de laatste hindernis om te draaien, dus laten we erover ophouden.'

Sharon en Geoffrey stonden in hun deuropening toen we hun huis naderden, maar ze deden geen stap naar buiten. 'Dit is pure chantage,' snauwde Geoffrey. 'En wat doet *zij* hier?' vroeg hij toen hij Wendy naast me in het vizier kreeg. 'Wat heeft zij er verdomme mee te maken? Ze heeft altijd al overal ongevraagd haar grote neus in gestoken.'

'Hoi, Geoffrey,' zei Wendy met een vriendelijk knikje. 'Je bent er niet aardiger op geworden, zie ik al, sinds onze verhuizing. Je zou echt je bloeddruk eens moeten laten nakijken, jongen.' Ze wendde zich tot de vrouw. 'En hoe is het met jou, Sharon? Je ziet er goed uit.'

Sharon kneep haar lippen samen in een zuinig lachje, alsof ze dacht dat het compliment niet gemeend was, hoewel Wendy niet meer dan de waarheid had gesproken: Sharon had duidelijk enorm haar best gedaan op haar uiterlijk, natuurlijk om Maureen de loef af te steken.'We komen niet,' zei ze. 'Je kunt ons niet dwingen.'

Ik haalde mijn schouders op. 'Dan kunnen de Slaters over jullie zeggen wat ze willen en zal ik het moeten geloven, want dit is jullie enige gelegenheid om te zorgen dat het verhaal klopt voor ik het openbaar maak.'

Ze keken me met angst in hun ogen aan.

'Kijk, ik weet dat jullie die avond samen waren tot negen uur en dat Geoffrey daarom de laatste is geweest die met Annie gesproken heeft,' zei ik recht voor zijn raap. 'En ik denk dat als ik dat kan verzinnen, Maureen dat ook kan...' – ik zag de angst groeien – 'dus, wat heeft ze gedaan? Geld gevraagd?' Ik schudde ongeduldig mijn hoofd toen ik aan hun gezichten zag dat ik het bij het rechte eind had. 'En dan hebben jullie het lef mij van chantage te beschuldigen?'

'Jij bent precies hetzelfde,' zei Geoffrey met gebalde vuisten. 'Je stuurt ons dreigbrieven... zit ons steeds op de nek... probeert ons leven kapot te maken.'

'Als je toentertijd eerlijk was geweest,' zei ik vermoeid, 'dan had ik je helemaal niet hoeven schrijven. Je was niet verantwoordelijk voor de dood van Annie, Geoffrey, net zomin als mijn man. Hij is na jou nog langs haar gelopen – dacht ook dat ze dronken was – en heeft ook niets gedaan om haar te helpen. Jullie hebben je beiden aan harteloosheid schuldig gemaakt, maar jullie hebben haar geen van beiden gedood.' Ik zag zijn ogen wijdopen gaan van schrik en ik lachte onvriendelijk. 'Maar ik ben blij dat je zo lang hebt gedacht dat je dat wel had gedaan. Je verdient straf omdat je naar haar hebt uitgehaald toen ze je om hulp smeekte. Dat heb je gedaan, nietwaar? Je hebt haar neergeslagen, en toen raakte je in paniek omdat je dacht dat je haar op de rijweg geduwd had.'

Hij legde een trillende hand op de deur, maar of dat was om steun te zoeken of omdat hij hem in mijn gezicht dicht wilde slaan, was niet duidelijk. Wat hij ook wilde, Sharon duwde hem opzij en zette haar voet tussen de deur. 'Ga door,' zei ze gespannen.

'Degene die Annie vermoordde, heeft haar drie of vier uur voor

Geoffrey haar zag in haar huis aangevallen. Aan die verwondingen is ze gestorven. Ze is zo hard geslagen dat ze bewusteloos is geraakt... maar een tijdje later kwam ze bij en heeft ze de kracht gevonden naar buiten te wankelen, op zoek naar hulp. Het meest waarschijnlijke tijdstip voor die aanval is ongeveer zes uur, maar voorzover ik heb kunnen achterhalen waren jullie geen van beiden op dat tijdstip op Graham Road, dus ik zie niet wat jullie te vrezen hebben door de waarheid te vertellen.'

Geoffrey liet zich niet zo gemakkelijk overtuigen. 'Hoe kunnen wij weten dat je de waarheid spreekt?' vroeg hij.

'Waarom zou ik dat niet doen?'

'Om ons erin te laten lopen... ons te laten zeggen wat je wilt.'

'Maar m'n hemel nog aan toe,' riep Wendy in plotselinge wrevel. 'Ik had er geen idee van dat je zo dom was, Geoffrey. Is de waarheid zo beangstigend dat je Sharon erin gevangen moet houden?' Haar ogen schitterden kwaad. 'Mevrouw Ranelagh probeert je te helpen – hoewel ik er niet van overtuigd ben dat je dat verdient – maar ze kan geen kant op als jullie de moed niet hebben Alan en Maureen het hoofd te bieden.'

'Maar het gaat niet alleen om hen, toch?' zei hij ongelukkig. 'Derek is er ook.'

Ik voelde me een lappenpop waarbij net al het zaagsel uit de knieën gelopen was, en gezien de manier waarop Wendy de deurpost vastgreep, was ik niet de enige.

Ik had aan de afmetingen van de zitkamer van Maureen moeten denken, voor ik haar huis uitzocht als trefpunt. Hij was amper drie bij drie en te klein om alle aanwezigen de ruimte te geven die ze nodig hadden, dus groepeerden we ons ongemakkelijk dicht bij elkaar in onze breekbare verbonden. Dit betekende dat de Slaters kaarsrecht op de bank tegen de tussenwand zaten, terwijl Wendy, Sharon, Geoffrey en ik tegenover hen op stoelen met rechte ruggen voor het raam plaatsnamen. Het deed me denken aan de loopgraven in de Eerste Wereldoorlog, en ik begon me af te vragen of het resultaat niet net zo nietig zou zijn.

Vanaf het moment dat ik Derek zag, werd ik overmand door misselijkheid, en ik deed mijn uiterste best niet te braken toen zijn zurige lucht – eerder herinnering dan realiteit – mijn neusgaten vulde. Waarom had ik niet van tevoren bedacht dat Maureen me zeker met hem zou confronteren? Angst inboezemen was tenslotte haar fort. Ik probeerde iets te zeggen en merkte dat dat niet ging.

'Nou, kom op dan,' zei ze, duidelijk genietend van mijn misère. 'Zeg wat je te zeggen hebt en hoepel dan op.'

Het was een wonderlijk moment. De woede en verbittering die in me leefden waren door de jaren heen door verschillende stadia van ontwikkeling gegaan – van een primitieve drang te doden, via apathie en het verlangen te vergeten, naar dit, het stadium waarin ik nu verkeerde. Meestal kon ik mezelf wijsmaken dat ik uit was op gerechtigheid voor Annie – en ik geloof ook dat het het grootste deel van de tijd werkelijk zo was. Maar af en toe zag ik in dat dokter Elias en Peter Stanhope gelijk hadden en dat mijn beweegredenen gebaseerd waren op wraak. Als Maureen haar mond had gehouden, dan had ik mezelf wellicht kunnen overtuigen dat ik op gerechtigheid uit was... maar nu voelde ik zo'n golf haat door me heen spoelen, dat ik weer terug was bij Af.

Als Derek inderdaad stervende was, zoals Michael gezegd had, dan was dat niet direct zichtbaar. Hij was magerder dan ik me hem herinnerde, en zijn handen vertoonden die chronische tremor die samengaat met alcoholisme, maar hij hield zijn hoofd nog steeds als een bokser omhoog, wachtend op een opening, en hij straalde nog steeds die domme agressie uit. Alan was een oudere, bredere versie van zijn broer en ik kon hem niet aanzien zonder aan Danny te denken. Ik had hem mijn halve leven voorgesteld als een gespierde reus met de geest van een kind, maar in werkelijkheid was het een zenuwachtige man met vuile nagels en een bierbuik, die zijn best deed zoveel afstand tot zijn ouders te bewaren als een driezitsbank toestond.

Uiteindelijk was het Derek die het eerst zijn mond opendeed. Zijn stem was weinig veranderd – harde klinkers en een harde inzet – en klonk me nog net zo verschrikkelijk in de oren als twintig jaar geleden. 'Je mag de jongen er de schuld niet van geven,' mompelde hij, terwijl hij een sigaret tussen zijn lippen stak. 'Hij deed alleen maar wat ik hem opdroeg.'

'Dat weet ik.' Ik keek naar Alans gebogen hoofd. 'Ik heb hem ook nooit de schuld gegeven.'

'Laat je dan de rest zitten als ik dat toegeef? Daarvoor ben je toch hier? Mijn nek in de strop?'

'Niet alleen de jouwe.'

Zijn ogen glinsterden gevaarlijk. 'Het was je verdiende loon,' bracht hij uit. 'Dan had je Drury maar niet op me af moeten sturen... dan had je me er maar niet van moeten beschuldigen dat ik die nikker vermoord had.'

Ik proefde de gal in mijn mond en dwong mezelf met vaste stem te spreken. 'Dat heb ik niet gedaan. Meneer Drury vroeg me de namen te noemen van mensen die volgens mij iets tegen Annie hadden, dus noemde ik Maureen, Sharon en jou. Maar hij was alleen maar in jou geïnteresseerd – waarschijnlijk omdat je al eerder wegens geweldpleging veroordeeld was – en hij vroeg me wat je dan tegen haar had. Ik zei toen dat je een drankzuchtige bullebak was, die zijn racisme niet onder stoelen of banken stak, dat je een verwaarloosbaar IQ had en de mentaliteit van de "arme blanke". Ik heb hem ook gezegd dat je de gewoonte had iedereen die je ergerde een dreun te verkopen of te schoppen, en heb hem herinnerd aan de keer dat je Michael Percy een pak rammel hebt gegeven omdat hij bleef staan en de confrontatie met je aanging, nadat je eigen zoon ervandoor was gegaan. Geen enkele keer heb ik je ervan beschuldigd dat je Annie vermoord had.' Ik hield zijn blik even gevangen. 'Het enige waarvan ik je toen beschuldigd heb, was dat je me gedreigd hebt met wat er met me zou gebeuren als ik mijn mond niet hield.'

Hij wees naar me met een trillende vinger. 'Toen heb je gelogen.'

Ik schudde mijn hoofd. 'Als je mijn verklaring had gelezen, dan had je geweten wat ik gezegd heb. Maar je kon niet lezen, dus heb je de interpretatie van meneer Drury voor zoete koek geslikt.' Ik lachte een beetje. 'Het grappige is, dat ik jou eigenlijk ook de schuld niet geef. Het ligt nu eenmaal in je natuur om te pissen op alles wat je niet begrijpt, dus om je daarvoor te veroordelen, dat zou net zo iets zijn als een rat veroordelen omdat hij ziektes verspreidt,' – ik keek naar Maureen – 'of een slang omdat hij giftig is.'

Ze kneep onmiddellijk haar ogen samen. 'Hou mij erbuiten,' snauwde ze. 'Ik had er niets mee te maken.'

Het bleef even stil terwijl zij en ik elkaar aankeken en onze wederzijdse haat op onze gezichten te lezen viel. 'Maar je weet wel waar Derek en ik het over hebben,' zei ik kalm. 'De anderen niet...' – ik gebaarde naar links en rechts – 'behalve Alan natuurlijk. Ik heb altijd willen weten wie het bedacht heeft, weet je. Het was te...' – ik zocht naar het goede woord – 'te subtiel. Dat hadden deze debielen in hun eentje niet kunnen verzinnen.'

'Wat ze ook gedaan hebben, ze hebben het uit eigen beweging gedaan. Vraag het ze maar als je mij niet gelooft.'

'Dat heeft geen zin,' zei ik terwijl ik onverschillig mijn schouders ophaalde. 'Je hebt Derek er al toe gebracht de schuld op zich te nemen. Zoals gewoonlijk.'

'En hoe dan wel, arrogante kakmadam?' vroeg ze smalend. 'Hij is een man, toch? Hij doet wat hij wil.'

Het was boeiend te zien hoe Alan reageerde. Hij zat tussen zijn ouders, met zijn ellebogen op zijn knieën, en staarde naar de vloer, maar iedere keer als zijn moeder iets zei, leunde hij zichtbaar wat meer naar zijn vader toe.

'Dat weet ik niet,' zei ik eerlijk. 'Waarschijnlijk heb je Alan zo bang gemaakt, dat hij Derek betaalt. Het is de moeite van het proberen waard. Alan heeft veel te verliezen. Een vrouw en kinderen die van hem houden... een thuis... geluk.'

Terwijl ik dat zei, kneep Alan zijn handen samen, zijn knokkels werden wit. 'U zei dat u mij de schuld niet gaf,' mompelde hij.

'Dat doe ik ook niet,' antwoordde ik, 'maar ik ga het wel doen als jij erin volhardt je moeders leugens te steunen. Ik kwam hier voor een verklaring, Alan, niet om van je vader de zondebok te maken. Waarom moest ik überhaupt bedreigd worden? Drury was toen allang niet meer geïnteresseerd in het onderwerp... het enige wat hij wilde, was dat ik mijn mond hield omdat ik hem van racisme beschuldigde... dat is de enige reden dat hij Derek opgehitst heeft.'

Maureen trok haar lippen smalend samen. 'Jij was niet beter dan die nikker,' zei ze. 'Jij noemde mijn man een "arme blanke" en mannen als hij houden er niet van beledigd te worden. Vooral niet door een omhooggevallen schooljuffrouw die zichzelf een stuk beter dan ons vond. Natuurlijk wilde hij dat jij je kop hield.'

Het deprimerende was, dat ik er zeker van was dat ze de waarheid sprak, althans wat Derek betrof. De minachting van een vrouw was genoeg reden voor hem om haar te grazen te nemen. Ik keek hem aan. 'Heb je ook op Annie gepist?' vroeg ik hem. 'Stonk ze daarom naar urine?'

Hij keek me niet-begrijpend aan.

'Wanneer heb je op haar gepist?' vroeg ik. 'Voor of nadat ze het bewustzijn verloor?'

Hij draaide zich besluiteloos naar zijn vrouw toe, niet wetend wat hij moest zeggen.

'We hebben geen van allen een vinger naar haar uitgestoken,' snauwde ze. 'Ze lag al in het lijkenhuis toen wij haar spullen pikten. Dat heb ik je allang verteld.'

Ze gaf het zo openlijk toe – zo schaamteloos ook – dat je een speld kon horen vallen in de stilte die volgde. En ik weet nog dat ik toen dacht: het zou allemaal zo'n stuk makkelijker zijn als ik haar niet geloofde.

27

ALAN KWAM WEER TOT LEVEN. 'MA SPREEKT DE WAARHEID,' ZEI HIJ koppig. 'Goed, ik zeg niet dat we perfect zijn – en ik zeg niet dat we Annies huis niet zijn binnengegaan toen we hoorden dat ze dood was – maar we zijn geen moordenaars.'

'Waarom stonk haar jas dan naar urine toen ik haar vond?' vroeg ik hem.

'Ze stonk altijd,' zei Maureen meteen nijdig. 'En hoe weet je trouwens dat het op haar jas was? Misschien heeft ze in haar broek geplast toen ze aangereden werd.'

'De lucht was te sterk en ze lag tot een bolletje opgerold om zich te beschermen. Bovendien moet ze ervan doordrenkt zijn geweest, anders had de regen het wel weggespoeld.' Ik wendde me weer tot Alan. 'Ik denk dat het een repetitie was voor wat jullie me twee maanden later hebben aangedaan... net zoals ik een repetitie was...' – ik aarzelde, me er maar al te goed van bewust dat de vader van Rosie Spalding naast me zat – 'voor de oorzaak van je aanvaring met Michael Percy.'

Hij keek onwillekeurig even naar Geoffrey voor hij zijn gezicht in zijn handen verborg.

'Dat was Michaels schuld,' gaf Maureen zo snel terug dat ik het er koud van kreeg. *Mijn god! Had ze geweten dat Rosie verkracht was en er niets aan gedaan? 'Ze heeft weken gebloed,' had Michael gezegd...* 'Michael is zomaar kwaad geworden en ging helemaal over de rooie. Hij is altijd al gevaarlijk geweest... kijk maar waarvoor-ie nu zit.' Ze wierp een hatelijke blik op Sharon. 'Als je een moordenaar zoekt, richt je aandacht dan op hem – of op de pooier van zijn moeder, nog beter. Wie was de laatste persoon die met Annie gesproken heeft? Probeer dat eens. Dan krijg je de antwoorden die je zoekt.'

Geoffrey kwam half overeind uit zijn stoel, zijn gezicht paars van woede, maar Wendy legde haar hand op zijn arm en hield hem tegen. 'Laat Maureen het programma niet bepalen. Zie je dan niet dat ze een ruzie probeert uit te lokken door in te spelen op jouw opvliegende karakter? Werkelijk hoogst interessant. Ze wil niet dat Derek en Alan de vragen van mevrouw Ranelagh beantwoorden, en ik ben heel benieuwd waarom niet.'

Maureens valse oogjes bewogen in haar richting. 'Wat heb jij ermee te maken?'

'Veel, als je bedenkt dat ik een van jullie slachtoffers was. Je geeft die diefstal zo achteloos toe, Maureen, alsof het iets is om trots op te zijn, maar jouw kinderen hebben mijn hart gebroken toen ze mijn moeders broche stalen. Hij was onvervangbaar – het enige wat ik van haar had – maar natuurlijk niets waard, zoals je wel direct gemerkt zult hebben toen je hem probeerde te verkopen.'

'Daar hebben wij niets mee te maken. Michael heeft 'm gepikt.'

Wendy schudde haar hoofd. 'Nee,' zei ze resoluut. 'Ik weet precies wanneer hij gestolen is. Jij zocht je toevlucht weer eens bij ons, en hield me in de keuken aan de praat, terwijl je kinderen rondkeken wat ze konden jatten. Ik gaf mezelf natuurlijk de schuld, en dat wist je. Ik had alle deuren direct toen jullie binnenkwamen af moeten sluiten. Ik had heus geen illusies omtrent jullie.'

De vrouw lachte onaangenaam. 'Klopt. Je behandelde ons als vuil.'

'Helemaal niet,' zei Wendy ferm. 'Ik heb erop gelet dat ik jou en je gezin net zo beleefd behandelde als iedereen.'

'Ja, maar misschien legde je dat er net wat te dik bovenop. Je vond ons niet aardig, dat is een ding dat zeker is.'

Wendy knikte meteen. 'Ja, dat is absoluut waar,' gaf ze toe. 'Het was feitelijk nog een stuk erger. Ik kon je niet uitstaan... kon je kinderen niet uitstaan... ik verdroeg het amper jullie in mijn huis te hebben. Iedere keer als je bij ons aanklopte, werd ik gedeprimeerd omdat ik wist dat ik weer een strijd tegemoet ging tussen de walging waarvan jullie me met z'n allen vervulden en mijn plicht als christen.'

De eerlijkheid van dit antwoord overviel Maureen, alsof ze gedacht had dat een domineesvrouw altijd alleen in eufemismen sprak. 'Zie je wel,' zei ze aarzelend. 'Dat bewijst dat je ons als vuil behandelde.'

'O nee, dat denk ik niet,' zei Wendy zacht. 'Anders was je niet zo verrast geweest om te horen dat ik het met je eens was. Ik zei dat ik *streed* met mijn walging, niet dat ik me eraan overgaf. Onze deur bleef voor jou nooit gesloten, Maureen, zelfs niet na de diefstal van mijn broche. We hebben jou en je kinderen alle steun gegeven, ook al waren jullie verreweg het onaangenaamste gezin waar we ooit mee te maken hebben gehad.'

Ik zag Alan zijn gezicht nog dieper in zijn handen verbergen.

'En Michael Percy dan?' vroeg Maureen strijdlustig. 'Hij was net zo'n dief als mijn kinderen, maar voor hem was het beste nog niet goed genoeg... hem hielp je altijd, terwijl die slet,' – ze maakte een beweging met haar kin naar Sharon – 'met andere dingen bezig was. Maar dat lievelingetje van je slaat nu oude dames met zijn pistool in elkaar, terwijl mijn jongen het goede pad op is gegaan. Hoe is dat dan gekomen, hè? Verklaar dat eens!'

Wendy schudde haar hoofd. 'Ik beweer niet dat ik alles weet, Maureen. Het enige wat ik kan doen is de waarheid zoals ik die zie, spreken.' Zij keek ook naar Alan. 'Bovendien moet je dat aan Alan vragen, niet aan mij. Hij is de enige die zijn eigen verhaal kent.'

'Ja ja. Nou, misschien was ik wel een betere moeder dan jij dacht,' zei Maureen triomfantelijk. 'Wat vind je van die verklaring?'

'Jij was helemaal niet beter dan ik,' zei Sharon met geknepen stem. 'Het enige verschil tussen ons was dat die van jou bang voor je waren, en die van mij niet.'

'Stom van je,' gaf Maureen terug. Haar ogen glinsterden omdat ze de vrouw uit haar tent had gelokt. 'Wat heb je eraan? Je schaamt je zo voor Michael dat je hem in geen jaren gesproken hebt... of die trut van een vrouw van hem die hem verlinkt heeft.' Ze lachte wreed. 'Dat neem ik je overigens niet kwalijk. Hij heeft nooit gedeugd. Denk je dat mijn kinderen gestolen hadden als hij het ze niet had voorgedaan? Denk je dat Annie naar pis gestonken zou hebben als hij haar niet gevonden had en de honneurs had waargenomen?' Ze richtte haar sigaret op het hart van Sharon. 'Daar kijk je van op, niet? Je wist niet eens dat hij die avond bij haar thuis was, laat staan dat hij haar als piespot gebruikt heeft.'

Ik wist niet wat ik ervan moest denken en keek naar Sharon. Haar lijkwitte gezicht schokte me. 'Wil je beweren dat Michael haar vermoord heeft?' vroeg ik Maureen.

'Misschien een handje geholpen. Hij heeft Alan gezegd dat hij ongeveer half negen thuiskwam, zag dat haar deur niet goed dichtzat, en dat hij naar binnen is gegaan om te kijken of er iets te jatten viel. Hij vond haar op het kleed in de woonkamer, dacht dat ze dronken was en dat het grappig zou zijn op haar te pissen.' Ze begon te lachen. 'Het stonk er toch naar katten, dus hij dacht dat ze het niet zou merken als ze weer bijkwam.'

'Wat gebeurde er toen?'

Ze haalde onverschillig haar schouders op. 'Hij zei dat ze begon te kreunen, dus hij is er als de bliksem vandoor gegaan, voor het geval ze hem te grazen zou nemen. Maar je hebt dik kans dat het hele verhaal gelogen is, en dat hij haar ook geschopt heeft. Dat vond hij nu eenmaal leuk om te doen.'

Ik keek naar het gebogen hoofd van Alan. 'Was Alan erbij?'

'Natuurlijk niet,' zei Maureen snel. 'Hij heeft toch al gezegd dat hij haar met geen vinger heeft aangeraakt? Maar jij hebt liever dat hij het was dan Michael, toch? Jij bent net als *zij*...' – ze wierp een verongelijkte blik op Wendy – 'je denkt altijd dat de ene het goed doet, en de ander slecht.'

Wendy boog zich naar voren, waarbij ze haar ellebogen op haar knieën liet rusten, en bekeek Maureen aandachtig. 'Waarom is het zo belangrijk dat Alan daar niet was?' vroeg ze.

Maureens gezicht vertrok in een kwade frons. 'Hoezo?'

'Je bent er zo op gebrand de zoon van Sharon de schuld te geven, maar als ik het goed begrepen heb, was het *jouw* zoon die diezelfde walgelijke handeling een paar weken later op mevrouw Ranelagh heeft uitgevoerd. Maar dáár lijken jullie je niet erg druk om te maken.'

'Nou en?'

'Ik denk daarom dat er met Annie iets ergers gebeurd is dan met mevrouw Ranelagh... iets waarmee je Alan niet in verband gebracht wilt zien.'

Verbeeldde ik het me, of was Maureen bang? Alan was het in ieder geval wel – als hij zijn hoofd nog verder zou laten hangen, zou het zijn knieën raken.

'Michael heeft het ons later verteld... hij heeft ons op het idee gebracht,' zei Derek plotseling. 'Het leek niet meer dan eerlijk om met die nikkervriendin hetzelfde te doen als wat er met de nikker gebeurd was. Ze dachten allebei dat ze ons ongestraft konden uitschelden.'

'Precies,' zei Maureen. 'Maar Michael had het verzonnen... zoals altijd. Hij was een heel slechte invloed. Alles wat slecht was in onze straat, begon met hem en zijn moeder, maar wij kregen van alles de schuld.'

'En verkrachting?' zei ik cynisch. 'Wie had dat verzonnen? Want ik weet zeker dat dat Michaels idee niet was... hij heeft Alan halfdood geslagen toen die dat met Rosie gedaan had. Vind je dat niet iets slechts?'

Het waren niet meer dan wat woorden in een bepaalde volgorde, in woede uitgesproken ter verdediging van iemand die er niet was om zichzelf te verdedigen – maar toch stond de tijd even stil, zodra ik ze uitgesproken had. Op de bank verroerde niemand zich. Het was alsof ze geloofden dat stilte ons op de een of andere manier kon doen bevriezen in de tijd en ruimte en mijn kennis voor altijd onuitgesproken zou blijven. In eerste instantie verbaasde het me dat Derek scheen te begrijpen waarover ik het had, tot het me te binnen schoot dat Michael gezegd had dat Alan pas na de verkrachting van Rosie zijn aanvaring met hem gehad had.

Mijn tweede reactie was volslagen fysiek, toen het tot me doordrong wat de oorzaak van hun ontzette gezichten was. *Alan had Annie ook verkracht...* O lieve God, weg met de zelfbeheersing. Weg met rechtvaardigheid. Weg met *wraak*. Twintig jaar redelijkheid werden in één seconde weggevaagd, en ik was terug bij het primitieve verlangen te doden.

Ik sprong als een tijgerin op Alan – mijn afkeer, mijn angst, mijn haat, alles, joeg in een woeste stroom door mijn bloed. 'Jij klootzak, jij ellendig smerig onderkruipsel!' brulde ik terwijl ik zijn hoofd tegen de muur sloeg. 'Ze was verdomme stervende. Hoe durf je je te vergrijpen aan een stervende vrouw?'

Hij deinsde terug. 'Ik heb niet... alleen in haar mond...'

Uit mijn ooghoeken zag ik Maureen haar klauwen uitstrekken om me in mijn gezicht te krabben. En met alle haat die in me was plaatste ik mijn vuist tussen haar tanden.

Het zou op een algemeen handgemeen zijn uitgelopen, als Geoffrey niet diep in zijn hart een pacifist was geweest. Hij trok me van Maureen af door me bij mijn armen te grijpen en duwde me achter zich. 'Genoeg,' zei hij streng terwijl hij zich tussen mij en de bank opstelde. 'Hou je moeder vast,' beval hij Alan, 'anders vraag ik mevrouw Stanhope de politie te bellen.'

De opdracht was overbodig, want Alan hield haar al in bedwang met een arm om haar nek, maar het woord politie bracht haar er in ieder geval toe zich terug te laten zakken op de bank. Ze wierp een vuile blik op Geoffrey. 'Jij bent niet in de positie om God te spelen,' gooide ze eruit. 'Jouw handen zijn net zo vuil als de onze.'

Hij boog zijn hoofd als een terriër die achter een fret aan zat, en keek haar strak aan. 'Mevrouw Ranelagh zegt dat Annie twee of drie uur voordat ik langs haar liep in haar huis in elkaar geslagen is – en aan die verwondingen is ze gestorven – dus beschuldig mij er niet van vuile handen te hebben. Jij bent de enige hier met een honkbalknuppel.'

Maureen keek met haar toegeknepen ogen nu mij aan. 'Ze heeft je allemaal leugens verteld. Vorige week beweerde die trut hier dat Derek Annie heeft afgeranseld voor hij haar op straat dumpte... en nu probeert ze mij de schuld in de schoenen te schuiven. En hoe had ik dat dikke wijf door de deur heen kunnen krijgen? Hè?'

'Ze is zelf naar buiten gegaan,' zei ik terwijl ik diep door mijn neus ademde om de rillingen die mijn hele lichaam schokten te onderdrukken. 'Haar schedel was gebroken... haar arm... ze is god weet hoe lang bewusteloos geweest terwijl die smerige zoon van je met haar bezig was... maar ze had nog steeds genoeg wil om te leven en daarom is ze de straat op gestrompeld op zoek naar hulp.' Ik dook nogmaals naar voren, maar werd door Geoffrey tegengehouden. 'En niemand heeft haar die hulp geboden, omdat iedereen dacht dat ze dronken was.'

'Daar was jouw man ook bij,' grauwde ze.

Ik drukte mijn vinger op het adertje haat dat onder mijn lip klopte. 'Ik denk dat ze naar onze kant van de straat is gegaan omdat ze wist dat ik de enige was die haar zou helpen. Ik denk zelfs dat ze misschien bij me aangeklopt heeft... en ik voel me zo verschrikkelijk schuldig dat ik er niet was... omdat ik op school op parasieten zoals jij en Derek zat te wachten om over de vorderingen van jullie kinderen te praten.' Ik viel plotseling weer in mijn stoel terug, volkomen leeg. 'Grappig, hè? We wisten toch allemaal dat het enige wat jullie kinderen ooit zouden bereiken de gevangenis was.'

'Noem ons geen para...' begon Derek.

Maar Geoffrey onderbrak hem. 'Wat heb je met Rosie gedaan?' vroeg hij aan Alan.

'Niet antwoorden, jongen,' zei Maureen vlug terwijl ze een klodder bloed uitspuugde. 'Omdat die trut van een schooljuffrouw leugens over ons rondstrooit, hoeven wij nog geen tekst en uitleg te gaan geven.'

'Dat moeten jullie wel,' zei Geoffrey strijdlustig. 'Als hij mijn Rosie verkracht heeft, wil ik het weten. Hij zou opgesloten moeten worden.'

'*Jouw* Rosie?' vroeg Maureen terwijl ze het bloed met haar manchet wegveegde. 'Laat me niet lachen! Waarom is het opeens jouw Rosie terwijl je niet wist hoe snel je van haar af moest komen toen je bij die slet introk.'

'Wat er nu meer toedoet, Maureen,' zei Wendy streng, 'is wanneer Alan jou zijn aandeel in dit alles heeft verteld. En waarom je er niets aan gedaan hebt om ervoor te zorgen dat het niet erger werd.'

Ze kroop weg tegen de rugleuning van de bank. 'Dat zou je Derek moeten vragen,' zei ze bokkig. 'Hij heeft al verteld dat hij degene was die Alan zei wat hij moest doen. Wat kon ik eraan doen? Behalve mezelf in elkaar laten slaan... wat iedere keer gebeurde als Derek vond dat ik me er te veel mee bemoeide.'

Maar Derek schudde kwaad zijn hoofd. 'Ik heb gezegd dat ik de schuld voor de schooljuf op me zou nemen,' mompelde hij. 'Verder niets.'

'Er *is* verder niets,' snauwde ze kwaad. 'We hebben een paar spulletjes gepikt en die verwaande kakmadam wat manieren bijgebracht, dat was alles, de rest zijn leugens.'

Ik keek op. 'En die katten?' vroeg ik koel. 'Viel dat ook onder manieren bijbrengen?'

Ze sloeg haar ogen ogenblikkelijk neer en tastte naar een sigaret.

'Je wist veel te goed hoeveel katten er in Annies huis waren. Dat had je nooit geweten als je niet nauwkeurig de tel bijgehouden had van elke arme zwerfkat die je martelde.'

Waarom was dit de sleutel die Alan ontsloot? Vond hij de dood van een kat erger dan de dood van een vrouw? Kon hij de vernedering van een kat moeilijker vergeten? Waren de kreten van een kat indringender? *Kennelijk wel.* Annie mocht sterven... ik mocht vernederd worden... Rosie mocht huilen... maar een dier moest bemind worden. Zijn verdriet was beangstigend. En toen ik hem tegen zijn tranen om die lang geleden gestorven schepsels zag vechten, kon ik niet anders dan me afvragen of hij nog steeds zo ongevoelig was voor menselijk leed als vroeger kennelijk het geval was geweest. Als dat zo was, had ik weinig hoop voor Beth en haar kinderen.

Het is onmogelijk wat hij zei weer te geven op de manier waarop hij het zei. Toen de sluizen eenmaal openstonden, waren zijn gevoelens als een rivier die overstroomde, ieders gevoeligheden behalve de zijne werden opzijgeschoven en dat alles gebeurde in gestamelde zinnen die af en toe volkomen onbegrijpelijk waren. We werden deelgenoot van zijn moeders hekel aan seks, zijn vaders brute verkrachting van haar iedere keer als hij het wilde, hun dronkenschap, hun gewelddadigheid jegens elkaar en hun kinderen. Maar bovenal praatte hij over hoe Maureen de oranje kat afgeslacht had. En keer op keer herhaalde hij hoe ze hem, toen hij haar had geprobeerd tegen te houden, met de knuppel afgerammeld had.

Ik vroeg hem waarom ze het had gedaan, en net als Michael had hij er maar één verklaring voor: dat ze er een goed gevoel van kreeg.

Ze had gelachen toen zijn hersens in het rond spatten, zei hij, ze wilde dat het de kop van de nikker was die ze platsloeg.

'En de andere katten?' vroeg ik hem. 'Waarom ging ze ermee door?'

'Omdat Annie hartstikke razend werd als die beesten door haar kattenluik werden geduwd. Ze begon te jammeren en te gillen, ze gedroeg zich als een gekkin en ma dacht dat als ze niet uit zichzelf zou vertrekken, ze honderd procent zeker in een dwangbuis zou worden afgevoerd.'

'Maar als je dierenmishandeling zo erg vond, waarom heb je haar dan geholpen?'

'Ik was niet de enige,' mompelde hij. 'We hebben het allemaal gedaan: de meisjes, Mike, Rosie, Bridget. We gingen op zoek naar zwerfkatten en die namen we in dozen mee naar huis.'

Ik vroeg me verdrietig af of dit de werkelijke verklaring voor het offer van Bridget van haar haren was. 'Maar waarom, als je wist wat er met hen ging gebeuren?'

'Hun koppen werden niet platgeslagen, het was minder erg.'

'Ja, als je denkt dat een snelle dood erger is dan een langzame.'

'Ze gingen niet allemaal dood... Annie heeft ze bijna allemaal gered... en daar gingen we ook vanuit.' Hij drukte zijn voorhoofd tegen zijn handen. 'Dat was beter dan dat ma ze meteen doodmaakte, wat ze eigenlijk wilde. Dat ze doodgingen, daar kon Annie niet tegen.'

'De katten die jullie onder mijn vloer stopten, zijn gestorven,' zei ik. 'Omdat ik niet wist dat ze er waren.'

Hij keek op, met een verbijsterde uitdrukking op zijn gezicht, maar hij zei niets.

'En als je tegen je moeder had gezegd dat je het niet deed,' merkte ik op, 'dan had er niet een kat hoeven sterven. Michael was toch wel slim genoeg om dat te bedenken, ook al kon jij dat dan niet?'

'De kinderen wilden ook van Annie af,' zei hij stuurs. 'Het was niet eerlijk dat wij naast een nikker moesten wonen.'

Ik weet niet wat er door Maureens hoofd ging terwijl hij dit allemaal zei. Ze deed een of twee keer een halfslachtige poging hem het zwijgen op te leggen, maar ik denk dat ze besefte dat het te laat was. Het rare is dat ik geloof dat ze zich echt schaamde over haar wreedheid – misschien omdat het de enige misdaad was die ze zelf had begaan. Wat interessanter was, was dat ze alleen oog had voor Sharon toen Alan toegaf dat hij en Michael samen rond half negen Annies huis waren binnengegaan op de avond dat ze stierf.

‘Mike zag dat de deur op een kier stond,’ zei hij. ‘We gingen naar zijn huis om tv te kijken omdat we wisten dat z’n moeder er niet was, en hij zegt tegen mij: kijk, die roetmop heeft haar deur open laten staan. Het was er pikkedonker... geen licht... niets... en hij zegt, laten we even rondneuzen voor ze terugkomt. Dus sluipen we de voorkamer in en toen vielen we verdomme bijna over haar heen. Mike is ermee begonnen,’ hield hij vol. ‘Hij doet de lamp op tafel aan... denkt die is zo dronken als een kanon en haalt zijn lul tevoorschijn...’ Hij hield op, wilde niet verdergaan.

‘Heeft ze iets tegen jullie gezegd?’

Hij sloeg zijn ogen op en keek Sharon kort aan. ‘Ze zei steeds dat de slet haar geslagen had... dus ging Mike helemaal over de rooie en schopte haar net zolang tot ze haar bek hield. En daarna zijn we naar de gokhal gegaan, en Mike zei dat hij me zou vermoorden als ik iets over zijn moeder zou zeggen... en ik zei: wie kan het wat schelen? Opgeruimd staat netjes, wie het ook gedaan heeft...’

‘Ik zei je toch dat wij het niet waren,’ zei Maureen smalend, met een boosaardig lachje op haar gezicht. ‘Kijk maar naar die slet, zei ik, zij en haar zoon hebben het samen gedaan.’ Ze stak twee vingers op naar Geoffrey. ‘Daarom heb je die gekke koe de goot in geduwd... omdat zij jou had gezegd wie haar geslagen had.’

Ik voelde me ziek, echt ziek. Zelfs al had ik vermoed dat Michael had geweten hoe Annie was gestorven, ik had altijd gehoopt dat hij er zelf niets mee te maken had. *Maar kon een schoppartij om half negen de bloedingen in haar dijen veroorzaakt hebben die op de foto’s zo duidelijk te zien waren...?* Ik keek naar Sharon. *Kom dan op voor je zoon*, wilde ik haar toeschreeuwen. *Zeg ze dan hoe klein hij voor zijn leeftijd was... en dat dat soort trappen eerder uitgedeeld moeten zijn... door iemand die sterker was...*

‘Is dat waar, Geoffrey?’ vroeg Wendy ontzet.

‘Nee,’ mompelde hij terwijl hij met plotseling ongeloof naar Sharon keek. ‘Ze heeft niets gezegd... ze greep me alleen bij mijn mouw, probeerde zich staande te houden... dus heb ik haar weggeduwd...’ Zijn stem stierf weg terwijl hij zich kennelijk afvroeg hoeveel leugens Sharon hem op de mouw gespeld had. ‘Geen wonder dat je me liet denken dat het míjn schuld was,’ zei hij wrokkig. ‘Wie nam je eigenlijk in bescherming? Jezelf, of die ellendige zoon van je?’

Maar Sharon reageerde alleen met een ontkennend gebaar terwijl alle kleur uit haar gezicht wegtrok.

‘Als ze flauwvalt, bezeert ze zich,’ waarschuwde ik.

'Laat haar,' zei Maureen hatelijk. 'Dat verdient ze.'

'O, mijn hemel.' Ik zuchtte vermoeid en stond op om Wendy te helpen het slappe lichaam te ondersteunen. 'Als je dat denkt, waarom heb je dat toentertijd dan niet aan meneer Drury verteld?'

Maar dat was een domme vraag en ze nam niet de moeite hem te beantwoorden. Annies dood speet haar niet. Haar enige doel was immers geweest de schuld van zichzelf af te wentelen, zodat ze optimaal kon genieten van de buit. En als dat betekende dat ze de lagere instincten van mannen moest exploiteren om vrouwen angst aan te jagen, dan moest dat maar. Op een bizarre manier kon ik haar daar zelfs om bewonderen, want zij leefde in een wereld waar hebzucht – materieel of seksueel – een manier van leven was en naar haar eigen maatstaven had ze er een succes van gemaakt. Ze was in ieder geval de enige in die kamer die door haar hersens te gebruiken aan haar huis gekomen was.

Ik raakte Sharons geblondeerde haar even aan. Het voelde droog en stoffig aan mijn vingers. 'Het ergste wat zij Annie ooit heeft aangedaan was een emmer water over haar hoofd gooien en een paar keer over haar klagen bij de gemeente,' zei ik tegen Geoffrey, 'en als je dat niet wilt geloven, ga dan maar weg en geef haar de kans haar zoon terug te winnen. Wendy heeft gelijk. Jij hebt van haar een gevangene van de waarheid gemaakt.'

'Maar...'

'Maar wat?' zei ik meteen. 'Geloof je liever de versie van Maureen? Die van mij kost niets, weet je nog, voor de hare moet je betalen.' Ik greep hem bij zijn elleboog en dwong hem naar Sharon te kijken. 'Ze staat al meer dan twintig jaar achter je – hoeveel tijd heb je nog nodig om haar te leren kennen voor je haar vertrouwt? Of moest ze altijd geoordeeld worden volgens de beroerde maatstaven die jij' – ik maakte een gebaar naar de bank – 'en dit ongedierte hier aanleggen?' Ik zei dit niet alleen voor Sharon, maar ook voor mezelf want ik wist maar al te goed hoeveel pijn het deed te leven in een atmosfeer van ongeloof en wantrouwen. Je zinkt of je zwemt... je vecht of je geeft op... en welke weg je ook kiest, je gaat hem alleen.

Geoffrey schudde onzeker zijn hoofd.

Ik knielde plotseling voor Sharon neer en nam haar handen in de mijne. 'Verkoop je huis en ga verhuizen,' zei ik dringend. 'Breek met die man en begin opnieuw. Zoek Bridget op, sluit vriendschap met haar... help Michael op het rechte pad. Hij heeft de liefde van zijn moeder nodig, net zoveel als die van zijn vrouw... en dat ben je hem wel verschuldigd. Hij dacht dat je een moordenares was, Sharon...

maar hij heeft je beschermd… en hij begrijpt niet dat je hem zo snel verstoten hebt. Vecht voor hem. Wees de moeder die hij wil dat je bent.'

Ze was te verbijsterd om te begrijpen waar ik het over had en keek hulpeloos van mij naar Geoffrey. Haar onderdanigheid tegenover mannen was zo diepgeworteld, dat ze wat hij haar maar ook zou zeggen te doen, zou doen.

Van de bank schetterde Maureens triomfantelijke stem. 'Er is altijd maar één slet in deze straat geweest, en nu is ze kapot omdat ze door de mand gevallen is. Ga dat de politie maar vertellen, dan zul je wel zien of ze geïnteresseerd zijn in die paar rommeltjes die wij gepikt hebben.'

Ik wilde haar doden. Ik wilde die magere nek tussen mijn vingers dichtdrukken en het gif eruit knijpen. In plaats daarvan stond ik met een zucht op en pakte mijn rugzak. 'Annie noemde Sharon nooit "slet", Maureen. Ze noemde haar "hoer", dat heb je me zelf verteld.'

Haar mond zakte open. Voor deze ene keer was ze sprakeloos, omdat ze wist dat ik gelijk had. Ik wilde dat ik kon gillen… schreeuwen… krijsen… ik wilde stampvoeten… mijn frustratie uitbrullen. Ik had gehoopt op een wonder dat zou bewijzen dat ik het bij het verkeerde eind had gehad, maar in plaats daarvan voelde ik me wanhopig triest en wanhopig moe.

'Ik zou er maar niet op rekenen dat de politie jullie er ongestraft vanaf laat komen, als ik jullie was,' ging ik verder met prijzenswaardige zelfbeheersing, die een goedkeurende glimlach aan mijn moeder ontlokt zou hebben. 'De enige bescherming die je had, was het zwijgen van anderen. Zolang zij geheimen hadden, was jij veilig.' Ik haalde mijn schouders op. 'Maar er zijn geen geheimen meer, Maureen. Dus hoe sta je er nu voor?'

Derek lachte onverwachts. 'Ik heb haar gezegd dat je nooit zou opgeven,' zei hij, 'maar ze wilde niet luisteren… ze zei dat schooljuffen te nuffig waren om te vechten.'

Maureen liep achter Wendy en mij aan naar de deur, wilde antwoorden horen die ik haar niet wilde geven. Wie had het dan gedaan, als Sharon het niet was? Wat ging ik aan de politie vertellen? Wat voor bewijzen had ik? Haar lip was gezwollen van de dreun die ik haar gegeven had, en ze pakte me bij mijn mouw om me tegen te houden, dreigde me te zullen aangeven als ik haar niet 'verdomde gauw wat dingetjes uitlegde'.

Ik trok me los. 'Ga je gang,' spoorde ik haar aan. 'Ik zal je zelfs zeggen waar ik nu naartoe ga. Naar Jock Williams, Alveston Road nr. 7, Richmond – dus stuur de politie daar maar naartoe om me te arresteren. Dan hoef ik ze niet meer te bellen. En, als je antwoorden wilt,' – ik schudde mijn hoofd – 'die krijg je niet. De dingen die je niet weet, kunnen je ook niet helpen en ik ga er echt niet aan meewerken dat Derek en Alan nog meer leugens voor jou gaan vertellen.' Ik sloeg mijn ogen op naar Alan die in het donker in de gang stond. 'Ik heb alle reden je te haten en te verachten,' zei ik tegen hem, 'maar ik denk dat je vrouw de enige is die je kan redden van je moeder. Dus mijn raad is, ga naar huis en neem je vader mee. Als Beth van Derek de waarheid hoort, dan begrijpt ze het misschien en vergeeft ze je. Als ze het van je moeder hoort, dan niet.'

'Mijn hemel,' bracht Wendy hijgend uit terwijl ze haar hand op haar hart legde. 'Dit is voor het eerst dat ik haar bang heb gezien.'

Ik stak mijn hand uit om haar onder haar elleboog te ondersteunen. 'Alles goed met je?' vroeg ik bezorgd.

'Nee, totaal niet, ik heb van m'n leven nog nooit zoveel schokken te verwerken gehad.' Ze liet haar achterwerk op het tuinmuurtje van nummer 18 zakken. 'Even op adem komen.' Ze haalde een paar keer diep adem, en schudde toen ze zich wat beter voelde haar vinger naar me. 'Peter zou je deze obsessie met haat ten zeerste afraden, lieverd. Hij zou zeggen dat het enige pad naar de hemel dat van de vergeving is.'

'Mja,' beaamde ik. 'Die raad gaf hij me toen ik hem over Derek en Alan vertelde.'

Ze maakte een boos geluidje. 'Was dat de keer dat hij je in de steek gelaten heeft?'

Ik keek naar een auto die de verkeersdrempels in de straat nam. 'Hij heeft het niet expres gedaan,' aarzelde ik. 'Hij deed hetzelfde als iedereen... dacht dat ik hysterisch was.' Ik keek naar Maureen die nog steeds bij haar hekje stond. 'Ik denk dat ik nu weet waarom. Ik ben er nooit lang genoeg in geslaagd objectief te blijven en mijn stem onder controle te houden, en daar kunnen mensen niet tegen.'

'Maar waarom Peter?' vroeg ze nieuwsgierig. 'Kon je er dan met niemand anders over praten?'

Alleen met Libby... Ik hield me op de vlakte. 'Het was eerder om de kerk dan om Peter,' zei ik vaag. 'Ik kon geen andere plek verzinnen.'

'O, lieverd, dat spijt me. Dan ben je echt in de steek gelaten.'

Ik schudde mijn hoofd. 'Eigenlijk precies het tegenovergestelde.

Ik ging er zielig en huilend naartoe, op zoek naar steun, en ik kwam er als een wrekende engel vandaan.' Ik lachte plotseling. 'Ik bleef maar denken: als ik ooit iets vergeef, dan is het op mijn voorwaarden en niet omdat een dikke zweterige vent in een jurk dat zegt, die denkt dat ik lieg.' Ik kwam net zo snel weer tot bezinning. 'Sorry, dat was grof van me.'

Wendy rechtte haar magere schouders en kwam overeind. 'Het is een goede beschrijving van Peter,' zei ze wrang. 'In wezen is het een toneelspeler, dus hij voelt zich alleen gelukkig als hij zijn toga aanheeft. Hij denkt dat dat zijn woorden gezag verleent.'

'Ik was toen nogal eigenaardig,' zei ik bij wijze van verontschuldiging, 'en hij deed echt zijn best aardig te zijn.'

'Hij heeft geen spirit, dat is de moeilijkheid. Ik zeg hem steeds dat zijn preken idioot politiek correct zijn. Het is toch de bedoeling dat hij het kwaad aanpakt, niet dat hij een propagandapraatje voor de liberalen houdt.'

Ik grinnikte. 'Jij zou dus een donder-en-bliksempredikant geweest zijn?'

'Dat is het enige wat je *kunt* zijn,' beaamde ze opgewekt. 'Een snufje zwavel jaagt de zonde sneller op de vlucht dan wat dan ook. Bovendien is het dramatischer. De vuren van hel en verdoemenis zijn heel wat opwindender dan de gelukzaligheid en heerlijkheid van de hemel.'

Ik vond haar een schat. Om haar openheid… standvastigheid… *O help, omdat ze op mijn moeder leek…* Maar ik zag dat ze te uitgeput was om verder te lopen. Ik overreedde haar nog even te blijven zitten terwijl ik in mijn rugzak naar de mobiel zocht die ik die ochtend van Luke had geleend om een taxi te kunnen bellen. Voor ik hem te pakken had, stopte er een auto naast ons.

'Willen jullie een lift?' vroeg Alan nors door het open raampje aan de passagierskant terwijl hij voor zijn vader langs leunde om zijn riem vast te maken. 'We komen langs Alveston Road.'

Ik was te geschrokken om iets te zeggen en keek naar Wendy.

'Graag, jongens,' zei ze terwijl ze dankbaar opstond. 'Erg aardig van jullie.'

Er werd verder niets gezegd tot Alan zijn auto voor het huis van Jock parkeerde. Derek en Wendy stelden zich graag met die stilte tevreden, terwijl Alan via het achteruitkijkspiegeltje steeds bezorgde blikken op mij wierp. Zijn mond probeerde woorden te vormen die voor mij acceptabel zouden zijn.

Maar pas toen hij in Alveston Road stopte, had hij voldoende moed verzameld om een kans te wagen. Hij draaide zich om. 'Het is waarschijnlijk een beetje aan de late kant...' – zijn stem stierf even weg – 'en ik zou het u niet kwalijk nemen als u nee zegt, maar ik wou dat ik nooit... heeft Danny u verteld dat ik de afgelopen vijftien jaar niets heb uitgehaald?'

Ik keek hem net zolang aan tot hij zijn ogen neersloeg. 'Als je "het spijt me" wilt zeggen, Alan, zeg dat dan. Bederf het niet met verontschuldigingen.'

Hij knikte snel en angstig met gebogen hoofd en deed me denken aan dat schooljongetje dat ik op diefstal betrapt had. 'Het spijt me.'

'Mij ook,' zei ik en ik hield hem mijn hand voor. 'Ik heb je niet geholpen toen ik daar de kans voor had, en daar heb ik altijd spijt van gehad.'

Zijn hand lag warm en zweterig in de mijne – en ik moet bekennen dat ik kippenvel kreeg bij het contact – maar het voelde alsof er iets afgesloten werd. Voor ons allebei. Ik speelde met de gedachte hem te waarschuwen dat hij dit niet moest uitleggen als een reden om Beth niet de waarheid te vertellen, maar de aanwezigheid van Derek was een goed teken, dus ik hield mijn mond. Uiteindelijk ben ik blij dat ik dat gedaan heb.

'Dus nu weet u,' zei hij terwijl ik Wendy uit de auto hielp, 'dat wij geen katten onder uw vloer hebben gestopt.'

Ik fronste mijn wenkbrauwen. 'Wil dat zeggen dat er geen katten waren? Of dat iemand anders ze eronder geduwd heeft?'

Hij knikte in de richting van de voordeur van Jock. 'Meneer Williams wist precies wat er gaande was... hij keek altijd naar wat wij kinderen deden, vanuit het slaapkamerraam van Sharon... en hij hield er alleen zijn mond over omdat die nikker hem een mietje noemde. Hij had daarom bijna net zo'n hekel aan haar als wij omdat wij "vuil" werden genoemd.'

Ik sloot even mijn ogen. 'Ik ga naar de politie, Alan,' zei ik treurig. 'Dat begrijp je toch wel?'

'Ja.'

'Dan zou ik als ik jou was het woord "nikker" uit je vocabulaire schrappen,' zei ik met een diepe zucht. 'Want ik scheur je in stukken als je Annie nog één keer op die manier aanduidt.'

Hij knikte gehoorzaam terwijl hij de auto in zijn versnelling zette. 'Goed, mevrouw Ranelagh.'

Wendy tikte venijnig op het raampje van Derek. 'En jij?' vroeg ze. 'Ga jij ook nog je verontschuldigingen aanbieden?'

Maar hij keek naar haar alsof ze er niet toe deed en gebaarde toen zijn zoon door te rijden.

We stonden op de stoep, keken hen na tot ze de hoek omsloegen naar de grote weg. 'Ik denk dat je bent beetgenomen,' zei Wendy met een lachje. 'Wedden dat ze nu linea recta naar een flappentap rijden zodat Alan Derek honderd pond kan geven om van de aardbodem te verdwijnen?'

'Wat heb je toch weinig vertrouwen in de mensheid,' zei ik terwijl ik haar tussen onze auto en een bemodderde Renault Espace doorloodste, die ernaast geparkeerd stond op Jocks oprit. Ik vroeg me even af waar de oude Mercedes zou zijn, voor ik begreep dat Jock, altijd een gevangene van de waarheid, hem verstopt had om zijn verhaaltje dat hij een XK8 in een garage had kracht bij te zetten.

E-mailcorrespondentie met Libby Garth, voorheen Libby Williams, woonachtig op Graham Road nr. 21 – gedateerd 1999

M.R.

Van: Libby Garth (liga@netcomuk.co)
Verzonden: 17 augustus 1999 20.17 uur
Aan: M. Ranelagh
Onderwerp: Re: afspraak vrijdag bij Jock

Lieve M – even snel voor ik wegvlieg om Amy bij een vriendinnetje op te halen. Jij zegt dat er al zoveel water naar de zee is gestroomd en dat niemand zich meer hoeft te generen, maar ik voel me VERSCHRIKKELIJK. Hoe kan ik jullie onder ogen komen, vooral jou en Jock? Ik weet dat je me gevraagd hebt niets uit te leggen of me ergens voor te verontschuldigen, maar ik vind het allemaal zo erg. EN HET SPIJT ME ZO! Echt, je moet me geloven, dat gedoetje tussen Sam en mij, vroeger – het was al hartstikke afgelopen voor jullie uit Engeland vertrokken.

Ik weet dat je die afspraak op vrijdag belangrijk vindt, maar ik kan het echt niet aan. Jij en Jock moeten toch erg overvallen zijn door Sams biecht na twintig jaar – jij vooral bent vast heel boos op me omdat ik zo gehuicheld heb. Je denkt waarschijnlijk dat ik net deed alsof toen ik je met Annie hielp, maar zo was het echt niet. Ik vond het fijn te helpen, en ik vond het nog fijner dat we nog steeds vriendinnen waren, ondanks alles. Weet je, ik heb mezelf laten geloven dat Sam het nooit zou vertellen – eerder omdat hij zo nauw bevriend met Jock is gebleven, geloof ik, dan omdat hij zou denken dat jij het niet aan zou kunnen – en het was niet zo dat het er erg toedeed <u>waar</u> hij precies die avond was, zolang hij en Jock maar toegaven dat ze Annie niet om 19.45 uur gezien hadden. De enige leugens die <u>ik</u> jou in al die tijd verkocht heb, hadden te maken met dat stomme alibi – ik wou bij god dat ik toentertijd eerlijk was geweest – maar het leek zo onbelangrijk vergeleken met de pijn die het jou zou doen als je hoorde dat wij een verhouding hadden gehad. Ik heb natuurlijk ongelijk, maar ik dacht dat het geen kwaad kon. Sam en Jock hadden duidelijk niets van doen met de dood van Annie – zoals ik je steeds gezegd heb – en ik wilde niet dat je een hekel aan me zou hebben.

Maar goed, als resultaat hiervan heb ik een verklaring opgeschreven, met de precieze tijden en bijzonderheden over alles wat er rond nummer

21 gebeurd is die avond – voorzover ik me dat nog herinner – en die stuur ik je hierbij toe. Je zult dan wel merken dat het overeenkomt met wat Jock en Sam zeggen. Ik zal uiteraard ook een formele verklaring afleggen, te zijner tijd. Ondertussen, heel veel liefs van mij, en ik hoop dat je dat nog steeds wilt aanvaarden.
Liefs,
L

PS. Afgezien van al het andere, kan ik de meisjes niet zomaar aan hun lot overlaten, en die goeie oude Jim zou bijzonder verontrust zijn als ik hem vertelde dat ik een afspraakje had met mijn ex-man! Hij zou willen weten waarom… en dan zou ik hem over Sam moeten vertellen… en dat ik mijn beste vriendin had bedrogen. Sorry, lieverd. Ik hoop dat je het begrijpt.

Libby Garth

Van: M.R. (mranelagh@jetscape.com)
Verzonden: 18 augustus 1999 12.42 uur
Aan: Libby Garth
Onderwerp: Re: vrijdag

Lieve Libby, ik heb je verklaring ontvangen en begrepen en je liefs aanvaard in de geest waarin het gegeven is! Geloof me, ik heb je hulp wat betreft Annies 'zaak' altijd gewaardeerd – ik zou niet half zo veel van haar ellendige buren weten als jij er niet was geweest! Helaas zitten er een paar tegenstrijdigheden in jouw verklaring ten opzichte van die van Sam – hij zegt bijvoorbeeld dat je de was deed toen hij bij je kwam, jij zegt dat je tv zat te kijken. Hij zegt ook dat je in bad was geweest voor hij kwam en jij zegt dat je stond te koken. Ik weet dat dat maar kleine dingetjes zijn – maar de verklaringen moeten echt met elkaar kloppen voor ik ze aan de politie geef. Je weet dat ik het niet zou vragen als het niet belangrijk was. En je hoeft je echt nergens zorgen over te maken. Jock en Sam hebben het bijgelegd, ze doen alleen nog een beetje afstandelijk en Sam en ik zijn een oud getrouwd stel: we zijn al zo lang samen, we zijn met elkaar vergroeid, doen geen stap zonder elkaar. Maar, als het je niet lukt hiernaartoe te komen omdat je de meisjes niet alleen kunt laten en je je zorgen maakt over Jim, dan kunnen wij drieën – en dat zullen we doen ook! – naar Leicester komen.

Liefs,
M

28

Ik had Jock gevraagd zijn voordeur op een kier te laten staan zodat Wendy en ik zonder te bellen naar binnen konden, en toen we door de gang naar de keuken liepen zag ik Libby voor ze mij zag. Ze zat op een stoel met een rechte rug, haar gezicht en profil, en ik had zo'n twee seconden om haar in me op te nemen voor het geluid van onze voetstappen haar van onze aanwezigheid op de hoogte zou stellen. *O, zoete wraak!* Weg was de vijfentwintigjarige opvallende brunette die dankbaar gebruik had gemaakt van haar gezicht en figuur, en in haar plaats zat een broodmagere vrouw met een puntige neus, een slappe kin en onlangs geverfd haar dat te donker was voor haar teint.

Wat ik me het best van haar herinnerde waren haar ongeduldige gebaren en haar pruillipje dat boekdelen had gesproken over haar frustratie met haar leven in 1978, en het was grappig te zien dat ze die nog steeds had. In feite gaf haar gezichtsuitdrukking aan dat, hoeveel water er ook naar zee was gespoeld, het zich alleen maar achter een kwetsbare dijk had opgehoopt... en die dijk stond op het punt te breken.

'Nu ben ik het zat,' zei ze net, terwijl ze kwaad op haar horloge wees terwijl Wendy en ik door de gang liepen. 'Ze heeft half een gezegd, en als ze er binnen vijf minuten niet is...'

Ze zweeg toen Sam en Jock opgelucht opkeken naar Wendy en mij in de deuropening.

'Hoi, Libby,' zei ik met een glimlach. 'Wat zie jij er goed uit.'

Ze bekeek me van top tot teen, zoals ik dat bij haar had gedaan, maar beantwoordde mijn glimlach niet. 'Je bent te laat,' zei ze snel.

Misschien had ik verrast moeten zijn door haar gebrek aan hartelijkheid na al die brieven en e-mails die ze door de jaren heen gestuurd had, waarin ze blijk gaf van haar steun, haar vriendschap en... *liefde*... maar dat was ik niet. Haar kunstmatige vriendschap bestond alleen op voorwaarde dat ik niets van haar affaire met Sam geweten had, want daardoor was ik de sukkel. Maar Sam en Jock hadden haar kennelijk verteld, zoals ik hun gevraagd had, dat ik er vanaf mijn eerste brief aan haar van op de hoogte was geweest – en daarmee werd zij de sukkel. En dat was het enige wat ze nooit had kunnen verdragen... dat ze voor gek stond.

'Dat weet ik, sorry,' zei ik opgewekt. 'Het duurde langer dan ik dacht. Ken je Wendy Stanhope nog, de vrouw van de dominee? Wendy... Libby... Jock... Sam.' Ik trok mijn wenkbrauwen vragend op naar de mannen die opstonden om Wendy de hand te schudden. 'Hebben jullie die broodjes nog gehaald? We rammelen!'

Jock trok zwierig de ijskast open. 'Hier zijn ze,' zei hij terwijl hij borden op tafel zette en een fles gekoelde Chardonnay aan Sam gaf.

'We hebben uit betrouwbare bron vernomen dat je dit het liefst drinkt,' zei Sam terwijl hij een glas inschonk en het aan Wendy gaf. 'Je hebt het wel verdiend, vind je niet?'

Ze giechelde gelukkig terwijl ze een grote teug nam. 'Welnee! Ik zong niet meer dan een achtergrondpartij bij je vrouws schitterende coloratuur. Ben je niet trots op haar, Sam?'

'Absoluut,' zei hij terwijl hij me een glas gaf voor hij Wendy naar een stoel leidde. 'En mooi is ze ook, toch?' Hij knipoogde even naar me. 'Nog net zo mooi als op onze trouwdag.'

Ik zag de mondhoeken van Libby naar beneden trekken terwijl ze bedankte voor het glas dat Sam haar probeerde aan te bieden en ik vroeg me af hoeveel ze nog zou verdragen voor ze haar lange nagels in mijn wang zou slaan. 'Ik moet nog rijden,' zei ze kortaf.

'Wat vind je van Jocks baard?' vroeg ik terwijl ik met mijn rug tegen het aanrecht leunde vanwaar ik haar kon bekijken. 'Staat hem goed, vind je niet?'

'Ze vindt hem verschrikkelijk,' zei Jock terwijl hij eroverheen streek. 'Ze zegt dat ik er slonzig mee uitzie.'

Libby lachte geïrriteerd. 'We hebben het allemaal al gehad... Ook Sams kaalheid... Dorchester... Leicester... het weer...' Ze trommelde ongeduldig met haar vingers op tafel. 'Je hebt *beloofd* dat je er om half een zou zijn, zodat ik voor de vrijdagspits weer op de autoweg zit,' zei ze kribbig. 'Je *wist* dat ik thuis wil zijn voor Jim komt.'

'Bel hem dan en zeg dat je later komt,' zei ik nuchter.

'Dat hebben wij ook al gezegd,' mompelde Jock.

'Dat kan niet. Ik wil niet dat hij weet dat ik de meisjes alleen heb gelaten.'

'Hadden ze dan niet bij vriendinnetjes kunnen spelen?'

'Dan waren er vragen gesteld,' snauwde ze. 'En ik had geen zin om uit te moeten leggen waarom deze belachelijke bijeenkomst nodig is. Kunnen we nu opschieten?'

Ik negeerde haar verzoek. 'Dan had je ons naar Leicester moeten laten komen,' zei ik vals.

O help, als blikken konden doden...

'Het is toch niet zo dat Jock oude rechten wil doen gelden,' ging ik door, terwijl ik zijn hand pakte en hem zachtjes op en neer zwaaide. Zo versterkte ik ons verbond en stelde mijn troepen op. 'Hij ziet ze graag wat jonger en blonder, vandaag de dag.'

Jock proestte het uit. 'Daar heb je gelijk in,' zei hij onaardig. 'En aan trouwen denk ik niet meer. Die fout maak ik niet nog eens.'

Het was wreed, maar ik voelde me er niet schuldig om. Als ik toentertijd van hun verhouding had geweten, had ik de glimlach van haar gezicht geranseld voor ik de ballen van mijn man aan de muur had gespijkerd. Maar vertraagde wraak geeft net zoveel voldoening. Ik wist zeker dat ze er knettergek van werd om over koetjes en kalfjes te praten met haar ex-minnaars – ze was er te ongeduldig en te egoïstisch voor – en Sam noch Jock kon met een gefrustreerde vrouw omgaan. In het verleden waren ze daar al hopeloos in mislukt, en ik nam niet aan dat er ondertussen veel veranderd was.

Ze kneep haar lippen samen. 'Het gaat helemaal niet om Jock,' zei ze stijfjes. 'Jim vindt Amy te jong om op haar zusjes te passen, maar dat is ze niet, ze is bijna veertien.'

'Dat is niet meer dan normaal,' zei Wendy langs haar neus weg. Ze stak haar lange vingers als een tang uit naar een broodje tonijnkomkommer. 'Een leeg nest en hongerige kinderen geeft het mannetje het idee dat z'n wijfje uitgevlogen is.' Ze glimlachte naar Libby. 'Ik denk dat hij het al eens eerder leeg aangetroffen heeft, niet?'

In de stilte die volgde, wierp Libby een dodelijke blik op Wendy, die een hap van haar broodje nam. De rest van het gezelschap begroef zijn neus in zijn wijnglas. Eerlijk gezegd verbaasde het mij niets dat ze het spel nog steeds speelde, maar het schokte de mannen die allebei zo naïef waren aan te nemen dat haar gepassioneerde aard getemd kon worden door het moederschap en een carrière. Ze bogen hun hoofd en tuurden naar hun voeten, en het was zo'n perfect voorbeeld van de dubbele moraal die nog steeds tussen man en vrouw gehanteerd wordt, dat ik in mezelf moest lachen.

Natuurlijk zag Libby dat. Ik was haar enige echte vijand en daarom richtte haar aandacht zich uiteraard vooral op mij. Ze steigerde direct. 'Jij denkt dat je alles weet, hè?' snauwde ze.

'Nee,' prevelde ik. 'Ik heb jou volkomen fout ingeschat. Ik dacht dat je meer gevoel voor eigenwaarde had dan dat je achter de mannen van anderen aan loopt.'

'Toe zeg,' zei ze vernietigend. 'Als er iemand ergens achteraan liep, was het Sam wel. Je had eens moeten zien hoe snel die zijn broek openritste toen hij de kans kreeg. Of is dat vergeten en vergeven nadat hij twintig jaar jouw neergeslagen blikken en gekwetste trots heeft moeten verduren?'

Sam deed kwaad een stap naar voren maar ik schudde mijn hoofd naar hem. Dit was mijn gevecht en ik had er lang genoeg op gewacht. 'Als je een wedstrijd moddergooien wilt, Libby, doe ik je graag een plezier… Sam en Jock ook, denk ik… maar als je zo graag weg wilt, dan stel ik voor dat we die verklaringen even uitzoeken.'

Ze vond het verschrikkelijk dat ze zo zwak stond, maar ze was zo verstandig een lachje te produceren. 'Prima. Wat wil je weten?'

'Wat is de juiste versie: was je net in bad geweest en bezig met de was, toen Sam kwam? Of had je net gekookt en zat je tv te kijken?'

Ze schudde overtuigend onthutst haar hoofd. 'Ik weet het echt niet meer,' zei ze langzaam. 'Het is zo lang geleden, ik ben de bijzonderheden vergeten. Ik heb gewoon opgeschreven wat ik gewoonlijk rond die tijd deed – koken en dan naar het nieuws kijken, maar als Sam het zeker weet…?' Ze onderbrak zichzelf en keek hem aan. 'Weet je het allemaal nog zo goed?'

'Ja.'

Het korte, ondubbelzinnige antwoord bracht haar van haar stuk. 'Maar waarom? Het was toch niet de enige keer dat je bij mij kwam op zoek naar seks.'

'Nee,' zei hij, 'maar het was de *laatste* keer… en ik had je die middag over de telefoon gezegd dat het de laatste keer zou zijn. Ik zei dat ik met je wilde praten over dat we er een punt achter moesten zetten zonder alles om ons heen kapot te maken… en ik was woedend toen je direct je armen om me heen sloeg en zei dat je ter ere van mij een bad had genomen en dat je de lakens waste om onze vuile te kunnen vervangen voor Jock thuiskwam. Dat kun je toch niet vergeten zijn, Libby? Je zei dat je bang voor me was omdat ik zei dat ik je iets zou doen als je me niet onmiddellijk los zou laten.'

Ze lachte eventjes. 'O… als je het zo wilt spelen… mij best. Wat doet het er trouwens toe wat ik deed?' Ze keek weer naar mij. 'We houden Sams versie aan. Zo goed?'

Ik knikte.

'Dan ben je dom.'

'Misschien.' Ik sloeg mijn armen over elkaar en keek naar de punt van mijn schoen, ik had geen haast verder te gaan.

'Was dat alles?' vroeg ze verontwaardigd. 'Moest ik dat hele eind rijden zodat jij je wat lekkerder kon voelen over het vreemdgaan van je man?'

'Niet helemaal,' zei ik zonder rancune. 'We hebben nog een groot vraagteken staan achter het tijdstip waarop Sam bij je aankwam. Hij zegt kwart voor acht, jij zegt half zeven.'

Ze fronste haar wenkbrauwen, alsof ze haar best deed het zich te herinneren. 'Oké, deel het verschil maar doormidden,' zei ze behulpzaam. 'Maak er zeven uur van. We kunnen geen van beiden meer zo nauwkeurig zijn na twintig jaar.'

'Sam wel,' zei ik vriendelijk. 'Hij heeft zijn timing wat preciezer uitgewerkt dan jij... hij kan onmogelijk voor kwart voor acht bij je geweest zijn. Als je de wandeling van zijn kantoor naar de metro optelt bij de gemiddelde tijd dat die erover doet, plus dan nog de wandeling van station Richmond naar Graham Road, dan kan hij daar onmogelijk korter over gedaan hebben dan een uur en een kwartier. Dat betekent dat we het eens moeten worden over kwart voor acht, want hij is pas om half zeven van zijn werk weggegaan.'

Haar handen bewogen ongeduldig in haar schoot. 'Hoe weet jij dat? Waarom zou Sam zich beter herinneren hoe laat hij van kantoor ging dan ik hoe laat hij bij mij kwam?'

'Omdat ik helemaal niet op zijn geheugen afga,' zei ik. 'Ik was zo achterdochtig nadat hij en Jock hun verklaringen hadden afgelegd, dat ik het nagetrokken heb bij zijn werk. Ik hoopte dat ik zou kunnen bewijzen dat hij loog over de tijd dat hij Graham Road bereikte omdat ik wist dat de man van de beveiliging daar iedereen aan het eind van de dag klokt om er zeker van te zijn dat het gebouw leeg is voor hij afsluit. Ik heb hem overgehaald mij een kopie van zijn aantekeningen van 14-11-'78 te geven.' Ik knikte naar de rugzak aan mijn voeten. 'Daarin. Achter Sams naam staat 18.30 uur.'

Ze keek ogenblikkelijk naar de tas, maar ze zei niets.

'Dus dan zijn we het eens dat Sam om kwart voor acht aankwam?' herhaalde ik.

Ze maakte een wegwerpgebaar. 'Ik begrijp niet wat het uitmaakt. We hebben alleen maar gepraat.'

'Ja, dat zeggen jullie allebei. Jij zegt dat jullie tweeënhalf uur gepraat hebben, hij zegt een uur.'

Ze haalde haar schouders op. 'Ik heb het niet precies bijgehouden.'

'Maar jullie zijn het ook oneens over hoe het gesprek ging. Sam zegt dat hij jou een ultimatum heeft gesteld... of jullie zouden de verhouding verbreken, of hij zou mij die avond alles opbiechten. Jij zegt dat jij degene was die het ultimatum stelde.'

Ze wierp een boosaardige blik in Sams richting. 'Hij kan moeilijk wat anders zeggen,' zei ze, 'niet als hij wil dat jij gelooft dat ik me op hem stortte toen hij binnenkwam.'

Ik glimlachte zachtjes. 'Maar daar gaat het nu juist om, Libby. Na de voorstelling waar je hem bij zijn aankomst op vergastte, dacht Sam dat je dwars zou gaan liggen... maar dat deed je niet. Je zei dat je hem met rust zou laten... dat je niet meer voor zijn kantoor zou wachten... dat je geen beslag meer op zijn tijd zou leggen... en dat het enige wat je terug verwachtte, *quid pro quo*, was dat hij zijn mond zou houden zodat Jock geen reden zou hebben van je te scheiden.'

'Wat toch suggereert dat ik het ultimatum stelde, niet?'

'Als dat zo was, waarom stond Sam dan te trappelen om dat ultimatum te aanvaarden?'

Haar ogen knepen achterdochtig samen, alsof ze probeerde te begrijpen waar ik heen wilde. 'Waarom denk je dat hij stond te trappelen?'

Ik haalde mijn schouders op. 'Omdat hij direct zijn handtekening heeft gezet onder het alibi dat jij in elkaar geknutseld had. Hij vond het zelfs niet erg Jock erbij te betrekken, als hij maar van jou afstand kon nemen. Niet dat jouw man dat erg vond,' zei ik met een spottende blik op Jock, 'want die wilde niet dat zijn dinsdagavondjes met Sharon aan de grote klok werden gehangen. Maar waarom zou *Sam* erin meegaan, tenzij hij er iets bij te winnen had? Hij had allerlei redenen kunnen geven waarom hij die avond in jouw huis was – allemaal even aannemelijk. Bijvoorbeeld dat hij op zoek was naar Jock, om maar eens wat te noemen.'

'Waarom vraag je mij dat?' zei ze. 'Sam is degene die gelogen heeft. Ik heb niet meer dan de waarheid verteld: dat ik de hele avond thuis was, en op mijn man heb zitten wachten. En ik hoefde helemaal niet te zeggen dat ik alleen was geweest, want de politie nam dat vanzelf aan. Ik ben er niet voor verantwoordelijk dat Sam heeft besloten een verklaring te tekenen waarin hij zei dat hij bij jullie was terwijl dat niet zo was.'

'Behalve dat hij zegt dat jij hem geen keus hebt gelaten. Volgens hem heb jij hem de volgende dag op zijn kantoor gebeld om te zeggen dat de politie aan het rondvragen was wat iedereen de vorige avond deed omdat ze op zoek waren naar mensen die Annie hadden gezien. Je hebt hem toen verteld dat jij hem zou helpen door te zeggen dat hij en Jock bij ons waren geweest, van kwart voor acht af, en dat hij Jock moest overhalen dat verhaal te steunen. Jij zei dat ik nooit zou vermoeden dat hij bij jou was geweest als jouw man hem een alibi gaf. En je had gelijk. Ik vermoedde het ook niet.'

'Ik neem aan dat dit Sams versie is,' zei ze sarcastisch.

'Ja.'

Ze keek weer naar mijn rugzak. 'En je hebt geen verklaring van een beïnvloedbare telefoniste om dat verhaal te ondersteunen?'

'Nee.'

'Dan mag je geloven wat je wilt, en de politie mag geloven wat zij willen,' zei ze onverschillig. 'Het is logisch dat Sam er zijn eigen draai aan geeft, dat is niet meer dan menselijk, maar hij liegt en ik niet. En ik laat me de schuld van zijn meineed niet in de schoenen schuiven.'

Ik knikte alsof ik het met haar eens was. 'Dat is redelijk, maar je moet je wel voorbereiden op vragen van de politie over wie wat en wanneer voorstelde, omdat in Sams herziene verklaring staat dat alle ideeën van jou kwamen – vooral dat hij en Jock Annie zogenaamd om kwart voor acht hadden gezien.' Ik trok vragend mijn wenkbrauw op. 'Volgens Sam was dat jouw idee. Jij zei hem dat de politie bewijzen wilden dat ze eerder op die avond al over straat wankelde, en als hij hun die zou geven, dan zouden ze het voor een ongeluk houden en waren jullie van al dat gedoe af.'

Ik loog natuurlijk – Sam had me zelf gezegd dat hij Annie alleen in zijn verklaring genoemd had omdat hij zich uit de nesten moest werken waar hij zich in gewerkt had door mij te zeggen dat ze dronken was – maar Libby had het monopolie niet op verzinsels en het was fascinerend om te zien hoe vlug ze haar zelfbeheersing verloor nu ze beschuldigd werd van iets dat ze niet gedaan had. Op de een of andere manier deed ze me akelig veel aan Maureen denken, zoals ze siste en om zich heen spuugde in haar woedende ontkenningen. We waren allemaal klootzakken... wij met z'n allen tegen haar omdat we haar niet aardig vonden... we deden voorkomen alsof Sam het slachtoffer was... we probeerden haar alle schuld in de schoenen te schuiven...

'Waarom zou ik zoiets stoms voorstellen?' besloot ze haar tirade. 'Stel dat de politie Sam en Jock niet geloofd had? Stel dat we allemaal hadden moeten vertellen wat we die avond werkelijk deden? Waarom zou ik hem gezegd hebben dat hij moest zeggen dat hij Annie gezien zou hebben voor het enige moment van die avond waarop we allebei een waterdicht alibi hadden? Belachelijk! Ze zouden denken dat we in een complot zaten om de verdenking van onszelf af te leiden. Ik zou mezelf nooit met zoiets onnodigs opzadelen.'

Ik bekeek haar even aandachtig. 'Maar waarom zou je je druk maken over een complot?' vroeg ik nieuwsgierig. 'Het enige wat je toch wist toen je Sam de volgende ochtend belde was dat Annie om half tien bij ons voor de deur gestorven was? Waarom is het dan stom en onnodig het over haar te hebben?'

Ze herstelde zich direct. 'Sam zei me dat jij beweerde dat het moord was.'

Sam reageerde fel. 'Dat is niet zo,'zei hij. 'Ik schaamde me zo dat ik die arme vrouw in de goot had laten liggen, dat ik het hele onderwerp zoveel mogelijk meed. Het enige waar jij en ik het die ochtend over hebben gehad was hoe we konden vermijden te zeggen dat ik bij jou was geweest.'

Ze lachte grimmig. 'Misschien is het dan wel achterafgepraat van me, maar op het ogenblik gaat het hier helemaal niet om. Jij beschuldigt mij ervan dat ik een absurde leugen heb verzonnen, terwijl iedereen die de aandacht op zichzelf vestigde door te zeggen dat hij Annie die avond had gezien, toch getikt moest zijn... vooral als je probeerde een verhouding geheim te houden. Jij was misschien zo getikt, Sam, maar ik niet.'

'Dat klopt,' zei ik voor Sam weer kon losbarsten. 'Ik heb het altijd heel slim van je gevonden dat je je verhaal zo eenvoudig hebt gehouden, hebt beweerd dat je helemaal nergens van wist, en geen enkele moeite hebt gedaan een alibi te geven. Het enige wat je hoefde te zeggen was: Ik kan jullie niet helpen... Ik was vanaf vijf uur alleen thuis... ik heb niets gehoord... niets gezien... ben nergens heen gegaan... Je kon dat herhalen tot je scheel zag, want er was niemand die je kon tegenspreken behalve Sam. En toen je hem het zwijgen had opgelegd, was je veilig, omdat *als* de politie je op een leugen betrapt had, je je schouders had opgehaald en gezegd dat je alleen maar je best deed de verhouding geheim te houden.'

'Ik had geen alibi nodig,' zei ze.

'Nee, maar alleen omdat niemand je om half zeven met Annie heeft gezien. Ik denk dat je haar toevallig op straat tegenkwam en dat ze je weer "vuile slet" begon te noemen. Maar waarom moest je eigenlijk de straat op, Libby? Wat wilde je? Ging je drank halen in de hoop Sam in een betere stemming te brengen? Of misschien had je zelf wat nodig omdat je razend was omdat je aan de dijk was gezet. Werd je daarom zo snel kwaad op Annie? Omdat je boos was dat Sam je duidelijk had gemaakt dat hij liever bij zijn vrouw bleef dan de dekhengst te zijn van een verveelde slet die de puf niet had om van haar rug af te komen en een eigen identiteit te zoeken waarbij ze geen mannen nodig had? Waarom bleef je niet in dat smerige bed van je liggen huilen om je eigen tekortkomingen in plaats van dat je Annie vermoordde omdat ze je erop durfde te wijzen?'

Voorzichtigheid streek haar gezicht glad, veranderde het in het masker dat ze zo vaak had opgezet. 'Doe niet zo belachelijk,' zei ze. 'Wat heeft half zeven ermee te maken?'

Ik haalde een print-out van haar gemailde verklaring uit mijn zak. 'Dat is de tijd die je hier vermeldt, dus waarschijnlijk is het belangrijk.'

Ze maakte weer een geringschattend gebaar. 'Ik heb toch al gezegd dat ik Sams versie volg, niet de mijne. Ga je me voor een vergissinkje aan het kruis nagelen?'

'De grootste vergissing was dat je een bad hebt genomen en je kleren bent gaan wassen,' zei ik. 'Maar ik neem aan dat er bloed van haar op je zat. De post-mortemfoto's laten zien dat je als een krankzinnige op haar ingeslagen hebt.'

'O, mijn hemel,' zei ze vermoeid. 'Ik ging ervan uit dat Sam en ik met elkaar naar bed zouden gaan, dus natuurlijk ging ik in bad. En ik was mijn kleren niet aan het wassen, het waren de lakens.'

Ik tikte op de e-mail. 'Waarom heb je dat hier dan niet opgeschreven? Waarom doe je net of het anders was?'

Ze slaagde erin geloofwaardig te lachen. 'Omdat ik het vergeten was. Trouwens, ik had Sam nooit binnengelaten als ik iets te verbergen had gehad.'

'Nee, dat kon je je niet permitteren. Hij had al over de telefoon tegen je gezegd dat hij die avond alles aan mij zou opbiechten als jij er niet mee in zou stemmen het uit te maken.'

'Het was toch al uit. Wat kon mij dat nog schelen?'

Ik keek naar Sam. 'Omdat je bang was dat hij mij zou vertellen dat Annie van de verhouding wist. Hij zegt dat ze je altijd op straat lastigviel en je een "vuile slet" noemde.' Ik tikte de rugzak met mijn teen aan. 'Ik heb hier een brief van Michael Percy, waarin staat dat je met je boodschappentas naar haar uithaalde en languit op de grond belandde. En je wilde natuurlijk niet dat ik jou op mijn lijstje met mensen met een wrok tegen Annie zette,' besloot ik mijn relaas. 'Niet als je haar net voor dood in haar huis had achtergelaten.'

'Ik heb nooit een voet in die vuilnisbelt gezet,' zei ze opvallend beheerst. 'Toen niet en nooit niet.'

'O ja, dat heb je wel gedaan,' zei ik. 'Je bent vlak achter haar gaan staan toen ze haar deur van het slot deed omdat ze het lef had gehad je uit te schelden voor wat je was: een goedkope slet.' Ik haalde de foto van de koperen granaathuls in de zitkamer van Beth Slater uit mijn zak. 'Heb je deze gebruikt?' vroeg ik terwijl ik hem haar liet zien. 'Dit is het eerste wat voor handen was, want hij stond bij Annie in de gang. Wat heb je gedaan? De pauwenveren eruit gerukt en hem met twee handen opgetild en op haar achterhoofd laten neerkomen zodat ze op de vloer van haar zitkamer in elkaar zakte? En toen? Ging je toen volkomen door het lint en heb je haar geslagen en geschopt tot ze buiten bewustzijn raakte? Droom je daar nog wel eens van, Libby? Word je niet zwetend wakker iedere keer als je er weer aan denkt?'

Ze stond plotseling op, haar stoel viel om. 'Hier hoef ik niet naar te luisteren,' zei ze terwijl ze haar handtas greep.

Sam hief zijn hoofd. 'Ik ben bang van wel,' zei hij op verrassend zachte toon, 'omdat het niet weggaat, Libby. Dit keer niet. Niemand gaat je leugens meer staven.'

Ze draaide zich om om hem aan te kijken. 'Ik heb niet gelogen, Sam. Niet opzettelijk in ieder geval. Dat weet je... en Jock ook.'

Hij keek haar even aan. 'Je hebt Jock ingefluisterd dat hij mij moest zeggen dat hoofdagent Drury in mijn huis aan zijn gerief kwam. Was dat dan geen leugen?'

Ze wierp een triomfantelijke blik op mij. 'Natuurlijk niet. Iedereen met maar een greintje verstand kon zien wat er gaande was. Jouw probleem is dat je zelf barst van het schuldgevoel, en daarom neem je aan dat alles wat die kleine huichelaarster zegt waar is. Maar waarom zou zij trouwer zijn geweest dan jij?'

Het bleef even stil voor mijn man antwoordde. Ik voelde zijn hand in de mijne sluipen en ik voelde hem trillen, maar of dat was van afkeer jegens Libby of jegens hemzelf, wist ik niet. 'Zij gelooft erin woord te houden,' zei hij eenvoudig. 'In tegenstelling tot jij en ik, Libby, die het onze braken zodra het ons te pas kwam.'

Mijn vriendin van vroeger wierp nogmaals een blik op me, dit keer vol walging. 'Wat een kleuter ben je toch, Sam,' zei ze scherp. 'Weet je nou nog steeds niet hoe wraakgierig ze is? Ze heeft het me altijd betaald willen zetten dat ik jou heb ingepikt... zelfs als dat betekent dat ze me van moord moet beschuldigen...'

Correspondentie met de Londense politie – gedateerd 1999

Van het kantoor van de commissaris en chef van
Metropolitan Police New Scotland Yard

Mevrouw M. Ranelagh
Leavenham Farm
Leavenham
Bij Dorchester
Dorset DT2 XXY

5 oktober 1999

Aangaande: de dood van Ann Butts, Graham Road, Richmond 14.11.78

Geachte mevrouw Ranelagh,

De commissaris heeft me gevraagd u te informeren over de stand van zaken aangaande de hierboven genoemde zaak. Ik kan u meedelen dat we met iedereen gesproken hebben, met uitzondering van de heer Derek Slater, wiens huidige verblijfplaats onbekend is.

Ik mag u ook zeggen dat uit deze gesprekken de volgende tenlasteleggingen zijn voortgekomen. De heer Alan Slater, inbraak op Graham Road nr. 30 op of rond 02.00 op 15.11.78. De heer Alan Slater en de heer Michael Percy – aanranding en het toebrengen van lichamelijk letsel aan juffrouw Butts, om of omstreeks 20.30 uur op 14.11.78. Mevrouw Maureen Slater – verkoop van gestolen goederen aan Smith Alder, juweliers, Chiswick, tussen 06.06.79 en 10.11.79. Bovendien onderzoeken inspecteurs van de dierenbescherming de kwestie van de dierenmishandeling, hoewel het waarschijnlijk niet tot een vervolging zal komen, omdat juffrouw Butts vrijwel zeker aan het leed van de dieren heeft bijgedragen doordat ze verzuimd heeft de incidenten te melden of hulp van een dierenarts in te roepen

De commissaris beseft dat deze tenlasteleggingen niet aan uw verwachtingen zullen beantwoorden. Hij vraagt mij u eraan te herinneren dat de bewijslast in het strafrecht zwaar is, en dat die niet vergemakkelijkt wordt als er zoveel tijd verstreken is. De enige reden waarom we überhaupt tot tenlasteleggingen hebben kunnen komen, is omdat de heren Alan Slater en Michael Percy en mevrouw Bridget Percy hun volledige medewerking hebben verleend aan het onderzoek. Mevrouw Maureen Slater, de heer James Drury en mevrouw Libby Garth hebben die medewerking niet verleend en ontkennen alle beschuldigingen aan hun adres.

De heer Drury weerlegt uw beschuldiging dat hij na de dood van juffrouw Butts gestolen goederen heeft gezien in het huis van mevrouw Slater. Hij weerlegt eveneens de suggestie dat hij zich heeft laten omkopen door mevrouw Slater om 'even een andere kant uit te kijken'. Zonder de bevestiging van mevrouw Slater dat deze beschuldigingen inderdaad op waarheid berusten, zijn er geen bewijzen dat meneer Drury nalatig is geweest door het huis van juffrouw Butts niet als een 'plaats delict' aan te merken. Mevrouw Slater ontkent categorisch dat ze ooit tegen u gezegd zou hebben dat de heer Drury zich heeft laten omkopen en ontkent bovendien ooit iets met hem te hebben afgesproken, hetzij ten tijde van het oorspronkelijke onderzoek, hetzij recent.

Mevrouw Slater ontkent eveneens dat ze van tevoren van de misdaden wist die door haar zoon en echtgenoot zijn begaan. Ze geeft toe dat ze achteraf van de inbraak gehoord heeft maar beweert dat de goederen door haar echtgenoot en zoon zijn meegenomen en vervolgens in het huis van de heer Alan Slater neergezet, waar u ze gefotografeerd hebt. Ze ontkent eveneens dat ze de vrouw is die de ringen in Chiswick verkocht heeft. Het is onwaarschijnlijk dat de bewering van de heer Alan Slater dat zijn moeder de inbraak had 'opgedragen' een kruisverhoor zal doorstaan omdat er tijdens zijn proces in 1980 al over hem is gezegd dat hij 'geneigd was de schuld van zijn ergste excessen op zijn moeder af te schuiven'. Deze gegevens zijn openbaar en mevrouw Slater heeft ze regelmatig aangehaald ter verdediging van zichzelf gedurende ondervragingen. Het onderzoek naar hoe ze in staat was Graham Road nr. 30 te kopen, is nog lopende. Tot nu toe zijn er geen bewijzen om haar bewering dat ze het geld bij de voetbalpool gewonnen heeft, te ontzenuwen, aangezien de gegevens daarvan na een paar jaar worden vernietigd.

Mevrouw Libby Garth is verscheidene malen ondervraagd en wijst alle aantijgingen als dat zij betrokken zou zijn bij de dood van juffrouw Butts van de hand en eveneens dat ze u heeft bestookt met telefoontjes en anonieme brieven. Ook ontkent ze alle betrokkenheid bij dierenmishandeling. Ze ontkent dat de gesprekken om u te 'steunen' na de dood van juffrouw Butts in werkelijkheid 'onderzoekingstochten' waren om erachter te komen hoeveel u wist en of uw echtgenoot al aan zijn alibi begon te tornen. Ze ontkent geweten te hebben van het getreiter door de Slaters van juffrouw Butts in de maanden voorafgaande aan haar dood, en wijst ten enenmale van de hand dat ze u op dezelfde wijze heeft getreiterd om: 1) uw verdenkingen op de Slaters te richten 2) om een wig tussen u en uw echtgenoot te drijven.

Tot slot: de commissaris heeft mij gevraagd u te zeggen dat het dossier over de dood van juffrouw Butts geopend blijft, hoewel het, met het materiaal dat er nu ligt, twijfelachtig is of het Openbaar Ministerie ertoe over zal gaan mevrouw Garth voor de moord op juffrouw Butts te vervolgen.

Hoogachtend,

Alisdair Fielding

Uit naam van: de commissaris en chef van Metropolitan Police.

Leavenham Farm
Leavenham
Bij Dorchester
Dorset DT2 XXY

Alisdair Fielding
Bureau van de commissaris en chef van Metropolitan Police,
Londen
New Scotland Yard

7 oktober 1999

Geachte Alisdair Fielding,

Zou u zo vriendelijk willen zijn de commissaris te willen zeggen dat de tenlasteleggingen genoemd in uw brief mij niet alleen teleurstellen, maar dat ik er al drie voorzien had toen ik Alan Slater en Michael Percy aanmoedigde eerlijk te zijn tegenover de politie. Beide mannen waren veertien in 1978 en daarom komt een tenlastelegging nu op weinig meer neer dan een technische formaliteit, tenzij u van plan bent ze als volwassenen voor een jeugdrechtbank te dagen. De tenlastelegging jegens Maureen Slater heeft eveneens geen waarde, want die is afhankelijk van haar identificatie door de juwelier, twintig jaar na dato.

Ik neem aan dat de commissaris deze tenlasteleggingen als fopspeen aanbiedt om me een paar maanden zoet te houden terwijl de politie nog enige tijd voor de schijn de moord op Ann Butts onderzoekt. Als dat zo is, dan heeft hij zwaar onderschat hoeveel er mij aan gelegen is dat Ann Butts recht zal geschieden. Ik herhaal wat ik aan het begin van het rapport schreef dat ik u in september voorlegde: Ann Butts is vermoord omdat geduld is dat een schrikbewind van rassenhaat en minachting voor gehandicapten in Graham Road voortwoekerde.

Ik ben niet van plan dit te laten rusten. Tenzij u binnen een week met wat positiever nieuws komt, zal ik de pers benaderen.

Met vriendelijke groet,

M. Ranelagh

Epiloog

De herfst was onrustig in Dorset, met zuidwestenwinden die vanaf het Kanaal kwamen aanbulderen en de boomtoppen rond de boerderij deden zwiepen in een woeste dans. Sam en ik waren dagen bezig de bladeren bij elkaar te harken tot roodbruine bergen, die direct weer uiteengeblazen werden als de wind weer aanwakkerde, maar dat maakte niets uit. Het was zo lang geleden dat we genoten hadden van de najaarskleuren van een Engelse herfst dat alleen al het buiten zijn ons tevreden stemde.

De jongens begonnen aan hun leven op een plaatselijk college om zich voor te bereiden op de universiteit voor het volgend jaar. Ze waren ouder dan hun jaargenoten, vooral Luke, maar ze wilden liever een jaar wennen in Engeland dan direct de sprong in het diepe nemen. Sam en ik vonden dat ook prettiger. We waren er nog niet klaar voor hen hun eigen weg te zien gaan, terwijl wij nog steeds probeerden onze basis te vinden. Af en toe kreeg ik het benauwd als ik eraan dacht dat we al ons geld in de boerderij hadden gestopt. Zou het dak eraf waaien voor we tijd hadden het te repareren? Rotten de balken onder de vloer zo hard weg als het leek? Maar Sam was niet te houden en gaf ons allemaal vertrouwen.

Mijn vader nam de jongens in de herfstvakantie mee naar de Schotse Hooglanden om ze de sfeer van het echte vaderland van de Ranelaghs op te laten snuiven en in ruil hadden Sam en ik mijn moeder te logeren. Mijn vaders enigszins machiavellistische opzet was dat we elkaar een beetje beter zouden leren kennen – en dat is ook wel enigszins gebeurd, omdat moeder zich weer eens ouderwets bemoeide met Sams renovatiewerkzaamheden en mij vertelde dat mijn smaak wat betreft gordijnen vreselijk was.

Ik zou overdrijven als ik zei dat onze verstandhouding verbeterde. Het patroon dat zo lang tussen ons had bestaan, van concurrentie en wederzijdse kritiek, kon niet zomaar verdwijnen. Ik bleef een ongeschikte echtgenote voor Sam, ik hield geen rekening met zijn hartinfarct, ik moedigde hem aan te veel te doen, ik kookte niet op tijd voor hem... en de jongens, hoewel ze er niet waren, waren nog steeds te vrij en gemakkelijk in hun manieren, en hun haar moest geknipt worden. Wat haar betreft... tja... ze zou altijd de touwtjes in handen willen hebben, raad geven terwijl niemand daarom vroeg en over iedereen de baas spelen, terwijl ze deed of ze een martelaar was. Maar de vlam vloog toch wat minder vaak in de pan, dus misschien boekten we vooruitgang.

Ze was nog steeds een beetje jaloers op Wendy Stanhope, die vaker bij ons langskwam dan zij. Ik heb ze een keer aan elkaar voorgesteld, maar dat was een vergissing. Ze leken te veel op elkaar, allebei vrouwen met een sterke wil en vastomlijnde ideeën, en er was weinig kans dat hun denkwijze ooit overeen zou komen. Wendy bewonderde jeugd en wilde die ruimte geven, terwijl mijn moeder die alleen wilde grijpen en temmen. Wendy zou nooit zo onbeleefd zijn dat ze na afloop commentaar zou geven, maar moeder kende dat soort bedenkingen niet en zei me dat het haar niets verbaasde dat die dwaze vrouw de gewoonte had op kliffen te staan schreeuwen. Waarom? vroeg ik. Omdat ze niet in staat is vrienden te maken onder haar leeftijdgenoten, was het stekelige antwoord.

Een van de redenen van Wendy's frequente bezoekjes was dat ze Michael in de gevangenis bezocht en dan doorreed naar Bournemouth, naar Bridget. Wendy en ik maakten het eerste reisje samen, maar daarna ging ze alleen. Tussendoor bezocht ik Michael zelf. Ik vroeg hem eens of hij dacht dat Wendy hem nog steeds wilde adopteren. Hij grijnsde en zei dat ze hem vandaag de dag alleen nog maar de les las, omdat ze haar affectie op Bridget had overgebracht en zich als zijn schoonmoeder gedroeg. Was dat goed of slecht, vroeg ik. Goed, zei hij. Het zou moeilijker zijn zijn vrouw in de toekomst opnieuw teleur te stellen met een vuurspuwende draak in zijn nek. Hij voegde er wat triest aan toe dat het jammer was dat mevrouw Stanhope deze lijn niet eerder gevolgd had. En, stilzwijgend, gold dat verwijt mij ook.

Ikzelf vroeg me af waarom mijn intelligentere leerling worstelde met het concept dat goed gedrag zijn eigen beloning inhield, terwijl Alan, de Neanderthaler, het gewoon in de praktijk had gebracht en aanvaard. Uiteindelijk nam ik de analyse van Sam over – een vrouw met een sterke wil is de beste vriend voor een man.

Ik kreeg half september een boze brief van Beth Slater als antwoord op een brief van mij waarin ik geprobeerd had uit te leggen hoe ik Annies zaak was toegedaan en waarom ik Alan erbij had moeten betrekken. Maar ze liet zich niet overtuigen, en haar woede deed me verdriet. Ze had een hekel aan mensen die zich anders voordeden dan ze waren. Ze had een hekel aan de politie die hun hele huis had leeggehaald, zelfs dingen had meegenomen waarvan Alan kon bewijzen dat hij ze zelf gekocht had. Ze had een hekel aan Derek, die klootzak, en aan Maureen, dat kreng. En was het vreemd dat Alan op het slechte pad was geraakt, nadat hij als kind mishandeld was? Maar er bestonden geen excuses voor wat ik had gedaan. Besefte ik niet dat ik door Alan kapot te maken, Danny eveneens kapotmaakte?

Ze besloot haar brief met te zeggen dat ze nooit meer van me wilde horen. Ik bleef echter goede hoop houden, omdat ik veel geleerd heb over de genezende krachten van de tijd – en ik wist zeker dat zij wist hoezeer ik haar bewonderde.

Tot mijn opluchting dook Danny eind oktober plotseling weer op. Hij had een verschrikkelijke kater. Hij was prikkelbaar en kwam met allerlei voorwaarden over zijn eigen ruimte en wat hij daar mocht doen. Wat bijvoorbeeld? vroeg Sam. Relaxen... af en toe een joint roken. Hij had rust nodig om de boel op een rijtje te krijgen, en dat waren wij hem wel verschuldigd nadat we de knuppel in het hoenderhok van zijn familie hadden gegooid.

Sam, net zo opgelucht als ik, dreef hem in een hoek. En mijn vrouw dan? vroeg hij. Was zijn familie mij niet iets verschuldigd voor wat zijn vader en broer me hadden aangedaan? Danny reageerde smalend. Hoe konden de Slaters dat ooit goedmaken? Wat hadden zij mij te bieden? Shit, ik was een heel andere klasse. Daarom was hij gekomen. Hij dacht dat ik hem wel wat kon leren... over pijn verwerken... en hoe hij die kon aanwenden om zijn talenten te exploiteren.

Sheila Arnold en ik bleven vriendinnen, maar op een afstandje. We begroetten elkaar hartelijk als we elkaar op straat tegenkwamen, maar beseften allebei dat we weinig gemeen hadden. Uiteindelijk had ik meer op met het anarchisme van de dingen van de kliffen te schreeuwen, dan met het elegante conformisme van bij elkaar passende panamahoeden. Ze heeft me weliswaar toegestaan stukken uit haar correspondentie te gebruiken voor persberichten, maar ze stond erop dat ik duidelijk zou maken dat ze niet beschikbaar was voor een interview. Larry zou het niet goedvinden, zei ze.

Jock kwam in november een lang weekeind logeren en hielp het pannendak aan de westkant van het huis opnieuw te leggen. Hij en ik sjouwden vooral het materiaal aan terwijl Sam schrijlings op de nok zat en aanwijzingen schreeuwde. 's Avonds ploften we in leunstoelen neer, trokken de gordijnen dicht en gooiden met kussens naar Sam tot hij ons wijn inschonk en beloofde het avondeten te maken. Ik vroeg me af waarom ik ooit een hekel aan Jock had gehad en waarom ik ervan overtuigd was geweest dat Sam zijn vrienden verkeerd koos.

Af en toe verdween Jock naar de schuur om een joint te roken met Danny en hem te laten profiteren van zijn inzicht in vrouwen en geld, maar gelukkig ging het meeste daarvan oor in, oor uit. Verstandiger was dat hij het eerste, en mooie, beeld kocht dat Danny op Leavenham Farm gemaakt had. Het was een vrouwenfiguur, in elkaar gedoken, met haar hoofd op haar knieën, getiteld 'Bezinning', en het was een enorme sprong voorwaarts vergeleken met 'Gandhi' op mijn terras. Maar ik had Gandhi voor geen geld willen ruilen.

De eerste avond dat Jock er was, haalde hij een exemplaar van de plaatselijke krant van Richmond tevoorschijn, met een artikel erin over de dood van Annie met de kop 'Ongeluk of moord?'. Hij vroeg of we het al gezien hadden en bekeek me met nieuw ontzag toen Sam lachend zei dat ik het geschreven had. Natuurlijk was het behoorlijk geredigeerd, maar ik had geprobeerd de sfeer van Londen in die ontevreden winter van 1978 op te roepen, toen de maatschappij met zichzelf overhoop lag in de maanden die zouden leiden tot een motie van wantrouwen in het parlement en de val van Labour. Ik stelde de vraag hoe in een dergelijk klimaat zekerheid kon bestaan dat de dood van een zwarte vrouw op de juiste manier was onderzocht; en vervolgens schilderde ik de rassenhaat die op Graham Road had kunnen floreren, citeerde de waslijst ongegronde klachten tegen Annie door 'steuntrekkers' die van de autoriteiten hun gang hadden kunnen gaan, en schetste een beeld van de treitercampagne van een groep rancunelijders jegens een kwetsbare vrouw die niet aan de orde was gesteld door de blanke politieman die het onderzoek leidde. Ze hadden zijn naam erin laten staan, hoofdagent James Drury, en ook de passage over zijn 'gedwongen ontslag' vanwege racistisch geweld tegen een Aziatische jongen, had het overleefd. We publiceren het gewoon en dan zien we wel wat ervan komt, had de redactie gezegd. Maar het meest bevredigende aan het artikel vond ik persoonlijk de onflatteuze foto van Maureen die net haar voordeur dichttrok, met het onderschrift 'Steungerechtigde ontkent aanzetten tot haatcampagne'. Ze strekten me tot eer, dacht ik.

Ik had Sam laten beloven het niet over Libby te hebben. Dat was te pijnlijk. Jock voelde nog steeds een beetje voor haar omdat hij het idee had dat hijzelf deels schuld had... Sam voelde zich om dezelfde reden schuldig... en ik werd heen en weer geslingerd tussen een gevoel van triomf over mijn rehabilitatie en verdriet om wat ik haar kinderen aandeed. Maar de meeste stemmen gelden, en toen we de laatste avond van Jocks verblijf met zijn drieën aan tafel zaten, bracht hij me, op aanstichting van Sam, van de laatste ontwikkelingen op de hoogte.

Hij had van 'wederzijdse vrienden' gehoord dat Libby's man haar op straat had gezet en haar een straatverbod had laten opleggen omdat ze haar kinderen niet meer mocht zien. Kennelijk stond ze zo onder druk – 'veel te veel politiemensen die veel te veel vragen stellen' – dat ze haar oudste dochter met een ijzeren pook het ziekenhuis in had geslagen. Erger was dat de meisjes nu onthulden dat aframmelingen aan de orde van de dag waren geweest als het Libby allemaal te veel werd, en er wachtte haar een vervolging wegens kindermishandeling, waardoor ze ook haar baan zou kwijtraken.

Jock zei dat ze nu haar ware aard toonde en dat hij het me niet kwalijk zou nemen als ik blijk gaf van mijn leedvermaak. Maar Sam pakte onder tafel mijn hand en hield hem in kameraadschap vast, terwijl ik mezelf aan de oever van een rivier zag zitten... en de lichamen van de vijanden van Annie voorbij zag drijven...

Briefje van Ann Butts dat door de brievenbus van de Ranelaghs op Graham Road nr. 5 was geduwd op de dag voor ze stierf. Het was gericht aan de 'mooie dame'.

Graham Road 30
Richmond
Surrey

13 november 1978

Lieve mooie dame (het spijt me, maar ik weet niet hoe u heet),
Het spijt me dat ik u bleekscheet heb genoemd. Soms raak ik in de war en dan zeg ik dingen die ik niet zou moeten zeggen. De mensen denken daarom dat ik niet aardig ben, maar ik kan er niets aan doen, vraag dat maar aan de dokter. Alleen mijn katten zijn mijn vrienden, want die weten dat het niet mijn bedoeling is grof te zijn.
Ik heb geprobeerd iets tegen u te zeggen, maar als ik zenuwachtig ben, gaat mijn tong raar doen. Als u naar mij toe komt laat ik u binnen, maar alstublieft, u moet het niet erg vinden als ik u per ongeluk weer bleekscheet noem. Dat betekent alleen dat ik in de war ben (de laatste tijd ben ik vaak in de war). Ik zou het fijn vinden een vriendin te hebben.

In afwachting,

Annie

Minette Walters

De branding

Tien uur nadat het lichaam van een vrouw is aangespoeld op een verlaten kust in het zuiden van Engeland, wordt haar drie jaar oude dochtertje dertig kilometer verderop in een dorpje aangetroffen, in de war en alleen.
Waarom werd Kate vermoord en mocht haar kind – dat waarschijnlijk getuige was van de moord – blijven leven? En vreemder nog, waarom is Kate aan boord van een boot gegaan, terwijl ze altijd een panische angst had om te verdrinken?

Het politieonderzoek concentreert zich op een jonge acteur, een ongehuwde man met een obsessieve belangstelling voor pornografie. Deze man liegt over zijn relatie met de vermoorde vrouw en zijn boot ligt niet ver van de plek waar de kleuter is gevonden.
Naarmate het onderzoek vordert, verplaatst de verdenking zich in de richting van de echtgenoot van Kate. Klopt zijn alibi eigenlijk wel? En was Kate echt zo keurig als hij beweert?
En waarom begint zijn dochtertje te gillen van angst zodra hij haar wil optillen?

Minette Walters

De echo

Wie was Billy Blake, anders dan een dakloze alcoholist die doelloos over straat zwierf? Hoe kwam het dat hij levenloos werd aangetroffen in een van de rijkste buurten van de stad, uitgeteerd en verhongerd? En waarom uitgerekend in de garage van een vrouw van wie de echtgenoot, een puissant rijke bankier, vijf jaar eerder met de noorderzon is vertrokken, met medeneming van een enorm fortuin?

Na de gruwelijke vondst in haar garage heeft Amanda Powell elk contact met de pers gemeden. Nu, zes maanden later, benadert ze ineens de journalist Michael Deacon. Ze lijkt geobsedeerd door haar dode bezoeker. Deacons nieuwsgierigheid – zowel naar Amanda zelf als naar haar plotselinge belangstelling voor de mysterieuze Billy – is groot. En dat heeft meer te maken met zijn eigen verleden dan met de moralistische opstelling van Amanda – een vrouw wier rijkdom erop lijkt te duiden dat haar echtgenoot dood is… vermoord?

Maar wat Billy Blake ermee te maken heeft?

Minette Walters

De donkere kamer

Er was nog iets gebeurd... Iets wat zo erg was, dat ze het zich niet durfde te herinneren...

De kranten brachten het met smaak. Jinx Kingsley, modefotografe en erfgename, had geprobeerd zich van het leven te beroven nadat haar verloofde haar zonder pardon had ingeruild voor haar beste vriendin.
Maar wanneer Jinx uit haar coma bijkomt, kan ze zich niets van een zelfmoord herinneren. Dan doemen de herinneringen op, gruwelijke herinneringen, vol wanhoop en ontzetting.

Minette Walters

Het heksenmasker

Het boek van de tv-serie *The Scold's Bridle!*

Ik vraag me af of ik dit dagboek niet achter slot en grendel moet bewaren... Jenny heeft er weer aangezeten. Wat moet ze wel niet denken als ze leest over een oude, door artritis misvormde vrouw die zich poedelnaakt vertoont aan een jonge man?

Een paar dagen nadat ze een overdosis pillen heeft geslikt en haar polsen doorgesneden, wordt Mathilda Gillespie levenloos aangetroffen in bad. Maar wat Sarah Blakeney, haar huisarts, het meest schokt, is de geroeste metalen kooi om het hoofd van de dode vrouw, een zogeheten heksenmasker, bizar versierd met brandnetels en madeliefjes.

De politie gaat ervan uit dat de patholoog-anatoom zal concluderen dat het hier een geval van zelfmoord betreft. Zelfs Mathilda's naaste familie neemt het standpunt in dat haar ziekte haar tot deze daad heeft gedreven. Sarah Blakeney is de enige die niet in deze theorie gelooft. Zeker wanneer blijkt dat Mathilda's dagboeken zijn verdwenen...

Minette Walters

De beeldhouwster

Het boek van de tv-serie *The Sculptress!*

Olive Martin wordt veroordeeld voor de gruwelijke moord op haar moeder en zusje. Een motief is er niet, maar na Olives snelle bekentenis is dat ook het laatste waar de politie zich zorgen over maakt. Journaliste en schrijfster Roz Leigh raakt geïntrigeerd door de zaak-Martin. Ze bezoekt Olive in de gevangenis en raakt er langzaam maar zeker van overtuigd dat de vrouw onschuldig is. Maar wat heeft haar er dan toe gedreven om zo gemakkelijk schuld te bekennen? Roz besluit de zaak te reconstrueren en komt al doende tot een opmerkelijke conclusie, even afschuwelijk als verrassend...

Eerder verschenen onder de titel *Het motief*.

Minette Walters

Het ijshuis

Het boek van de tv-serie *The Ice House!*

Op het landgoed Streech Grange wonen eigenares Phoebe Maybury en haar twee vriendinnen Anne en Diana. Op een dag vindt hun tuinman een lijk in het al jaren ongebruikte ijshuis achter in de tuin. Hoofdinspecteur Walsh en zijn assistent McLoughlin nemen het onderzoek ter hand. Hoewel het lijk niet geïdentificeerd kan worden, denkt Walsh te weten wie het is: tien jaar geleden is Phoebes echtgenoot verdwenen en er is nooit een spoor van hem teruggevonden. Destijds heeft Walsh de zaak niet op kunnen lossen, ondanks zijn verdenkingen jegens Phoebe. De vondst in het ijshuis lijkt een nieuw licht op de zaak te werpen...